CW00552599

ISBN 978-0-260-95967-6
PIBN 10994236

FB &c Ltd, Dalton House, 60 Windsor Avenue, London, SW19 2RR.
Company number 08720141. Registered in England and Wales.

For support please visit www.forgottenbooks.com

DER STÄDTEBAU

NACH DEN ERGEBNISSEN DER ALLGEMEINEN
STÄDTEBAU-AUSSTELLUNG
IN BERLIN NEBST EINEM ANHANG: DIE INTERNATIONALE STÄDTEBAU-AUSSTELLUNG IN DÜSSELDORF

600 WIEDERGABEN DES BILDER- UND PLAN-MATERIALS DER BEIDEN AUSSTELLUNGEN (DARUNTER EINE GROSSE ANZAHL GANZSEITIGER UND DOPPEL-SEITIGER FARBIGER REPRODUKTIONEN)

MIT FÖRDERUNG DURCH DIE KÖNIGLICHEN PREUSSISCHEN MINISTERIEN DES INNERN, DES HANDELS UND DER ÖFFENTLICHEN ARBEITEN, SOWIE DURCH DIE STÄDTE BERLIN CHARLOTTENBURG, RIXDORF, SCHÖNEBERG, WILMERSDORF, POTSDAM, SPANDAU, LICHTENBERG UND DÜSSELDORF, HERAUSGEGEBEN IM AUFTRAGE DER ARBEITSAUSSCHÜSSE

VON DR. WERNER HEGEMANN
GENERALSEKRETÄR DER STÄDTEBAU-AUSSTELLUNGEN IN BERLIN UND DÜSSELDORF

:: PREIS 18 MARK ::
(VOLLSTÄNDIG IN 3 TEILEN)

BERLIN VERLAG ERNST WASMUTH A.-G. 1911

Vorbemerkung des Herausgebers

In dem ersten Hefte des Werkes über die Städtebau-Ausstellung wird der größere Teil des auf Berlin bezüglichen Materials der Ausstellung behandelt (ausschließlich des von anderer Seite in einem besonderen Werke veröffentlichten Groß-Berliner Wettbewerbes). Einem durch das neuere Berliner Material illustrierten Rückblick auf den seit den 40er Jahren des vorigen Jahrhunderts geführten passionierenden, wenn auch vorläufig noch erfolglosen Kampf um gesunde Stadtbaukunst, werden an der Hand der historischen Berliner Pläne die ansiedelungspolitischen und künstlerischen Leistungen der großen Epoche brandenburgisch-preußischen Städtebaues gegenübergestellt.

Der zweite und dritte Teil des Werkes wird Schilderungen des Materials einiger an der Ausstellung hervorragend beteiligter Gemeinden bringen (Wien, Paris, Budapest, Boston, Stockholm u. a.) sowie zusammenfassende Darstellungen geben von besonderen Gebieten des Städtebaues (wie Verkehrs- und Parkwesen, Gartenstädte usw.). Der Anhang wird dem durch die Düsseldorfer Ausstellung neu hinzugekommenen Material (namentlich rheinischer Städte und Chicagos) gewidmet sein.

Der dritte Teil wird ferner eine kurze Schilderung des technischen Verlaufs der Ausstellung geben, um so ein, wenn auch noch so bescheidenes Denkmal zu schaffen für das außerordentliche Entgegenkommen seitens der verschiedensten staatlichen und städtischen Behörden, sonstiger Körperschaften und privater Mitarbeiter, denen das Zustandekommen dieser ausschließlich ideale Ziele verfolgenden Ausstellung zu verdanken ist.

Ein ausführliches Schlagwortregister wird alle Teile des umfassenden Materials zugänglich machen, so daß das Werk ein bequemes Nachschlagebuch über den gegenwärtigen Stand der städtebaulichen Bewegung darstellen wird.

Der Text, dessen Abfassung der Herausgeber im Auftrage der beiden Arbeitsausschüsse übernommen hat (wobei ihm jedoch volle Freiheit gelassen wurde, so daß er als für den Inhalt allein verantwortlicher Verfasser zeichnet), ist geschrieben auf Grund genauen Quellenstudiums an Ort und Stelle: dem Grundsatze Camillo Sittes folgend, nur Selbstgesehenes zu besprechen, hat der Verfasser die Erfüllung seines Auftrages verbunden mit einer selbständig von ihm unternommenen siebenmonatlichen Studienreise durch die auf der Ausstellung vertretenen europäischen Städte, während er das amerikanische Material bereits vorher gelegentlich eines 13monatlichen Aufenthaltes in den Vereinigten Staaten im Zusammenhang mit seiner Tätigkeit als Leiter der Städtebau-Ausstellung in Boston 1909 zu studieren Gelegenheit hatte. Der Herausgeber fühlt das Bedürfnis, auch an dieser Stelle den Arbeitsausschüssen für das Vertrauen zu danken, das in dem ihm auf Antrag Professor Dr. Eberstadts, Berlin, und Beigeordneten Baurat Geusens, Düsseldorf, erteilten Auftrage zum Ausdruck kam und das ihm bei den Behörden der besuchten Städte und bei vielen in der städtebaulichen Bewegung tätigen Privatleuten neue, dankbar empfangene Unterstützung seiner Bemühungen verschafft hat. Daß dieses ihm von so vielen Seiten zuteil gewordene Entgegenkommen, das in vielen Fällen mit erheblichen Opfern der ihn so gütig Unterstützenden verbunden war (außer an Zeit vor allem für Automobilfahrten und überlassenes gedrucktes Studienmaterial), eine ernste Verpflichtung nach sich zieht, ist der Verfasser sich wohl bewußt. Die Probleme, die er zu verstehen und darzustellen unternommen hat, sind von so ungeheurer Tragweite, daß ihn bei der Arbeit der Gedanke an ein Wort von Emerson nicht verlassen wollte, das hier Platz finden möge: „Ihr werdet hören, daß man in erster Linie nach Land und Geld, nach Stellung und Namen streben muß . . . . . sollte trotzdem einer von euch dazu ausersehen werden, Untersuchungen über Wahrheit und Schönheit anzustellen, dann sei er: kühn, fest, zuverlässig." Diese schwierige Aufgabe hätte der Verfasser, so weit es in seinen Kräften steht, gerne erfüllt.

DER STÄDTEBAU

NACH DEN ERGEBNISSEN DER ALLGEMEINEN

STÄDTEBAU-AUSSTELLUNG

IN BERLIN NEBST EINEM ANHANG: DIE INTERNATIONALE STÄDTEBAU-AUSSTELLUNG IN DÜSSELDORF

600 WIEDERGABEN DES BILDER- UND PLAN-
MATERIALS DER BEIDEN AUSSTELLUNGEN

MIT FÖRDERUNG DURCH DIE KÖNIGLICHEN PREUSSISCHEN MINISTERIEN
DES INNEREN, DES HANDELS UND DER ÖFFENTLICHEN ARBEITEN, SOWIE
DURCH DIE STÄDTE BERLIN, CHARLOTTENBURG, RIXDORF, SCHÖNEBERG,
WILMERSDORF, POTSDAM, SPANDAU, LICHTENBERG UND DÜSSELDORF
HERAUSGEGEBEN IM AUFTRAGE DER ARBEITSAUSSCHÜSSE

VON DR. WERNER HEGEMANN

GENERALSEKRETÄR DER STÄDTEBAU-AUSSTELLUNGEN IN BERLIN UND DÜSSELDORF

ERSTER TEIL

BERLIN
VERLAG ERNST WASMUTH A.-G.
1911

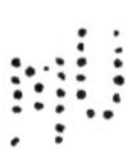

PIERERSCHE HOFBUCHDRUCKEREI STEPHAN GEIBEL & CO. IN ALTENBURG.

Allgemeine Städtebau-Ausſtellung in Berlin 1910.

Präſident: KIRSCHNER, Oberbürgermeiſter von Berlin.

Vorſitzender: O. MARCH, Geh. Baurat.

Stellvertr. Vorſitzende: FR. KRAUSE, Geh. Baurat. H. JANSEN, Architekt.

Ausſchuß: BEHRENDT, Präſ. der Kgl. Eiſenbahndirektion Berlin; Kabinettsrat Dr. v. BEHR-PINNOW, Kgl. Kammerherr; ERNST v. BORSIG, Kgl. Kommerzienrat; BRODERSEN, Kgl. Gartenbaudirektor; Dr. EBERSTADT, Prof. a. d. Kgl. Univerſität; EGER, Geh. Baurat, Mitglied der Miniſterialbau-Kommiſſion; Dr. EWALD, Geh. Med.-Rat, Prof., Vorſ. des Waldſchutzvereins; FRANCKE, Wirkl. Geh. Ob.-Reg.-Rat, vortr. Rat im Miniſterium der öffentl. Arbeiten; FELIX GENZMER, Geh. Hofbaurat, Prof. und Mitleiter des „Seminars für Städtebau" an der Techn. Hochſchule; GOECKE, Landesbaurat, Prof. an der Techn. Hochſchule, Herausgeber der Monatsſchrift „Der Städtebau"; GOLDBERGER, Geh. Kommerzienrat, Präſ. d. ſtändigen Ausſtellungskommiſſion f. d. D. I.; GOTTHEINER, Kgl. u. Mag.-Baurat; v. GWINNER, Direktor der Deutſchen Bank; HABERMANN, Oberbürgermeiſter von Wilmersdorf; HERZ, Geh. Kommerzienrat, Präſident der Handelskammer; HEIMANN, Reg.-Baumeiſter a. D.; HINCKELDEYN, Dr.-Ing., Oberbau- und Miniſterialdirektor Exz., Präſident der Kgl. Akademie des Bauweſens; HOFFMANN, Dr.-Ing., Geh. Baurat, Stadtbaurat von Berlin; HOFMANN, Architekt, Redakteur der Deutſchen Bauzeitung; JACOB, Geh. Kommerzienrat; v. JAGOW, Polizeipräſident von Berlin; H. JANSEN, Architekt, Herausgeber der Zeitſchrift „Der Baumeiſter"; v. IHNE, Geh. Ober-Hofbaurat, Hofarchitekt Sr. Maj. des Kaiſers und Königs; KAMPF, Prof., Präſident der Kgl. Akademie der Künſte; KAEMPF, Präſ. der Älteſten der Kaufmannſchaft; KAISER, Oberbürgermeiſter von Rixdorf; KAYSER, Geh. Baurat, Prof., Vorſitz. der Vereinigung Berliner Architekten; KEMMANN, Reg.-Rat a. D.; KÖRTE, Kgl. Baurat, Stadtverordneter; KRAUSE, Geh. Baurat, Stadtbaurat; Dr. KUCZYNSKI, Direktor des Statiſtiſchen Amtes in Schöneberg; KYLLMANN, Geh. Baurat, Stadtverordneter; LAUNER, Geh. Oberbaurat, vortr. Rat im Miniſterium der öffentl. Arbeiten; MÖHRING, Prof., Architekt, Mitherausgeber der Berliner Architekturwelt; MUTHESIUS, Dr.-Ing., Geh. Reg.-Rat, Mitglied des Landesgew.-Amts; NEUMANN, Geh. Ob.-Reg.-Rat, vortr. Rat im Miniſterium für Handel und Gewerbe; PETERSEN, Oberingenieur; SARAN, Geh. Baurat, vortr. Rat im Miniſterium der öffentl. Arbeiten, Vorſ. des A.-V. zu Berlin; SCHLIEPMANN, Kgl. Baurat beim Polizeipräſidium; Dr. SCHMIDTMANN, Prof., Geh. Ob.-Med.-Rat, vortr. Rat im Kultusminiſterium; Dr. v. SCHMOLLER, ord. Prof. a. d. Kgl. Univerſität zu Berlin; W. v. SIEMENS, Dr.-Ing., Geh. Reg.-Rat; Dr. SILBERGLEIT, Prof., Direktor des Statiſtiſchen Amtes der Stadt Berlin; STAPF, Kgl. Baurat, Stadtverordneter; F. SCHULTZE, Reg.- und Baurat, Redakteur des Zentralbl. der Bauverwaltung; SCHUSTEHRUS, Oberbürgermeiſter von Charlottenburg; STÜBBEN, Dr.-Ing., Kgl. Ober- und Geh. Baurat; TUAILLON, Prof., Bildhauer; A. v. WERNER, Wirkl. Geh. Ob.-Reg.-Rat, Direktor der Kgl. akad. Hochſchule f. d. bild. Künſte; WILDE, Oberbürgermeiſter von Schöneberg; WITTIG, Kgl. Baurat, Direktor der Geſellſchaft für elektriſche Hoch- und Untergrundbahnen; ZIETHEN, erſter Bürgermeiſter von Lichtenberg.

Arbeitsausſchuß: Geh. Baurat O. MARCH, Prof. Dr. EBERSTADT, Prof. Th. GOECKE, Kgl. Baurat GOTTHEINER, Architekt H. JANSEN, Geh. Baurat KRAUSE, Geh. Baurat Dr.-Ing. STÜBBEN.

Generalſekretär: Dr. WERNER HEGEMANN.

Erſter Teil: Berlin

1. Einleitung 2. Die Berliner Pläne

Dem Träger des Gedankens Groß-Berlin

Herrn Geh. Baurat Dr.-Ing. h. c.

OTTO MARCH

in Verehrung gewidmet

vom Verfaſſer

Damit eine Hauptſtadt in richtigen Verhältniſſen, ſowohl in Rückſicht auf Baulichkeiten als auf die Zahlenverhältniſſe der verſchiedenen Bevölkerungsarten zueinander fortbeſtehe oder in dieſelben gebracht werde, iſt es zunächſt durchaus nötig, daß innerhalb ihrer Munizipalität klar überſchauende Träger des eigentümlichen Weſens der betreffenden Hauptſtadt in ſeiner weſentlichen Bedeutung ſich vorfinden.

Arminius 1874.

Kreuzberg.

Gendarmenmarkt.

Hedwigskirche.

Werderscher Markt.

Abb. 1 u. 2. Berlin 1834, vom Turm der Werderschen Kirche aus gesehen, Rundbild gemalt von Eduard Gärtner.

r. Otto March, Charlottenburg.

Museum. Dom.

Universität. Zeughaus. Lustgarten. Schloß. Schl

Einleitung. Rückblick.

Es ſcheint unabwendbar, daß hier einſt eine Blut- und Eiſenpolitik einzuſetzen hat, wobei erſtere durch ſchmerzliche, unfreiwillige Opfer dargeſtellt wird, letztere durch die Spitzhacke, die heilſame Durchbrüche für die vordringenden Verkehrswogen ſchaffen muß. **Otto March 1909.**

Zur Würdigung der Ereigniſſe und Probleme, die zur Allgemeinen Städtebau-Ausſtellung in Berlin geführt haben, iſt es ſchwer, den Ton zu finden, der ernſt genug iſt, um der Sache gerecht zu werden. Es ſei darum zu Beginn dieſes Berichtes der 550000 Menſchen gedacht, die in der Stadt Berlin allein (alſo nicht in Groß-Berlin) in überfüllten Wohnungen leben, in denen jedes heizbare Zimmer mit 4 bis 13 Menſchen belegt iſt (vgl. Abb. 5 u. 59). Es ſei auch der 220000 Berliner Kinder gedacht, die ſich zum großen Teil aus dieſen überfüllten Wohnungen rekrutieren, und für deren verwelkende Kraft es keinen anderen Tummel- und Erholungsplatz gibt, als die ſtaubige, gefährliche Straße[1]). Es ſeien dann ferner hier die Worte angeführt, die einer der ruhigſten und berufenſten Beurteiler der ſtädtebaulichen Lage Groß-Berlins vor nicht langer Zeit in der Kgl. Akademie des Bauweſens ausſprach: „Es ſcheint unabwendbar, daß hier einſt eine Blut- und Eiſenpolitik einzuſetzen hat .....“, wobei neben den Wohnungsverhältniſſen die Berliner Verkehrsverhältniſſe ins Auge gefaßt ſind. Dieſe ernſten Worte und die Tatſachen, daß über eine halbe Million, mehr als ein Viertel, der Bewohner Berlins in menſchenunwürdigen Verhältniſſen wohnt, daß faſt eine Viertelmillion Berliner Kinder Unentbehrliches entbehren muß, ergänzen ſich; wer ihre ganze Bedeutung ermißt und ſich ſtets klar vor Augen hält, ſteht auf einer Warte, die während der folgenden Ausführung nicht verlaſſen werden darf.

Die Allgemeine Städtebau-Ausſtellung kann nicht verſtanden werden als eine von heute auf morgen zuſtande gekommene Veranſtaltung, ſondern ſie iſt aufzufaſſen als eine bedeutſame Erſcheinung in einem Jahrzehnte weit zurückreichenden und immer weitere Kreiſe erfaſſenden Kampfe.

Wenn die Ausſtellung in erſter Linie zu verſtehen iſt als ein Meilenſtein in der Entwicklung der Großſtadt Berlin, der Stadt Groß-Berlin, ſo ergibt ſich ihre Bedeutung für die Geſamtheit aus der Tatſache, daß die Berliner Entwicklung als typiſch für internationale Vorgänge gelten kann. Berlin wird augenblicklich ein internationales Sturmzentrum in dem Kampfe um die ſegensreiche Geſtaltung der durchaus neuen Welt, auf der wir ſeit dem Wirkſamwerden der neuzeitlichen Technik in Induſtrie und Verkehr leben. In mancher Beziehung kommen die Probleme dieſes Kampfes in Berlin ſogar klarer zum Ausdruck als anderswo: in Berlin kann der Ansturm der Völkerwanderung (Binnenwanderung), die mit der wirtschaftlichen Umwälzung verbunden ist, vielleicht stärker genannt werden als in anderen Städten Europas, und verglichen mit amerikanischen Städten hat Berlin wohl mehr große Tradition, mehr geprägte Form zu verteidigen als selbst die aus der Barockzeit stammenden Emporien Ost-Amerikas. Nicht nur in den künstlerischen Fragen des Städtebaus, sondern gerade auch in den wirtschaftlichen hat sich das Vorhandensein der großen Tradition und ihr plötzliches Erlöschen in Berlin vielleicht mehr als irgendwo anders als besonders bedeutungs- und verhängnisvoll erwiesen. War doch Berlin bis in die ersten Jahrzehnte des 19. Jahrhunderts nicht nur in seinem Äußeren, sondern auch in seinen wirtschaftlichen Grundlagen und Möglichkeiten das Produkt eines gewaltigen Willensaktes der Hohenzollern, deren vom Großen Kurfürsten eingeleitete und erst im 19. Jahrhundert erlahmende Bau-, Boden- und Wohnungspolitik zu den größten, planvoll geleiteten Aktionen in der Geschichte des Städtebaus zählt. (Hiervon handelt das folgende Kapitel.)

Der Kampf der Ordnung gegen das Chaos, der nach dem geradezu als „Kultursturz" zu bezeichnenden Bruch der großen Tradition und nach dem Hereinbrechen der neuen Wirtschaftsepoche in den Städten entbrannte, war kein gewöhnlicher Kampf zwischen Geist und Materie, sondern ein unendlich kompliziertes Ringen zwischen edler, aber ermattender, weil in den neuen Verhältnissen entwurzelter Gestaltungskraft auf der einen Seite gegen formensprengende, aber formdurstige wirtschaftliche Neukraft, zwischen der in den Herzen erlesener Männer bis zum heiligen Gewissen gesteigerten Tradition, die aber dem Neuen gegenüber oft ratlos und unzulänglich zusammenbricht, gegen furchtbare, aber von Kraft und stolzem Selbsterhaltungstrieb strotzende Brutalität; zwischen dem reinen Streben, die Möglichkeiten und Notwendigkeiten der Zeit segensreich zu gestalten, gegen die dumpfe Trägheit der Masse, dargestellt durch die den Tag beherrschenden Gewalten der Interessenpolitik, des Bureaukratismus und des wohlfeilen privaten Augenblickgewinns, dargestellt auch durch die hygienisch und kulturell so verhängnisvolle Anspruchslosigkeit (z. B. im Wohnwesen) einer halbkultivierten Masseneinwanderung und durch die noch schärfer zu verurteilende kulturelle Anspruchslosigkeit der sogenannten gebildeten Klassen; ein Kampf, in dem die oft ratlose Schwäche auf der einen Seite nicht weniger beklagenswert ist, als der grimme Unverstand auf der anderen, wo aber auch Achtung, ja Begeisterung einflößende Tugenden auf beiden Seiten zu finden sind. Der Kampf um die Weltanschauung: Nach welcher Moral soll Raum geschaffen werden für die Millionen von Menschen, die die moderne Volkswirtschaft in Städte zusammendrängt und ernährt, während sie ehedem in Hungersnöten, Seuchen und Kriegen dahinsanken oder als Auswanderer dem Vaterlande verloren gingen?

Die Allgemeine Städtebau-Ausstellung bedeutet eine Etappe in diesem Kampfe; zu ihrem Verständnis ist eine rückblickende Orientierung über die sich steigernden Phasen des Kampfes unerläßlich. Die Geschichte dieses tragischen Kampfes ist noch nicht geschrieben und kann hier nicht aus dem Stegreif geschrieben werden. Aber die folgende allgemeine Einleitung, die der eigentlichen Schilderung der Ausstellung vorangeschickt werden muß, soll wenigstens einige der schmerzlichsten Episoden dieses Kampfes kurz skizzieren. Diese Episoden werden zeigen, wie die verschiedenen städtebaulichen Notwendigkeiten, deren Zahl, Zusammenhang und weittragende Bedeutung die Städtebau-

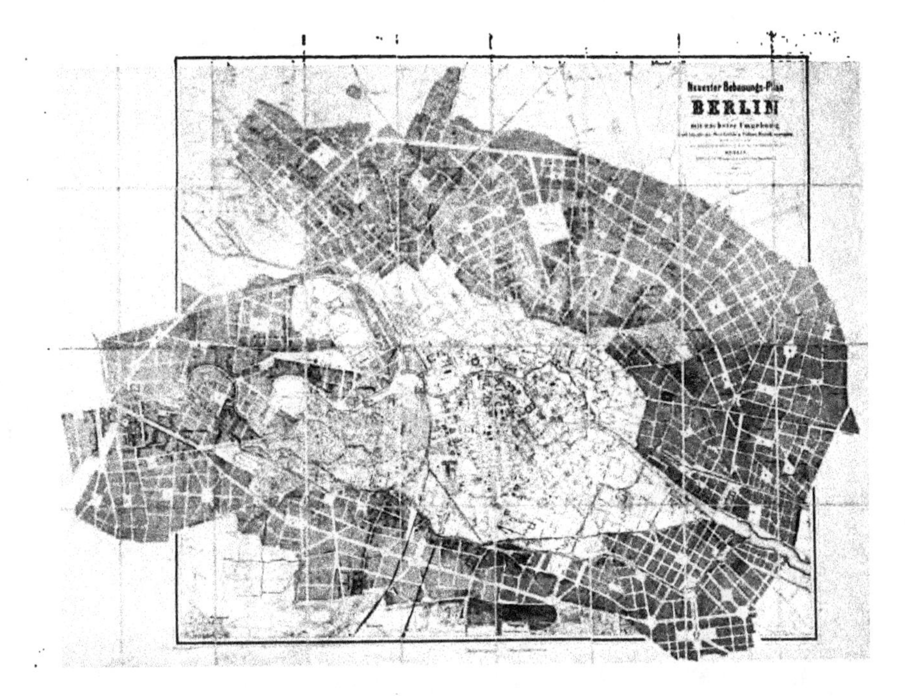

Abb. 4. Die Bevölkerungsbewegung im Deutſchen Reich. 1871—1905. — Ausſteller Statiſt. Amt der Stadt Berlin (Prof. Dr. Silbergleit).

1. (rotbraun) Geſamtbevölkerung ſteigt von 40,98 auf 60,64 Millionen.
2. (hellgelb) die Bevölkerung des platten Landes f ä l l t von 26,22 auf 25,82 Millionen
3. (grün) die Zahl der Landſtädte (2000—5000 Einw.) ſteigt von 1716 auf 2386 und der Einwohner von 5,09 auf 7,16 Millionen.
4. (violett) die Zahl der Kleinſtädte (5000- 20000 Einw.) ſteigt von 527 auf 945 und der Einwohner von 4,59 auf 8,33 Millionen.
5. (dunkelgelb) die Zahl der Mittelſtädte (20000—50000 Einw.) ſteigt von 51 auf 160 und der Einwohner von 1,43 auf 4,60 Millionen.
6. (hellblau) die Zahl der Mittelſtädte (50000—100000 Einw.) ſteigt von 24 auf 48 und der Einwohner von 1,68 auf 3,21 Millionen.
7. (weiß) die Zahl der Großſtädte (100000 und mehr Einw.) ſteigt von 8 auf 41 und der Einwohner von 1,97 auf 11,51 Millionen.

Abb. 5. Ausſteller: Statiſtiſches A[r]

Die farbigen Streifen **links** zeigen die Zahl der Haushaltungen, die in den Wohnungen der verſchiedenen Größenklaſſen untergebracht ſind, gruppiert nach der Zahl von Perſonen im Haushalt. Es gab danach 1905 677 **nur** aus Küche beſtehende Wohnungen, von denen **jede** mit mindeſtens 3 und höchſtens 12 Menſchen belegt war. Es gab 249457 aus **einem** heizbaren Zimmer beſtehende Wohnungen, von denen etwa 34000 **nur** ein heizbares Zimmer und etwa 188000 außer dem Zimmer noch eine Küche ohne weitere Nebenräume aufwieſen.

Von dieſen Einzimmerwohnungen waren

58935	mit je 3	(zuſammen	176805)	Menſchen belegt.
45715	„ „ 4	(„	182860)	„ „
27120	„ „ 5	(„	135600)	„ „
13772	„ „ 6	(„	82632)	„ „
6117	„ „ 7	(„	42819)	„ „
2552	„ „ 8	(„	20416)	„ „
1345	„ „ 9 bis je 13	(zuſ.	12644	„ „

Die kl
in der Mitte geben die Art d
graues Viereck (z. B. das unt
unheizbares Zimmer: ein ſd

Unter den Wohnungen mit 2 h
Zimmern gab es

26623	mit je 5	(zuſ. 133115)
17117	„ „ 6	(„ 102702)
9399	„ „ 7	(„ 65793)
7909	„ von je 8-11	(zuſ. 6796
127	„ „ „ 12-16	(zuſ. 158

550629 Einwohner Berlins (nicht Groß-Berlins) wohnen in W
1088269 „ „ „ „ „ „

Berlin ha

tadt Berlin (Direktor Prof. Dr. Silbergleit).

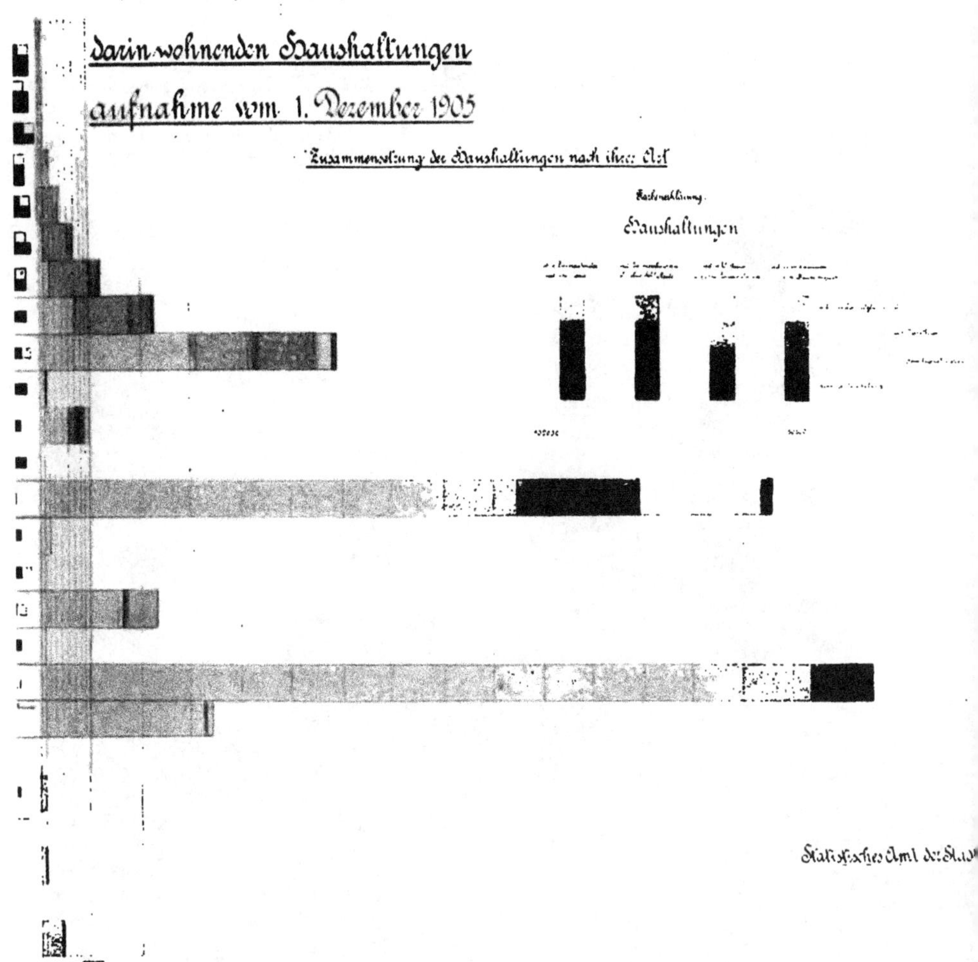

Vierecke
ınten Wohnungen an. Dabei bedeutet ein
ıe Küche; ein weißes Viereck bedeutet ein
Viereck bedeutet ein heizbares Zimmer.

Unter den Wohnungen mit 3 heizbaren Zimmern gab es

3329	mit je	7	(zuſ. 23303)	Menſchen
1638	„ „	8	(„ 13104)	„
752	„ „	9	(„ 6768)	„
658	„ „	10-17	(zuſ. 7010)	„

Die rechte Hälfte der Tafel iſt beſonders intereſſant wegen des
das sie auf das Berliner Schlafgänger- und Zimmerabmiet
wirft. Von den 523564 Haushaltungen Berlins ſind 60893
Hereinnahme von Schlafleuten, 39206 auf Zimmerabmieter u
auf Schlafleute und Zimmerabmieter angewieſen. 139 nur au
beſtehende Wohnungen, 1350 Wohnungen, die nur aus einem
ohne Küche und ohne Zubehor beſtehen, 23368 aus Küche u
einem Zimmer beſtehende Wohnungen nehmen Schlafleute
Man muß die Zahl der Berliner, die in Wohnungen mit Schla
oder Zimmerabmietern wohnen, auf ⅕ bis ¼ der Geſamtbevo
ſchätzen. Die Zahl der Schlafganger ſelbſt iſt 105384, die der Z
abmieter 63347. Dabei iſt zu berückſichtigen, daß das Schlafburſc
eine Durchgangsſtufe fur den großten Teil der Minderbemitte

Unter den Wohnungen mit 4 heizbaren Zimmern waren 802
je 9 bis je 19 (zuſammen 7920) Menſchen. Unter den Wohnun
von 5 7 heizbaren Zimmern ſind 181, in denen jedes Zimr
von je 3 -5 (zuſammen 2608) Menſchen belegt iſt.

en, in denen jedes heizbare Zimmer mit 4—13 Menſchen belegt iſt.
„ „ „ „ „ „ 3—13 „ „ „.

148 Einwohner.

Abb. 6. Aussteller: Ministerium der öffentlichen Arbeiten (Kgl. Eisenbahndirektion).

Die Zahl der Bevölkerung der Stadt Berlin:

Jahr	Einwohner
1871	825 937
1880	1 122 330
1890	1 578 794
1900	1 888 848
1905	2 040 148
1910	2 071 257

Charlottenburg

Jahr	Einwohner
1871	19 518
1880	30 562
1890	76 859
1900	189 305
1905	239 559
1910	305 978

Rixdorf:

Jahr	Einwohner
1871	8 125
1880	18 729
1890	35 702
1900	90 422
1905	153 513
1910	237 289

Schöneberg:

Jahr	Einwohner
1871	4 555
1880	11 180
1890	28 721
1900	95 998
1905	141 010
1910	172 823

Wilmersdorf:

Jahr	Einwohner
1871	1 662
1880	2 911
1890	5 164
1900	30 671
1905	63 568
1910	109 716

Friedenau:

Jahr	Einwohner
1880	1 302
1890	4 211
1900	11 050
1905	18 011
1910	34 862

Grunewald:

Jahr	Einwohner
1890	36
1900	3 230
1905	4 574
1910	5 563

Steglitz:

Jahr	Einwohner
1871	1 899
1880	6 476
1890	12 530
1900	21 425
1905	32 825
1910	62 954

Gr. Lichterfelde:

Jahr	Einwohner
1871	445
1880	4 049
1890	8 745
1900	23 168
1905	34 331
1910	42 513

Treptow:

Jahr	Einwohner
1871	305
1880	803
1890	1 780
1900	5 348
1905	11 270
1910	24 469

Zehlendorf, Schlachtensee:

Jahr	Einwohner
1890	4 319
1900	8 837
1905	12 647
1910	16 864

Lichtenberg:

Jahr	Einwohner
1871	3 244
1880	12 634
1890	22 905
1900	43 371
1905	55 391
1910	81 199

Spandau:

Jahr	Einwohner
1871	20 103
1880	29 311
1890	45 365
1900	65 030
1905	71 902
1910	84 855

Potsdam

Jahr	Einwohner
1871	43 834
1880	48 447
1890	54 125
1900	59 796
1905	61 414
1910	62 243

Groß-Berlin (Zweckverband): 1871 = 1 061 566, 1880 = 1 447 083, 1890 = 2 111 275, 1900 = 2 890 815, 1905 = 3 296 070, 1910 = 3 947 300.

> Wir Deutſchen ſind das einzige Kulturvolk, das ohne eine große Stadt ſich die Stellung einer Großmacht erobert hat; die Vorzüge und die Schwächen ländlich-kleinſtädtiſcher Bildung liegen uns tief im Blute. Nun unternehmen die aufſtrebenden Kräfte einer neuen Zeit vor unſeren Augen, dies alte unnatürliche Gebrechen zu heilen, das allein aus den Wirren und dem Unglück einer höchſt verwickelten Geſchichte ſich erklärt. Unſere Hauptſtadt wird bald die größte Kommunalverwaltung der Welt beſitzen und als „Provinz Berlin" den beengenden Formen der Städteordnung entwachſen.
>
> H. v. Treitſchke (in „Der Sozialismus und ſeine Gönner" 1874).

Ausſtellung vielleicht zum erſten Male in ganz helles Licht gerückt hat, nicht als Einfälle von geſtern oder vorgeſtern mißachtet werden dürfen, daß es ſich dabei vielmehr um Forderungen des geſunden Menſchenverſtandes handelt, die ſeit Jahrzehnten, ſeit einem halben Jahrhundert, ſeit dem Augenblicke, in dem ſie brennend wurden, von den beſten, gebildetſten und im höchſten Sinne des Wortes praktiſchſten Männern der Nation aufgeſtellt worden ſind, Forderungen, die, als ſie unbeachtet blieben, immer aufs neue wiederholt worden ſind, von denen bald die eine, bald die andere in den Vordergrund getreten iſt, von denen manche vorübergehend wieder ganz vergeſſen wurden, die aber erſt in ihrer glücklichen Zuſammenfaſſung und Erfüllung das Weſen des Städtebaus erſchöpfen und ſeine Probleme löſen.

Ganz beſondere Beachtung verdient die in die vierziger und fünfziger Jahre fallende Eröffnung dieſes Kampfes und ſein erſtes Stadium, weil in ganz verhängnisvoller Weiſe gleich damals entſcheidende Würfel gefallen ſind, weil das erſte Stadium des Kampfes mit der Aufſtellung des Berliner Bebauungsplanes geendet hat, der den unheilvollen Grund für die ſchreckenerregende Entwicklung der Folgezeit legte. Die Möglichkeit des Zuſtandekommens des Berliner Bebauungsplanes von 1858, dieſes vielleicht wichtigſten unter den von der Obrigkeit geſchaffenen Inſtrumenten zur Erzielung des Berliner Miethauſes (mit 77 Perſonen durchſchnittlicher Belegung jedes Grundſtücks), muß gewürdigt und begriffen werden aus der Geſinnung und Stimmung jener unſeligen ſtagnierenden fünfziger Jahre heraus, die für den Bebauungsplan verantwortlich ſind.

Der Kampf um die ſegensreiche Geſtaltung des ſtädtiſchen Anſiedelungsweſens, der gerade in Berlin einſt von den Hohenzollern in großartiger und erfolgreicher Weiſe gekämpft worden war, mußte neu aufflammen, als mit dem Wirkſamwerden der gewaltigen neuen Kräfte im Wirtſchaftsleben und dem daraus folgenden Zuſammenſtrömen der Menſchen zu gedrängter Wohnweiſe, zu gemeinſamen Wohnſitzen, ſich Verhältniſſe entwickelten, deren den ganzen Geſellſchaftskörper bedrohende Fäulnis jedem nachdenklichen Menſchen klar machte, daß die alten ſtädtebaulichen Traditionen der großen preußiſchen Herrſcher in irgendeiner Form wieder aufgenommen oder erſetzt werden müſſen. Auch ohne von den ſtädtebaulichen Großtaten, aus denen Berlin geboren war, eine klare Vorſtellung zu haben, ſuchten doch die Beſten gleichſam inſtinktiv nach einem geeigneten Erſatz für jene landesherrliche Wohnungspolitik. Allerdings haben die Städte, die ſich im neuen Zeitalter des Transports und der Maſchinen entwickelten, mit früher vorhandenen Siedelungen eigentlich nur noch den Namen gemeinſam, und ſie unterſcheiden ſich tatſächlich in ihren Lebensbedingungen und ihrer Organiſation durchaus von allem Dageweſenen. Dennoch ſind dieſe Städte in letzter Linie aufgebaut nicht auf Maſchinen, ſondern genau wie die Städte früherer Epochen auf lebenden Menſchen.

Die Menschen aber, ohne die selbst die Städte des Maschinenzeitalters nicht denkbar sind, können zwar während eines wichtigen Teiles ihres Lebens Maschinen bedienen, sie müssen aber nach wohl unumstößlichem Naturgesetz während eines die Arbeitszeit überwiegenden Teiles ihrer Zeit sich in kraft-erneuernder Form erholen, schlafen und, im weitesten Sinne des Wortes, wohnen.

Der neuzeitliche Kampf um die Ausgestaltung der Städte zu segensreichen Wohnungen im weiten menschenwürdigen Sinne begann in den deutschen Städten und selbst in dem der Bevölkerungszahl nach heute an ihrer Spitze stehenden Berlin naturgemäß später als in dem früher von der Industrialisierung erfaßten Belgien, England und Frankreich (da namentlich im stark zentralisierten Paris und in dem früh von der Industrie ergriffenen, damals noch französischen Mülhausen). Auf dem Gebiete städtebaulicher Organisation waren in England, Belgien und dann auch in Paris und Mülhausen mit ihren „Arbeiterstädten" ernste Erfahrungen gemacht worden, bevor die Lage sich in Berlin zuspitzte. Es ist beschämend, daß die schweren Erfahrungen und in vieler Beziehung erfolgreichen städtebaulichen Anstrengungen des Auslandes nicht verhindern konnten, daß dieselben schweren Übelstände in Berlin, wo die Industrialisierung seit 1840 mit unerhörter Kraft einsetzte, sich wiederholten und sogar fest einnisteten. Aber geradezu tragisch ist es, daß in Berlin in den kritischen Augenblicken immer Männer gewesen sind, die nicht nur die im Auslande gemachten Erfahrungen und Anstrengungen ganz genau kannten, sondern auch mit klarem Auge die deutschen Verhältnisse denselben Klippen zusteuern sahen, und daß ihre eindringlichen Warnungen und ihre aufopferungsvollste Arbeit unfruchtbar geblieben ist, weil keine umfassende, einheitliche Aktion des Gesamtwillens durch sie ausgelöst wurde.

Der erste und letzte Zweck des Städtebaus ist die würdige Befriedigung des Wohnbedürfnisses im weitesten Sinne des Wortes. Die geradezu unüberwindlichen Schwierigkeiten, die sich dieser Befriedigung plötzlich in nie dagewesenem Maße entgegenstellten, als die neue Industrie gleichsam über Nacht Hunderttausende von Arbeitern in die Städte zwang, wurden in London in Wort, Schrift, Agitation und praktischen Unternehmungen seit dem Jahre 1844 unter den Auspizien des Prinzen Albert, besonders durch den Grafen Shaftesbury mit nachhaltigem Ernste bekämpft. Die gebildeten Klassen gaben durch eine umfangreiche gemeinnützige Vereinstätigkeit, besonders aber auch durch eigene hohe Wohnungsansprüche ein Beispiel, das zwar machtlos geblieben wäre, wenn es keine Nachfolge gefunden hätte, dem sich aber bald die Anwendung des kooperativen Prinzips auf die Befriedigung des Wohnbedürfnisses in zahllosen durch die Politik der englischen Liberalen beförderten Baugenossenschaften anschloß. Die bedeutungsvollen englischen Vorgänge fanden in Berlin verständnisvolle Beobachter, unter denen hier namentlich der Professor an der Berliner Universität Victor Aimé Huber, der Baumeister C. W. Hoffmann und der damalige Prinz von Preußen, der spätere Kaiser Wilhelm I., genannt werden sollen. Huber[*]) erkannte klar, daß wie in England, auch in Deutschland „die gegenwärtigen Zustände der Wohnungsverhältnisse der Arbeiter, der kleinen Leute, des Volkes, schon jetzt eines der größten und dringendsten sozialen Übel der Gegenwart sind, und daß sie es nach Maßgabe der Zunahme der Bevölkerung in zunehmender Progression mehr und mehr werden, wenn nicht baldmöglichst dem Übel mit kräftiger Abhilfe in großem Maßstabe praktisch entgegengewirkt wird". Die unmittelbare Ursache dieses dringendsten Übels erkannte Huber in einer durch die „Privatspekulation" verursachten „tiefen Depravation derjenigen Gewerbe, welche für die Befriedigung des Wohnungsbedürfnisses zu sorgen haben". Als die wirksamsten Mittel zu der dringend benötigten gründlichen Reform forderte er die Organisation einer „umfangreichen Konkurrenz", d. h. einer starken, vorbildlichen, standardsetzenden Bautätigkeit auf gemeinnütziger, vor allem baugenossenschaftlicher Basis bei energischer Unterstützung durch private und öffentliche Arbeitgeber sowie mit legislatorischer, administrativer und auch finanzieller Förderung durch Staat und Gemeinde[3]); zur Bekämpfung der verderblichen Wirkungen der städtischen Bodenspekulation auf das Kleinwohnungswesen forderte Huber ferner „Ansiedelungen rings um die großen Städte innerhalb eines Rayons, dessen Entfernung von den Mittelpunkten der städtischen Industrie mittels Dampfwagen innerhalb einer Viertelstunde zurückgelegt werden kann". Hier wurden also von berufener Seite in dem von der jungen Industrie erfaßten Berlin wieder städtebauliche Maßnahmen seitens der gesetzgebenden und verwaltenden Stellen als notwendig erkannt, die nach einem halben Jahrhundert gefährlichster Vernachlässigung dieser wichtigen Fragen wieder an das große Beispiel der hohenzollerschen Städtebauer des 17. und 18. Jahrhunderts gemahnen. Unterstützt von König Friedrich Wilhelm IV., wollte Huber eine konservative Partei begründen im stolzesten Sinne des „noblesse oblige" und des hohenzollerschen „suum cuique". Auch die alte wohnungspolitische Tradition Preußens sollte gleichsam in dieser von Huber angestrebten konservativen Partei wieder aufleben.

Die Neusiedelungen in der Umgebung der Großstadt dachte sich Huber jedoch nicht, wie einst die kühnen Stadterweiterungen der Hohenzollern, als Willensäußerung des Königs sondern, den sozialen Verhältnissen der neuen Zeit entsprechend, sollte ihnen Leben und werbende Kraft durch starke, auf freier Selbsthilfe beruhende Genossenschaften mit ausgedehntem Wirkungskreis (Konsumvereine usw.) eingehaucht werden. Huber wurde bei diesem Plane gleichermaßen durch genaue Kenntnis ausländischer Ansätze in dieser Richtung wie durch eine ganz ungewöhnliche Fähigkeit, wirtschaftlich-soziale Möglichkeiten vorauszuahnen, geleitet. In allem, was in Mülhausen auf paternalistischer Grundlage mit bonapartischen Subsidien erreicht worden war, in der damals vom ganzen Kontinent bewunderten freundlichen Arbeitervorstadt[4]), mit ihrem Badehaus, Waschhaus, Restauration und Schlafstellen, Bazar, Lesesaal, Herberge für Wanderarbeiter, Kleinkinderschule, Arzt und Diakonissinnen, in allem entdeckte Huber das latente Kooperationsprinzip, dessen ungeheuere Entwicklungsfähigkeit nach Loslösung von paternalistischen und bonapartisch-sozialistischen Ideen auf der Basis der freien Interessenvertretung durch Arbeiterverbände er eindringlich prophezeite, ganz im Sinne der „organisch ständischen Neubegründung von unten auf", von der Hubers hohe Gönner träumten. Durch die Beobachtungen der englischen Entwicklung wurde Huber noch weiter in seiner Betonung der Forderung der Arbeitergenossenschaften, der Arbeitergilden der Gegenwart, als wichtigstem Mittel zur Lösung der Wohnungsfrage bestärkt. In der Wohnungsreform und in den ansehnlichen Kapitalien, die zu ihrer Inangriffnahme flüssig gemacht werden mußten, sah Huber einen glücklichen Hebel, um die gewaltige Aktion freier Selbsthilfe, die von dem erst im Entstehen begriffenen vierten Stand erwartet wurde, in Bewegung zu bringen: er sah hier die Möglichkeit einer „subsidarischen Mitwirkung" durch die oberen Stände, die er für opportun

> Bei uns ſind die Betätigungen der Macht von den Entſchließungen mannigfach zuſammengeſetzter Körperſchaften abhängig, der Reichtum befindet ſich in den Händen Weniger, deren Opferwilligkeit, öffentlichen Kulturaufgaben pflichtmäßige Opfer in großem Stil zu bringen, faſt völlig verſagt, und die Menge der ringenden Mehrer und Wahrer unſerer Bildung beſitzt weder Macht noch Mittel, ſich und ſeine Anſchauungen ſchöpferiſch öffentlich zur Geltung zu bringen. Aber gerade die in ihr treibende mächtige Unterſtrömung unſerer unvergleichlichen Volkskraft bürgt für die aufſtrebende Entwicklung unſerer Stadt und gleichzeitig für das künftige Erblühen einer harmoniſchen Kultur, die dann auch imſtande ſein wird, ihrer geiſtigen Verfaſſung den äußeren Rahmen zu ſchaffen. Otto March 1909.

hielt, und die „nach ſeiner Überzeugung ſo weit berechtigt ſein konnte, als die Unzulänglichkeit der Selbſthilfe zur Erreichung notwendiger und nützlicher Reſultate notoriſch vorliegt“ [5]). V. A. Huber fand in dem im preußiſchen Staatsdienſte ſtehenden Architekten C. W. Hoffmann [6]) einen kongenialen Mitarbeiter. Durch die vereinten Bemühungen beider Männer kam es im Jahre 1847 mitten in der politiſchen Erregung jener Zeit zur Gründung der „Berliner gemeinnützigen Baugeſellſchaft“, deren Aufgabe es ſein ſollte, mit dem durch die Spekulation depravierten Baugewerbe in „reformatoriſche Konkurrenz“ zu treten. Der engliſche Prinzgemahl, der erfolgreiche Förderer der engliſchen Wohnungsreform, übernahm die Ehrenmitgliedſchaft des Berliner Unternehmens, und der Prinz von Preußen, der ſpätere Kaiſer Wilhelm I., wurde ſein einflußreichſter und eifrigſter Förderer. Der Prinz von Preußen hatte gelegentlich ſeiner während des Revolutionsjahres erforderlich gewordenen Reiſe nach London ſich eingehend mit den engliſchen Beſtrebungen zur Wohnungsreform beſchäftigt und hatte mit durch die Berliner Ereigniſſe geſchärften Augen ihre Bedeutung erkannt. Nach ſeiner Rückkehr nach Berlin zeichnete er für 2000 Taler Aktien der Berliner gemeinnützigen Baugeſellſchaft, verpflichtete ſich zu einem jährlichen Beitrage von 200 Talern und übernahm ſchließlich das nicht nur nominelle, ſondern tätig wirkende Protektorat der Geſellſchaft. Nach ſeinen eigenen Worten aus dem Jahre 1850 bei einer der Generalverſammlungen der Baugeſellſchaft, deren Vorſitz er zu führen pflegte, und die mit einem dreimaligen Hoch auf den Prinzen eröffnet und beſchloſſen wurden, glaubte der Prinz, „daß gerade die Art der Löſung der Aufgabe, wie wir ſie hier verſuchen, die einzig glückliche iſt unter den vielen Verſuchen, die man ſeit der Kataſtrophe, die uns betroffen, gemacht hat“. Man ſieht, daß der große Staatsmann dem Problem nicht politiſch unbefangen gegenüber ſtand; da er ſich damals noch keineswegs der großen Beliebtheit erfreute, die ihm ſpäter überall zuteil wurde, iſt es nicht undenkbar, daß dieſe politiſche Auffaſſung der ſchon techniſch und ſozial mehr als ſchwierigen Frage an der geringen Keimkraft der Berliner Wohnungsreformbeſtrebungen Anteil gehabt hat. Die Hauptſchuld an dieſer Unfruchtbarkeit lag aber anderswo. Trotz des von Huber und Hoffmann mit den wärmſten Worten anerkannten „Beiſpieles der Treue und des Ernſtes für die Sache, welches von dem hohen Protektorat gegeben wurde“, „wobei der Prinz mit einer Entſchiedenheit auftrat, welche auch die kühnſten Hoffnungen befriedigt haben muß“ [7]), gelang es dem Prinzen nicht, die Teilnahmloſigkeit in den oberen Klaſſen, namentlich in ſeiner eigenen Umgebung, zu überwinden. Alle Beſtrebungen, das nötige Kapital flüſſig zu machen, ſcheiterten an jener überheblichen Verſtändnisloſigkeit des damals ausſchlaggebenden Adels und der Beamten, an jener Verſtändnisloſigkeit für die brennenden Tagesfragen, die viel gefährlicher iſt als der extremſte Radikalismus, und die das Merkmal jener

Abb. 7. Ausſteller: Stadt Rixdorf (Stadtbaurat Kiehl).

Aus der Zeit vor der Herrſchaft der Mietkaſerne am Richardplatz in Rixdorf.

Abb. 8. Ausſteller: Statiſtiſches Amt der Stadt Schöneberg (Direktor Dr. Kuczynski).

Drei Bauepochen. Schöneberg, Hauptſtraße 37—39. Nr. 37 erbaut 1814, Nr. 38 erbaut 1872, Nr. 39 erbaut 1910. Nr. 37 entſpricht mehr ländlichen Verhältniſſen, Nr. 38 iſt das Reihenhaus, wie es ſich die großen Städte Englands und Amerikas allgemein bewahrt haben, Nr. 39 iſt die Berliner Mietkaſerne.

Abb. 9—12. Ausſteller: Ortskrankenkaſſe für den Gewerbebetrieb der Kaufleute, Handelsleute und Apotheker Berlins. (Direktor Albert Kohn.)

Faſſade.

Erſter Hof.

Zweiter Hof.

Dritter Hof.

Beiſpiel der Bodenaufteilung, die der Berliner Bebauungsplan mit ſeinen an breiten Straßen liegenden, tiefen Blöcken und mit ſeinem Mangel an ſchmalen, für Kleinhäuſer geeigneten Wohnſtraßen hervorgerufen hat. — Eine Berliner Mietkaſerne mit ihren drei Hinterhöfen (Schönhauſer Allee 62 B).

Olmützer Zeit bildet. Von der für den Anfang geplanten 1 Million Taler Aktienkapital konnten nur 211000 aufgebracht werden. Es wurden hierfür 209 Musterwohnungen für 1168 Seelen gebaut; zum Leidwesen Hubers konnte jedoch in den meisten Fällen der von ihm vertretene Gedanke des Einfamilienhauses wegen des Preises der Bauplätze bei schlechten Verkehrsmitteln schon nicht mehr durchgeführt werden. Ein mit zu geringen Mitteln unternommener „Versuch mit einigen ‚Cottages' in einiger Entfernung von der Stadt bei dem Dorf Schöneberg auf der sogenannten Bremer Höhe" blieb erfolglos; Hubers Schwiegervater, bezeichnenderweise kein Berliner sondern ein Bremer Senator (Bremen, die deutsche Hochburg des Einfamilienhauses), hatte 3300 Taler dazu vorgeschossen, aber keine Nachfolger gefunden. „Hauptsächlich aus Aktionärmangel" siechte die Baugenossenschaft dahin, und die großen Hoffnungen ihrer Gründer mußten zu Grabe getragen werden. Die ganze Episode ist nicht nur eine geschichtlich hochinteressante Illustration der nicht energisch genug unternommenen organischen Neubegründung der wirtschaftlich sozialen Verhältnisse, die die Besten jener Zeit angestrebt haben, sondern sie bedeutet für das neu erwachende städtebauliche Denken in Berlin und in Deutschland die erste Niederlage im Kampfe gegen die lethargische Gleichgültigkeit der oberen Klassen. Huber wurde zur Verzweiflung getrieben durch „dieses Geheimratsgeschlecht, wie er sich unwillig ausdrückte, das jetzt überall wieder[8]) das große Wort hat, ... ein gräßliches Geschlecht lebendiger Leichen", und „durch diese Aristokratie, die noch nichts gelernt hat und mit Skorpionen gepeitscht und im Mörser zerstampft werden muß, ehe sie lernt, was Pflicht, Ehre, Vorteil, Existenz von ihr fordert"; er reichte 1851 sein Abschiedsgesuch ein und verließ Berlin, um anderweitig für seine Ziele zu arbeiten. C. W. Hoffmann, der andere treibende Geist der Baugesellschaft, ebenso wie Huber ein ganzer Mann von Herz und Bildung, „sollte kraft bureaukratischer Weisheit als Wegebauinspektor in die Regionen der Wasserpolacken und Masuren versetzt, die Leiden der Wohnungsnot auch aus eigener Erfahrung kennen lernen[9])". Mit Hoffmanns Versetzung fiel auch sein ausgezeichnetes Projekt eines „Preußischen Musterbauvereins, einer Aktiengesellschaft mit einem bedeutenden Kapital und dem Beruf, überall auf Bestellung gemeinnützige Bauten, namentlich Kleinwohnungen, Wasch- und Badehäuser usw. möglichst wohlfeil und zweckmäßig auszuführen und auch sonst zur Gründung von Baugesellschaften Anregung und Anleitung zu geben"[10]).

Da gerade die eben geschilderte unselige Zeit für den heutigen Berliner Bebauungsplan verantwortlich ist, hat die genaue Signatur der Epoche das größte Interesse. Es sei deswegen hier festgestellt, daß die erbitterten Schilderungen Professor Victor Aimé Hubers nur dem Bilde entsprechen, das einer der besten neueren Beurteiler jener Zeit, Professor Erich Marcks, von dem damals herrschenden „unlebendigen Widerstand, der hitzigen Feindschaft gegen alle Forderungen und Menschen der neuen Zeit, dem System des dumpfen Druckes und Zwanges, dem vergeblichen Ringen mit den vorwärtstreibenden, gesellschaftlichen und staatlichen Kräften des Tages" entwirft[11]), und daß er sich dabei im Einklang weiß mit hervorragenden Zeitgenossen Hubers, wie Leopold von Gerlach, C. J. v. Bunsen, ja, daß Hubers oben angeführten, drastischen Äußerungen über das „Geheimratsgeschlecht" sehr zahm sind, verglichen mit manchen grobkörnigeren Auslassungen Bismarcks über denselben Gegenstand.

Aus dieser unseligen Zeit wirtschaftlich-sozialer Verständnislosigkeit stammt der Bebauungsplan von Berlin, und wenn irgendwo, so gilt hier das Wort,

> Ganz abgesehen von aller anderen Not sind aber die Wohnungsverhältnisse auch in den meisten anderen Volksschichten (d. h. außer den Arbeitern und außer den Armen) von der allererbärmlichsten Art, vergiftete Quellen des traurigsten Siechtums für Leib und Seele. Wir wollen den Stab nicht brechen über Diejenigen, welche vorzugsweise berufen sind, hier mit aller ihrer Kraft helfend aufzutreten und dies nicht nur unterlassen, sondern das Umsichgreifen des Verderbens in einer Weise befördern, welche der Vermutung Raum geben könnte, daß man die ganze Lebenshaltung einzelner Klassen und mit ihr Staat und Kirche, Gesetz und Sitte unterwühlen wolle, wenn nicht aus der Planlosigkeit des Treibens und seinem Zusammenhange mit anderen Erscheinungen der Zeit deutlich hervorginge, daß jene Arbeiten und Maßregeln nur immer den allernächsten, gewöhnlich untergeordneten, meist mehr oder weniger selbstsüchtigen, oft indifferenten Zweck verfolgen, die weiteren Wirkungen aber, wären sie auch noch so verderblich und gefährlich, ganz unbeachtet lassen, oft gar nicht ahnen, — so daß von einer bösen Absicht allerdings nicht die Rede sein kann.
>
> C. W. Hoffmann (in „Die Wohnungen der Arbeiter" 1852).

daß zwar der Väter Segen den Kindern Häuser baut, daß aber der Väter Missetat heimgesucht wird an den Kindern, — möchte es nur bis ins dritte und vierte Glied sein! Der von führenden Köpfen — auch von streng konservativen, wie Victor Aimé Huber und seinem hohen Gönner — klar erkannten Notwendigkeit einer durchgreifenden Wohnungspolitik verschloß man sich durchaus. Man darf vielleicht annehmen, daß die Männer, die den Bebauungsplan beeinflußten, kaum eine Ahnung davon hatten, daß die von den Besten der Zeit angestrebte Wohnungsreform gerade im Bebauungsplan ihren hervorragenden Ausdruck hätte finden müssen[12]). Die Art, wie man durch den Bebauungsplan eine Wohnreform unmöglich machte, „könnte zwar der Vermutung Raum geben, daß man die Lebenshaltung einzelner Klassen und mit ihr Staat und Kirche, Gesetz und Sitte unterwühlen wollte", aber aus der „Planlosigkeit des Treibens" geht hervor, daß man nur allernächste, untergeordnete Zwecke verfolgte. In der Tat läßt sich wahrscheinlich der Verdacht begründen (diese Begründung ist in Anmerkung 13 versucht), daß die behördlichen Maßnahmen zur Feststellung des Berliner Bebauungsplanes nur von fiskalischen Rücksichten geleitet oder zum mindesten sehr stark beeinflußt worden sind, daß man im wesentlichen bezweckte, die nach der damaligen Rechtslage strittige Frage, wer für das Straßenland der in großen Mengen neu erforderlich werdenden Straßen zahlen müsse, auf irgendeine Weise zu lösen, die für den Fiskus keine finanzielle Belastung bedeute und die ihn bei der später tatsächlich hereinbrechenden Flut von Prozessen sicherstellte. Der Berliner Bebauungsplan wurde von 1858 an ausgearbeitet, die gesetzliche Grundlage für den Plan wurde jedoch bereits am 12. Mai 1855 durch Erlaß des Handelsministeriums geschaffen[14]). Eine für die künftige Entwicklung überaus wichtige Entscheidung traf dieser Erlaß durch die Anordnung der öffentlichen Bekanntmachung aller städtischen Bebauungspläne; den dagegen geltend gemachten Bedenken, welche entsprechend den Ausführungen des Ministeriums, „namentlich in der Veranlassung zu Spekulationen in Grund und Boden und der Hervorrufung unbegründeter Widersprüche beruhen", wurde die überwiegende Rücksicht auf das Eigentum der Beteiligten gegenübergestellt. Diese „überwiegende Rücksicht auf das Eigentum der Beteiligten" bei der Aufstellung eines Bebauungsplanes war eine Auffassung, die in diametralem Gegensatz stand zu der von den großen hohenzollerschen Städtebauern geübten Handhabung, durch die Berlin groß geworden war. Nicht nur das Recht der Aufstellung eines Bebauungsplanes und der Anlage der Straßen, sondern auch die Bereitstellung des ganzen erforderlichen Baulandes, die Ausmessung und Zuteilung der einzelnen Baustellen, die entweder sehr billig oder völlig unentgeltlich abgegeben wurden, galt dem Großen Kurfürsten und seinen Nachfolgern als begründet in ihrer landesherrlichen Oberhoheit und darum als Aufgabe der Baupolizei, über deren Erfüllung die Herrscher selbst unermüdlich wachten. An Stelle der „überwiegenden Rücksicht auf das Eigentum des Beteiligten" erfolgte damals zur Durchführung des Bebauungsplanes die Enteignung in einem sehr formlosen und abgekürzten Verfahren, auf der Basis des obrigkeitlich festgestellten Ackerwertes, sodaß das angewandte Verfahren nur als staatlicher Zwangskauf bezeichnet werden kann [15]). Im Jahre 1855 dagegen nahm zwar das Polizeipräsidium noch immer das Recht der Planaufstellung für sich in Anspruch, ohne aber die damit verbundene Pflicht der Plandurchführung und Bereitstellung des Baulandes noch länger zu erfüllen. Entsprechend der wirtschaftlichen und rechtlichen Anschauung der Zeit hatte man individualistische Ideen und einen weitgehenden Respekt vor dem Privateigentum angenommen, ohne jedoch die dazu gehörige Konsequenz, nämlich Freigabe der Entwicklung des Bebauungsplanes, zu ziehen. Die Ausübung des Rechts der Planaufstellung ohne die Erfüllung der dazu gehörigen Pflichten hatte aber die verhängnisvollsten Folgen. Die Bedeutung des Grundsatzes, der damals (1855) für Preußen festgelegt wurde, daß nämlich die städtebauliche Entwicklung sich nach im voraus „für das voraussichtliche Bedürfnis der näheren Zukunft" (bei dem Berliner Bebauungsplan waren es 100 Jahre) aufzustellenden und öffentlich bekannt zu machenden Bebauungsplänen vollziehen solle, wird durch die Vernachlässigung der korrespondierenden Pflichten ungeheuer. Um die Bedeutung des Schrittes zu ermessen, muß man sich erinnern, daß in England und den Vereinigten Staaten von Amerika, denen Preußen seiner industriellen und städtischen Entwicklung nach in städtebaulichen Fragen sonst am nächsten steht, eine Verpflichtung zur Einführung rechtskräftiger Bebauungspläne nicht besteht. In England wurde die Möglichkeit, nicht der Zwang, zur Schaffung ähnlicher Pläne erst im Jahre 1909 durch Gesetz (Housing, Town Planning &c Act 1909) geschaffen, in den Vereinigten Staaten besteht sie noch heute nicht. Dieser zu Beginn der städtebaulichen Expansion festgelegte Grundsatz der polizeilichen Festlegung und öffentlichen Bekanntmachung des städtischen Bebauungsplanes wird in gefährlicher Weise ergänzt durch die auch 1855 im Prinzip festgestellte Überweisung der Planbearbeitung an die Kommunen, deren Parlamente verfassungsmäßig zu mindestens 50% aus Hausbesitzern bestehen, selbst wenn diese Hausbesitzer, wie es heute in Berlin der Fall ist, nur 1% der Gesamtbevölkerung ausmachen. Dieser gerade damals erfolgenden Überweisung der Planbearbeitung an die Kommunen haftet ein sehr bitterer Beigeschmack aus der oben näher charakterisierten Olmützer Zeit deswegen an, weil seit dem Jahre 1850 die kommunalen Parlamente nicht mehr nach den Bestimmungen der Steinschen Städteordnung von 1808 gewählt wurden, die allen zur Teilnahme an der Wahl berechtigten Personen das allgemeine gleiche Wahlrecht gewährleistete, sondern nach dem Dreiklassensystem, das nach dem Muster des Wahlgesetzes vom 30. Mai 1849 für die Wahlen zur Zweiten Kammer gebildet war [16]).

Die konservative Kreuzzeitung hat am 18. April 1866, also kurz nach der Aufstellung des Berliner Bebauungsplanes, über das 1849 geschaffene Dreiklassenwahlrecht gesagt: „Dies Wahlsystem ist nichts anderes als die Repräsentation des Geldkapitals mit dem lügnerischen Schein, daß es eine Vertretung des ganzen Volkes wäre. Es ist die Herstellung einer modernen Geldaristokratie,

> Es ist einfach Gedankenlosigkeit, Bequemlichkeit und Mangel an gutem Willen, welche uns moderne Stadtbewohner dazu verurteilen, lebenslänglich in formlosen Massenquartieren den geisttötenden Anblick ewig gleicher Mietshausblöcke, ewig gleicher Straßenfluchten zu ertragen.
> Camillo Sitte.

welche alles Höhere und Edlere nach oben wie nach unten, je länger, desto mehr, in den Staub des gemeinsten Materialismus herunterzieht." Diese bedauerlichen Wirkungen des Dreiklassenwahlsystems mußten bei seiner Übertragung auf die Gemeindewahlen noch viel schneller eintreten, weil dort durch das sogenannte „Hausbesitzerprivileg", das die Hälfte der Stadtverordnetensitze den Hausbesitzern reserviert, derjenigen Partei verfassungsmäßig die Majorität gesichert wird, die, gegen das öffentliche Interesse, an hohen Mieten (die wiederum hohe Bodenpreise bedeuten) und an langsamer Stadterweiterung interessiert ist. In Berlin ist etwa 1 % der Bevölkerung im Besitze aller Häuser; aus diesem einen Prozent der Bevölkerung muß die Hälfte aller Stadtverordneten gewählt werden, und zwar von Wählern, in deren erster Wählerklasse (1909) nur 0,33 % und in deren zweiter Klasse nur 8,34 % der Gemeindewähler zu Worte kommen. Es ist selbstverständlich, daß unter diesen Verhältnissen für die Majorität der Stadtverordneten die gewaltsame Niedrighaltung der Mieten, die unermüdliche Aufschließung neuer Stadterweiterungsgebiete und die billigste Vergebung von Baustellen an Baulustige nicht entfernt zum Gegenstand des leidenschaftlichen Eifers werden konnte, den doch die großen brandenburgisch-preußischen Fürsten des siebzehnten und achtzehnten Jahrhunderts als notwendig erkannt hatten, um in einer Weise für die Unterkunft der Bevölkerung zu sorgen, die der landesherrlichen Auffassung von den Pflichten der städtebaulichen Aufsichtsbehörde entsprach. Dabei war das Anwachsen der Bevölkerung im siebzehnten und achtzehnten Jahrhundert doch noch langsamer als im neunzehnten. Daß eine an hohen Mieten persönlich interessierte Gemeindevertretung zur Lösung städtebaulicher Probleme wenig geeignet ist, haben die Ereignisse in London bewiesen, wo die umfangreiche wohnungsreformatorische Gesetzgebung des Staates erst von dem Augenblicke an wirklich wirksam wurde, in dem (1888) die aus den Hausbesitzern und Hausfarmern bestehenden verschiedenen Kirchspielbehörden unter die Kontrolle des aus direkten Wahlen hervorgehenden Londoner Grafschaftsrates kamen[17]).

Der Grundsatz der polizeilichen Feststellung und öffentlichen Bekanntmachung des Bebauungsplanes wurde aber außer durch die Überweisung der Durchführung an eine aus Interessenten gebildete Behörde noch weiter in gefährlicher Weise ergänzt durch die kommunale Steuergesetzgebung, die ganz im Gegensatz zu den Gemeindebesteuerungen Englands und Amerikas den wesentlichen Teil der finanziellen Aufwendungen, die die Durchführung des Bebauungsplanes und überhaupt der Aufschwung der Gemeinde erfordert, nicht von den Grundbesitzern nimmt (welche doch in erster Linie Vorteil davon haben, vgl. Motto und Text S. 23), sondern von der Gesamtbevölkerung; eine Besteuerung also, die nicht zu rationellem Städtebau (breite Straßen!) einläd, sondern im Gegenteil den das Parlament beherrschenden Grundbesitzern die Möglichkeit gibt, sich für die, ihrem Grundbesitz aus kommunalen Mitteln zufallenden Vorteile in Gestalt gesteigerter Mieten bezahlen zu lassen, obgleich sie selbst für diese Vorteile nicht bezahlt haben, sondern andere zahlen ließen. Öffentliche Bekanntmachung eines Bebauungsplanes, der den Planbearbeiter (das Polizeipräsidium) zu keiner

Abb. 13—16. Ausſteller: Ortskrankenkaſſe für den Gewerbebetrieb der Kaufleute, Handelsleute u. Apotheker, Berlin. (Dir. Albert Kohn.)

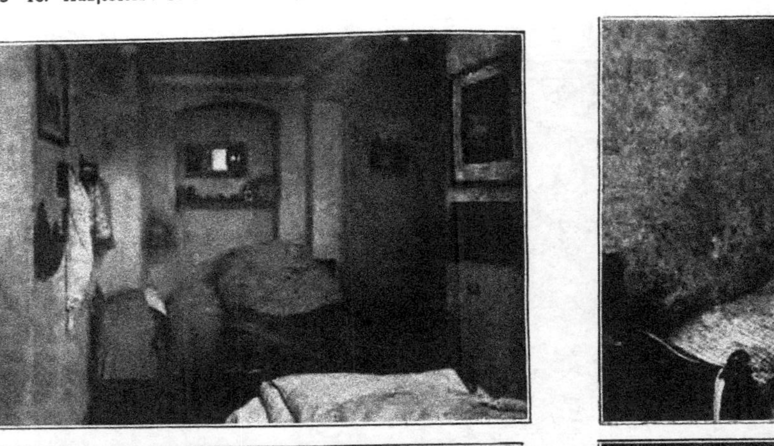

Eingang und Interieurs von Wohnungen von Mitgliedern der Ortskrankenkaſſe.

Abb. 17. Ausſteller: Stadt Schöneberg (Stadtbaurat Gerlach).

Die Zeit, die in Paris, London und Wien zu den Millionen-Regulierungen der Altſtädte genutzt wurde, verſtrich in Berlin ungenutzt. 1870 ſchrieb E. Bruch: „Nachdem im Jahre 1865 noch ca. 1/4 Million für Ausbildung des inneren Straßennetzes, Erleichterung des Verkehrs uſw. verausgabt worden iſt, wurden im Jahre 1868 noch nicht einmal 100000 Thaler und 1869 wenig mehr darauf verwendet. Die einzigen nennenswerten Straßenbauten in den letzten 10 Jahren (mit mehr als 100000 Thaler Koſten) ſind die Durchlegung der Franzöſiſchen Straße nach dem Werderſchen Markt und die Verbreiterung der Wallſtraße (öſtliches Ende) und allenfalls noch die Freilegung der Neuen Wilhelmſtraße nach den Linden. Die Kommune freut ſich jedes Jahr im ſtillen, wenn dasſelbe ohne polizeilichen Befehl zur Durchlegung einer Straße dahin gegangen iſt.“ Die Voß- und Beuthſtraße (ebenſo Wallner-Theater-, Schäferſtraße und Paſſage) waren private Unternehmungen. In den 6 Jahren 1871–76, die unmittelbar auf den „Milliardenſegen“ folgten, wurden in der neuen Reichshauptſtadt durchſchnittlich 200000 Taler im Jahre für Erwerbung von Terrain zu Straßendurchbrüchen, Straßenanlagen und Straßenverbreiterungen ausgegeben.

Die Bebauung der Stadt Berlin bis 1861 (grau) und von 1861 bis 1876 (roſa). Die roten Doppelſtreifen ſtellen Straßen dar, die in der Zeit von 1861 bis 1876 neugebaut wurden. (Aus dem Verwaltungsbericht des Berliner Magiſtrats von 1876)

Leistung verpflichtet, aber der Spekulation das Tor weit auftut, Durchführung des Planes durch eine zweite, einseitig interessierte Behörde (die kommunale Vertretung) auf Kosten eines dritten (der Masse der Steuerzahler), das sind drei der wesentlichen Ursachen für die gänzlich verschiedene Entwicklung, die der Städtebau in Berlin, verglichen mit englischen und amerikanischen Großstädten, genommen hat.

Die Ausarbeitung des Bebauungsplanes für Berlin fiel nun obendrein noch bedeutend ungünstiger aus, als man nach dem Erlaß von 1855 fürchten mußte. Der große Zug, der sich seit 1861 mit der „neuen Ära" in der Politik Preußens bemerkbar machte, kam den städtebaulichen Fragen nicht zugute; er entfremdete im Gegenteil die Aufmerksamkeit der Männer der Tat, auf die es zuletzt ankommt, erst recht den schwierigen städtebaulichen Problemen, deren Lösung nicht nebenbei erfolgen konnte, sondern die gespannte Aufmerksamkeit der ersten praktischen Intelligenzen erfordert hätte. Wie traurig es auch noch in der neuen Ära, in deren Beginn der Berliner Bebauungsplan teilweise noch ausgearbeitet wurde, mit dem Verständnis für ansiedlungspolitische Bestrebungen in den leitenden Kreisen aussah, hat dem 68jährigen Viktor Aimé Huber bittere Klagen entlockt [18]). Aus einer Allgemeinstimmung heraus, die der zur Lösung des städtebaulichen Problems nötigen Vertiefung eher noch ungünstiger war als der Anfang der fünfziger Jahre, — von Bismarck zirkulierte damals der Ausspruch: „Die großen Städte müssen vom Erdboden verschwinden" —, kam es zur Aufstellung des verhängnisvollen Berliner Bebauungsplanes. Nichts in den Bestimmungen des Erlasses von 1855 oder in der späteren Ausarbeitung des Berliner Bebauungsplanes war im entferntesten danach angetan, dem großen öffentlichen Interesse des Wohnwesens die praktische Berücksichtigung zu sichern, die auf Grund der bereits damals zur Genüge klargestellten Bedürfnisse erforderlich war. Statt Ausscheidung größerer Baugebiete für Kleinhausbau und Berücksichtigung der dazu erforderlichen Eisenbahntrassen, statt der gewissenhaften Erfüllung der von ernsten Sachverständigen aufgestellten Forderungen [z. B. von den Gründern der „Gemeinnützigen Baugesellschaft", auf deren, das behördliche Gewissen beruhigende Existenz man lästige Sozialpolitiker zu verweisen pflegte [19])], unternahm man sorglos eine über 100 Jahre hinausgreifende Regelung der baulichen Zukunft, der sozialen Verhältnisse und der Milliarden bewegenden Bodenwertbildung Berlins. Dies Unternehmen, die Entwicklung, die damals ganz andere, ganz neue Formen annahm, auf 100 Jahre hinaus festzulegen, ohne auch nur die Tagesbedürfnisse zu berücksichtigen, wie sie von berufener Seite erkannt waren, hat als Beispiel unentwegten, ja verwegenen Bureaukratismus vielleicht kaum seinesgleichen. Statt der erforderlichen Befriedigung der in Hoffmanns und Hubers Bestrebungen klar zu Worte gekommenen Wohnungsbedürfnisse einer offenen, räumlich unbeschränkten Großstadt (also etwa nach Londoner Muster) brachte der Berliner Bebauungsplan eine geistlose Nachahmung dessen, was unter Napoleon III. nach dem Hinausschieben der Befestigungen (1841—1845 und die darauf folgende Stadterweiterung innerhalb der neuen Befestigung, entsprechend dem Gesetz vom 16. Juni 1859) aus Paris gemacht worden war. Hier wie dort die kompakte, vielgeschossige Häusermasse, in Paris durch den Festungscharakter erzwungen, in Berlin sinnlos; hier wie dort ein äußerer und innerer Ring-Boulevard, in Paris, wie der Name Boulevard sagt, eine Folge der alten und neuen Befestigung, in Berlin so unwesentlich, daß die Durchführung an vielen Stellen unterblieb; hier wie dort Rundplätze im Stile des Place de l'Étoile und des Place du Trône, in Paris die feierlichen Urbilder dieser Platzform, großartige Überreſte einer königlichen Bauepoche und lebendige Teile großer ſtädtebaulicher Gedanken, in Berlin ſinnlos umhergeſtreute Belangloſigkeiten; hier wie dort geometriſche Plätze aller Formen, in Paris köſtlich gegliederte Räume, abgewogene Maſſen, in die gleichzeitig entworfenen Bauten gefaßt von den erſten Künſtlern der Nation (Place des Vosges, Victoires, Vendôme, de la Concorde), in Berlin maſſenhaft auftretend, bloße Löcher im Plan, deren Umbauung dem Zufall preisgegeben war; hier wie dort die breite, alle Himmelsrichtungen durchpflügende Straße des napoleoniſchen Paris, in Paris aus militäriſchen Rückſichten zur „Aufſchlitzung" der winkligen Revolutionsherde in der mittelalterlichen Stadt, in Berlin unter ſcheuer Umgehung der Altſtadt und der ſich auftürmenden Verkehrshinderniſſe. In Berlin ſowohl wie im Haußmannſchen Paris die ſtädtebauliche Leiſtung weniger von Künſtlern oder Volkswirten als von Männern mit einer ſiegreichen Paſſion für die neuſten Errungenſchaften des engliſchen Kloakenweſens.

Die Schäden, die *dieſer* Bebauungsplan für Berlin mit ſich brachte, werden in dieſer Einleitung, beſonders gelegentlich der Erwähnung der darauf bezüglichen Arbeit Dr. Ernſt Bruchs, noch hervorgehoben werden.

Nachdem hier das erſte Stadium des neuzeitlichen Kampfes um die ſtädtebauliche Geſtaltung Berlins, das mit der Aufſtellung des verhängnisvollen Berliner Bebauungsplanes abſchließt, ſeiner entſcheidenden Bedeutung halber etwas eingehender behandelt werden mußte, ſollen im folgenden einige wenige Schriften beſprochen werden, die aus dem weiteren Kampfe heraus geboren wurden. Alle bringen ſie weſentliche Gedanken des modernen Städtebaus, wie ſie gerade auf der Städtebau-Ausſtellung betont wurden, in Berlin zum erſten Male zum Ausdruck und ihre Kenntnis iſt zu einer richtigen Würdigung der Lehren der Ausſtellung beinahe unerläßlich. Es iſt hochintereſſant zu verfolgen, wie die Gedanken, die heute zum eiſernen Beſtand der ſtädtebaulichen Theorie gehören, und die auf der Städtebau-Ausſtellung in zuſammenfaſſender Weiſe illuſtriert wurden, ſich allmählich aus der jahrzehntelangen Arbeit der verſchiedenen Intelligenzen kriſtalliſierten. Es ſind gerade in Berlin eine Reihe von tiefem Verſtändnis und edelſtem Feuer beſeelter Schriften erſchienen, die in überraſchender Weiſe viele Ergebniſſe der modernen ſtädtebaulichen Wiſſenſchaft vorweggenommen haben, und die darum dem ſtädtebaulichen Denken und der ſtädtebaulichen Literatur ebenſo zur Ehre gereichen wie der Stadt zur Unehre, in der ſie wenig beachtet und unbedankt zur Seite geſchoben worden ſind.

Als V. A. Huber bereits angeſichts der ſcheinbar zwingenden Gewalt der ſtets weiter um ſich greifenden Bodenſpekulation den Gedanken des Einfamilienhauſes wenigſtens für den Arbeiter aufgeben zu müſſen glaubte[20]), trat in Julius Faucher, dem Freunde Theodor Fontanes, ein neuer großer Kämpfer auf den Plan, deſſen eindringendes wirtſchaftlich-ſoziales Verſtändnis dem ſtädtbaulichen Denken gänzlich neue Möglichkeiten erſchloß[21]). Fauchers Ausführungen waren angeregt einmal durch eine genaue Kenntnis weltſtädtiſcher, beſonders Londoner, Berliner und Wiener Wohnungsverhältniſſe, ferner durch die in den verſchiedenen Großſtädten des europäiſchen Feſtlandes (beſonders in Paris, Wien, Berlin, Hamburg, Breslau, Magdeburg, Stettin) Ende der fünfziger und Anfang der ſechziger Jahre ausbrechenden Mieterrevolten und ſchließlich durch die (ſeit 1861) erſcheinenden Berliner Volkszählungsergebniſſe, welche die Berliner Wohnungsverhältniſſe in ſtatiſtiſch geradezu muſtergültiger Weiſe beleuchteten. Die zuletzt genannte

Als Canghi, der Kaiser von China, Abbildungen europäischer Etagenhäuser sah, sagte er: „Europa muß ein sehr kleines, ein sehr armseliges Land sein, daß man nicht genug Terrain zur Erweiterung der Städte hat, sondern dort gezwungen ist, in der Luft zu wohnen."

Aus einem Briefe des Missionars Attiret, zitiert von Patte 1772.

wissenschaftlich-unparteiische Klarstellung, die die Berliner Wohnungsverhältnisse durch die Arbeiten des statistischen Amtes der Stadt Berlin erfuhren, muß als eines der wichtigsten Ereignisse in der Geschichte des Berliner Städtebaues gelten. Das Bild, das die amtlichen Zahlen enthüllten, war über alle Maßen grauenvoll, und der niederschmetternde Eindruck, den es auf die denkenden Zeitgenossen gemacht hat, läßt sich in der Literatur der Epoche genau verfolgen. Der weitsichtige V. A. Huber war nur ein Vorläufer gewesen, die eigentliche städtebauliche Literatur Berlins beginnt seit den Enthüllungen der ersten Berliner Volkszählung im Jahre 1861 (Verdienst des Stadtverordneten Sanitätsrat Dr. S. Neumann), um dann bald hochflutartig anzuschwellen. Um die erschütternde Wirkung der Volkszählungsergebnisse zu begreifen, vergegenwärtige man sich einige der Zahlen, die damals ans Licht kamen: 48326 Menschen, also fast ein Zehntel der damals (1861) 521933 Seelen zählenden Gesamtbevölkerung, wohnten in Kellerwohnungen. Von den 105811 Wohnungen Berlins hatten 51909, also nahezu die Hälfte, nicht mehr als ein heizbares Zimmer; von den 521933 Einwohnern Berlins wohnten 224406 in solchen Einzimmerwohnungen, die also im Durchschnitt mit 4,3 Menschen belegt waren. „Ist das die normale Lebensform oder nicht? Und wenn sie es nicht ist, was haben wir bei einer Ausnahme zu denken, welche die Hälfte beträgt? Und wenn sie es ist, soll sie so bleiben?[22])", rief damals Faucher aus, und er mußte hinzufügen: „Betrachtet man auch noch fünf Personen auf ein heizbares Zimmer als die normale Lebensform unseres Landes, so gibt es noch immer unter den 521933 Bewohnern der größten Stadt, die unser Land produziert hat, 115357, welche selbst diese normale Lebensform nicht erreichen." In der Tat, weit über ein Fünftel der Bewohner Berlins teilte ein einziges heizbares Zimmer mit mindestens fünf Personen. Es gab 27629 Menschen in Berlin, die zu je sieben ein Zimmer bewohnten, es gab 18376 Menschen, die zu je acht, es gab 10728 Menschen, die zu je neun, und immer noch 5640 Personen, die zu je zehn, 2904 Personen, die jeweils zu elf das eine heizbare Zimmer bewohnten, und daran schlossen sich dann in abnehmenden Ziffern immer noch größere und immer noch wahnsinnigere Überfüllungen. Aber nicht um diese zuletzt aufgeführten Ausnahmen handelte es sich in erster Linie, nicht um die paar Tausend unseligen Kreaturen, die zu je elf, je zwölf, zu je 13—20 in ein Zimmer zusammengedrängt waren, nicht um das anormale, monstruöse, weil außergewöhnliche, sondern um den großen Durchschnitt, um die normale Lebensform, auf der die Würde und segensreiche Zukunft der Stadt aufgebaut ist, und dann handelte es sich vor allem um die große Frage nach den Aussichten der Entwicklung und Verbesserung dieser normalen Lebensform. Neben dem in erster Linie interessanten Schicksal der breiten Masse (der 224406 in Einzimmer-, der 135327 in Zweizimmerwohnungen Untergebrachten) verdiente die wohlhabende Oberschicht Aufmerksamkeit, die Oberschicht, deren Lebensgewohnheiten und Ansprüche in anderen Epochen oder anderen Ländern, besonders in England, in einer im besten Sinne vorbildlichen Weise die Ansprüche und das soziale Emporstreben der vom Schicksale weniger begünſtigten Schichten angefeuert hat. Aber auch da war in jener Epoche großen wirtſchaftlichen Aufſchwungs eine höchſt bedenkliche relative Abnahme der vielzimmerigen Wohnungen und ſogar eine abſolute Abnahme in der Zahl der in Berlin angeſtellten Dienſtboten zu verzeichnen, während gleichzeitig eine unverhältnismäßige Steigerung der zur Aftermiete wohnenden Haushaltungen erfolgte. Dieſe ſchwerwiegenden Symptome bei einer im übrigen ſtark ſteigenden Proſperität und ſteigenden Zahlungsfähigkeit der Bevölkerung waren nur zu erklären durch eine ſchleichende Erkrankung der Wohnungsverhältniſſe. In der Tat, die Zeit, wo V. A. Huber und C. W. Hoffmann die hereinbrechende Wohnungsnot angekündigt hatten, war vorüber. Die Wohnungsnot war da, und ſie hatte nicht nur die unteren Klaſſen, ſondern die geſamte Geſellſchaft ergriffen. Die böſen Wirkungen des Bodenmonopols waren, wie Engel es nannte, geſteigert

Abb. 18. London, eine offene Stadt.

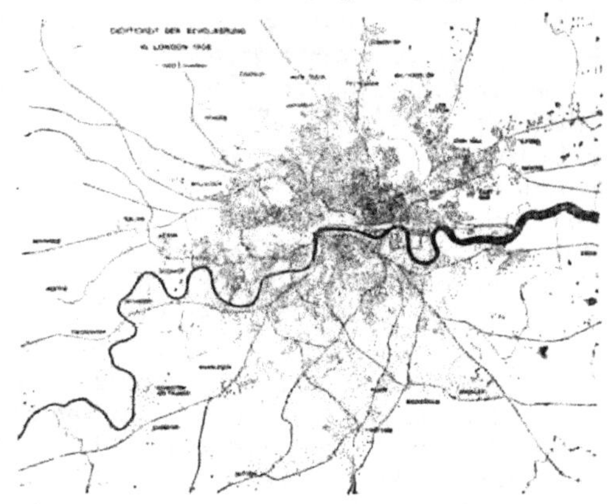

London, Paris, Wien. Bevölkerungsverteilung in den europäiſchen Großſtädten, die als Vorbilder für die Berliner Entwicklung in Frage kamen.

Jedes Pünktchen = 1000 Einwohner.

In London gleichmäßige Verteilung über weite Gebiete (ermöglicht durch Schnellverkehr); in den Feſtungen Zuſammenpreſſen auf engen Raum.

Abb. 19. Paris — zwei Feſtungsſtädte — Wien. Abb. 20.

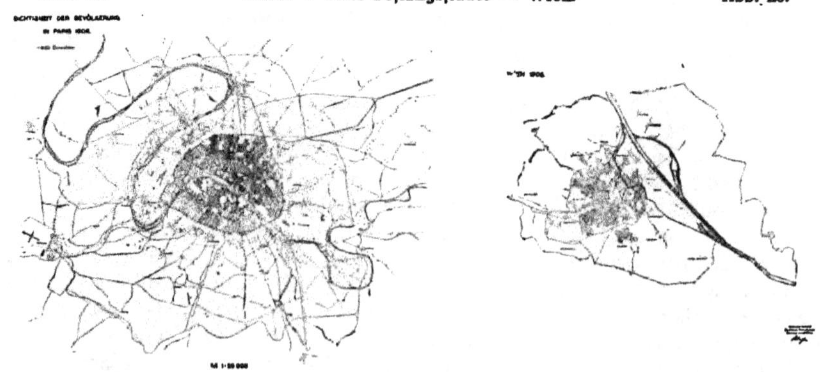

Jedes Pünktchen = 1000 Einwohner.

Abb. 18—20. Ausſteller: Continentale Geſellſchaft für elektriſche Unternehmungen, Berlin (Oberingenieur R. Peterſen).

durch einen drückenden Wohnungsfeudalismus der Hauswirte gegen die Mieter aller Klassen. Die schleichende Krankheit, an der die Wohnungsverhältnisse Berlins litten, klar erkannt und erklärt zu haben, ist das Verdienst Fauchers. Es ist ganz und gar irrig, zu glauben, führte Faucher aus, das Wachstum der Städte müsse notwendigerweise zu schlechten Wohnungsverhältnissen, zur Übereinanderhäufung von Stockwerken, zur Einführung der Mietkaserne führen. Die in vielen Städten des europäischen Kontinents erfolgte Verdrängung der alten Einfamilienhäuser durch Stockwerkshäufung und Mietkasernen ist in erster Linie eine Folge des alten Festungscharakters dieser Städte. Die einst vorhandene Notwendigkeit, auf dem kleinen Gebiete innerhalb der Wälle wachsende Menschenmengen unterzubringen, sicherte dem Grund und Boden außerordentliche Ertragsfähigkeit (Monopolrente) und erzeugte die Sitte des gedrängten Wohnens. Dank dieser, in der Enge der befestigten Altstädte großgezüchteten Wohnsitte, stieg auch aller unbebauter Grund und Boden ungeheuer im Werte, soweit er durch ein erhofftes oder endlich erfolgtes Hinausschieben der Wälle oder durch ihre Auflassung für die Bebauung in Frage kam[28]); er stieg im Werte, weil er eben infolge dieser Sitte des gedrängten Wohnens ganz anders ausgenutzt werden konnte, als mit Einfamilienhäusern möglich gewesen wäre. Daß das Eindringen der Mietkaserne kein Zeichen zunehmenden großstädtischen Wesens, sondern die zwecklose Beibehaltung eines alten Übelstandes ist, beweist die größte Stadt der Welt, London. In London gab es im Jahre 1861 bei einer Bevölkerung von dreieinhalb Millionen 450000 Häuser, was einem Durchschnitt von 7,7 Menschen pro Haus entsprach, während in dem kleinen, aber „großstädtischen" Berlin schon im Jahre 1861 48 Personen auf jedes bebaute

Groß-Berlin. Jedes Pünktchen = 1000 Einwohner.

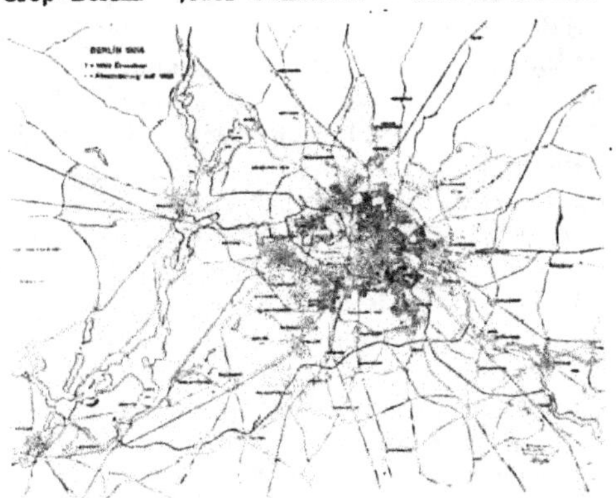

Ohne inneren Grund hat sich die Berliner Entwicklung nicht an das Londoner, sondern an das Paris-Wiener Vorbild angelehnt. Obgleich Berlin eine offene Stadt ist, die nicht durch Wälle, sondern durch die größte Armee der Welt geschützt wird und obgleich Berlin auf ebenem Terrain (keine Felsen wie in Stockholm) liegt und fast unbegrenzt ausdehnungsfähig ist (keine Insel wie Boston, New-York, Stockholm), wurde die Bevölkerung wie in einer engen Festung zusammengepreßt.

Berlin. Jedes Pünktchen = 1000 Einwohner.

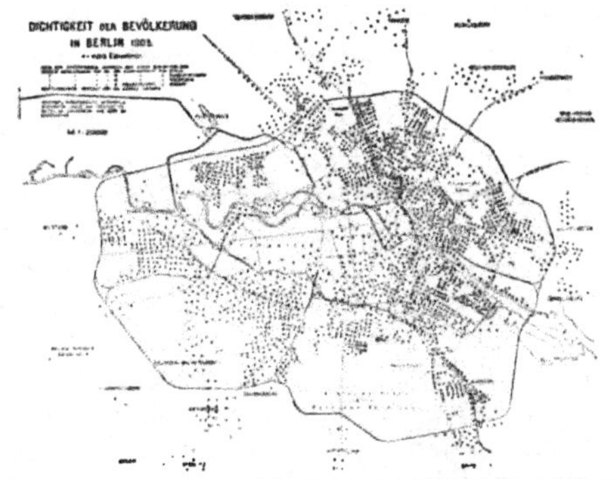

Abb. 21 und 22. Aussteller: Continentale Gesellschaft für elektrische Unternehmungen, Berlin (Oberingenieur R. Petersen).

Grundstück kamen, eine Zahl, die sich in der Folgezeit um mehr als die Hälfte steigerte. Der Widersinn, die Wohnungsverhältnisse einer geschlossenen Festung (also Stockwerkhäufung) auf das Riesengebiet einer modernen Millionenstadt übertragen zu wollen, ist augenfällig: „um den unglücklichen Stadtbauplan, den man vom König bestätigen ließ, so weit er jetzt (1865) reicht, und im Süden stellenweise schon in Angriff genommen ist — denn die Fünfstöcker sind hier schon bis an diese Grenze vorgedrungen —, in dieser Weise auszufüllen, sind, nach sehr mäßiger Berechnung, vier Millionen Menschen erforderlich“[24]). „Bei der Gefügigkeit der Bevölkerung, in solche Mietkasernen hineinzuziehen“, kann mit Erfolg ein Baustellenpreis gefordert werden, dessen Bezahlung erst dann rentabel wird, wenn man sich zu fünffacher Überbauung entschließt. „Es hilft der Bevölkerung nichts, sich im Wohnungsbedürfnis einzuschränken durch Ersparnis an der Ausdehnung des Grund und Bodens, der für das Wohnungsgelaß beansprucht wird. Gibt die Bevölkerung bei gleichbleibender Zahlungsfähigkeit hierin nach, so fließt nichts in ihre Tasche; bei wachsender Bevölkerung wird nur bewirkt, daß der Baustellenpreis wächst, und daß das neue Angebot von Wohnungsgelaß sich gleich auf die größere Einschränkung, d. h. auf höhere Mietpreise einrichtet. Dasselbe geschieht, wenn die Bevölkerung bei steigender Zahlungsfähigkeit ihre Ansprüche an Grund und Boden nicht steigert.“ Eine ausschlaggebende Rolle also spielt die Gefügigkeit der Bevölkerung in ihren Wohnungsansprüchen nachzugeben, oder die Festigkeit, mit der sie ihre Ansprüche stellt und steigert, der standard of life, den sie unbedingt fordert. Berlin hat nun (auch darauf weist Faucher hin) einen ausgesprochen kolonialen Charakter. Seine Bevölkerung besteht zum großen Teil aus eingewanderten — man muß beinahe sagen — Desperados, „Naturen, die das vogue la galère! auf ihr Banner schreiben“ nannte sie Treitschke[25]), die gefaßt sind, sich vorläufig mit jeder beliebigen Art Quartier abzufinden. Wenn sich die Bevölkerung einer Stadt aber in ihren Wohnungsansprüchen zurückdrängen läßt, werden die Zugeständnisse, die sie macht, Eigentum des Grundbesitzers, das er sich als Kapitalist in gesteigerten Mieten verzinsen lassen muß: Grund und Boden wird einfach teurer. Wenn dieses Zurückweichen der Wohnungsansprüche Hand in Hand geht mit einer Steigerung der Zahlungsfähigkeit der Mieter, kann der Grundbesitzer natürlich seine Preise um so höher stellen. Auf diese Weise werden die Wälle, die einst die befestigten Städte umgaben, ersetzt durch „einen neuen schnürenden Gürtel aus hohen Talersummen“; Talersummen, die derjenige hinlegen muß, der das Wagnis des Bauens unternehmen will[26]).

Die Vorteile, die den Grundbesitzern in die Tasche fließen, können aber, so führt Faucher aus, noch weiter, und zwar in außerordentlich starker Weise, gesteigert werden durch eine den Grundbesitzern günstige Form der Kommunalbesteuerung. Die Besteuerung kann nämlich so eingerichtet sein, daß die stets steigenden Maximalsummen, die für Mietaufwand bei rasch wachsender Bevölkerung und zurückbleibendem Wohnungsangebot aus den Mietern herausgepreßt werden können, den Haus- und Grundbesitzern ungeschmälert zufließen. Dann müssen die gewaltigen Aufwendungen, die die Gemeinde zu machen hat, und die stets den Grundbesitzern zugute kommen (entweder direkt in verbesserten und neuen Straßen, Brücken, Parkanlagen oder indirekt, wie die Verbesserungen des städtischen Bildungswesens, das neue Mieter in die Stadt oder das Stadtviertel zieht), alle diese Aufwendungen müssen dann durch die Masse der Bevölkerung, d. h. in einer Mietkasernen-

Abb. 23. Ausſteller: Philip Cabot, Boſton. — Die Bevölkerungsdichtigkeit in der Altſtadt von Boſton.
Jeder rote Punkt = 30 Einwohner.

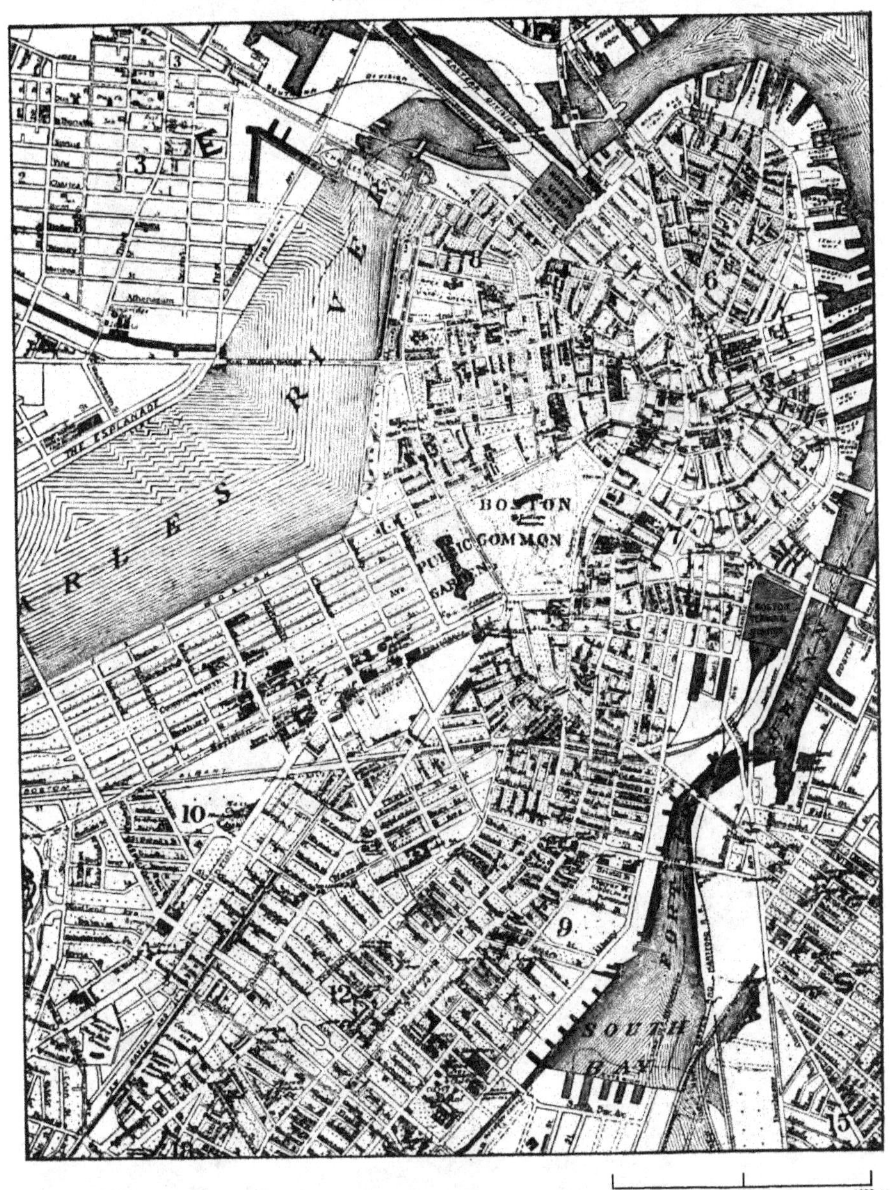

Bevölkerungsverhältniſſe einer Stadt von faſt inſulärer Lage.
(City, Slums und Millionärsviertel im inneren Boſton.)

Von dem im Zentrum gelegenen öffentlichen Park (Boston Common and 'Public Garden) liegt gleich rechts die Geſchäftsſtadt (7) ohne alle Bewohner (keine roten Punkte). Nördlich (6) und weſtlich (8) der City, im unmittelbaren Bereich des Hafens die beiden verrufenen, dichtbevölkerten Slums mit den in Amerika ſo ungewöhnlichen Mietkaſernen (jedoch nur dreigeſchoſſig). Dieſe Slums ſind ebenſo wie die im Süden und Südoſten ſich anſchließenden armen Wohnquartiere (9 u. 12) faſt ausſchließlich von Einwanderern bewohnt. Südweſtlich dagegen (an den Public Garden) anſtoßend, liegt auf dem Waſſer abgewonnenen Neuland das Back-Bay-Viertel (11), der Winteraufenthalt der Millionäre Boſtons. Dieſe Halbinſel der Altſtadt mit ihren ſehr hohen Bodenpreiſen iſt umgeben von einem unendlichen Kranz von Gartenſtädten auf ſehr billigem Boden und mit ganz

Abb. 24—26. Aussteller: Stadt Rixdorf (Stadtbaurat Kiehl).

Beispiel, wie die häßlichen Brandgiebel der Mietkasernen geschickt zu verdecken sind.

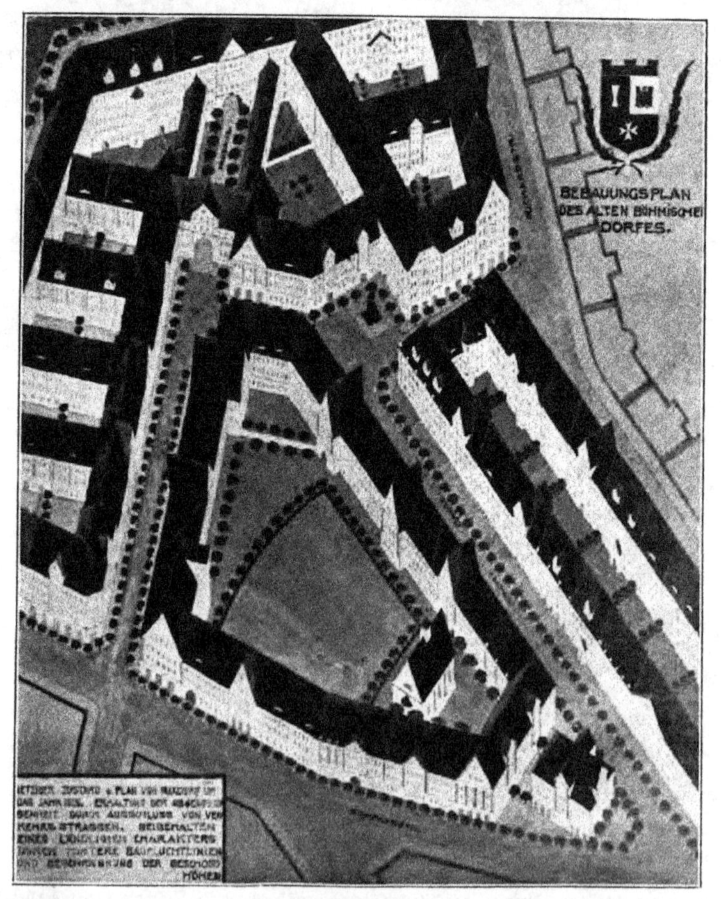

Anschluß von Verkehrsstraßen, Beschränkung der Geschoßhöhen, hintere Baufluchtlinie zur Erzielung großer, einheitlich wirkender Innenplätze. Beispiele aus dem Kampfe gegen breite Straße und Berliner Mietkaserne.

Ungerecht und unbillig ist diese Art der kommunalen Besteuerung (die den Steuerbedarf der Gemeinde zum größten Teil durch Einkommensteuer aufbringt), weil die Gemeinde einen vorzugsweise wirtschaftlichen Verband darstellt, dessen Aufwand in vielfachen und erheblichen Beziehungen an erster Stelle den Grund- und Hausbesitzern sowie den Gewerbetreibenden zugute kommen und deshalb vorzugsweise von diesen zu tragen sind.

Aus der Begründung des Miquelschen Kommunal-Abgabengesetzes.

stadt von den Mietern, aufgebracht werden, z. B. durch Einkommensteuer und durch die Schlacht- und Mahlsteuer. Die Mieter zahlen dann für alle kommunalen Errungenschaften doppelt: einmal an die Gemeinde mit erhöhter Einkommensteuer und einmal an den Grundbesitzer mit der Miete, deren gesteigerte Sätze jeden der Wohnung zufließenden Vorteil (wie Verbesserungen des Pflasters oder der Beleuchtung der Straßen, kürzere Verbindungen usw.) zum Ausdruck bringen. Die Bodenwerte stellen dann zu einem Teile die Kapitalisierung derjenigen Steuern dar, die infolge des „ungerechten und unbilligen" (Miquel) Steuersystems den Hausbesitzern erlassen worden sind. Der Mieter, der die ungerechten Steuern zahlen mußte, muß außerdem noch in der Miete dem Hausbesitzer die kapitalisierten Steuern verzinsen, die der Hausbesitzer auf Kosten des Mieters hinterziehen durfte [27]). Dieser tragikomische Zustand herrschte bis zur Miquelschen Finanzreform in verhängnisvollstem Maße; vor der Reform wurden in Berlin 82 % des Gesamtsteuerbetrages aus der Einkommensteuer aufgebracht. Aber auch heute sind die Möglichkeiten, die die Miquelsche Reform erschlossen hat, noch längst nicht voll ausgenutzt; 1910 wurden noch immer 44,5 % der Berliner und sogar 52,3 % der Charlottenburger kommunalen Steuerleistung aus Zuschlägen zur Staatseinkommensteuer aufgebracht.

Die Kommunalbesteuerung kann aber im Gegenteil auch so eingerichtet sein, daß die Haus- und Grundbesitzer für alle die Vorteile, die ihrem Besitz aus den gewaltigen Aufwendungen der Gemeinde zufließen, tüchtig bezahlen müssen, ohne daß sie nach Fauchers Ansicht [28]) deswegen imstande wären, ihren Mietern höhere Summen abzunehmen; die den Mietern ungünstige Konjunktur wurde ja bereits dazu benutzt, den Mietern jeweilig das Maximum, das sie für Miete aufbringen können, abzunehmen. Diese Faucher als Ideal vorschwebende Kommunalbesteuerung, die auf dem Grundsatze von Leistung und Gegenleistung beruht, fand er in England und den Vereinigten Staaten von Amerika. In England ist die Steuer an die Höhe der Mietbeträge geknüpft, in Amerika an den Wert (den sog. gemeinen Wert, also nicht den Ertragswert) des Hauses und Bodens; in beiden Fällen steigt die Steuer mit jeder Steigerung im Werte des Immöbels [29]). Diese Verschiedenheit in der Besteuerung, deren Entwicklung auf dem europäischen Kontinent Faucher auf „falsche theoretische Anschauungen aus der geisteskranken Zeit des Absolutismus" zurückführt, erscheint als eine wichtige Ursache, die zusammen mit der Wohnsitte verantwortlich zu machen ist für die unter gleichen Verhältnissen auffallend viel höheren Bodenpreise in Berlin. In diesen durch schlechte Wohnsitte und falsche Besteuerung erzeugten hohen Bodenpreisen entdeckt Faucher die Wurzel der Wohnungsnot; „nicht zuerst die Miete, sondern zuerst der Baustellenpreis ist herunter zu bringen". Wenn man zu diesem Zwecke nicht energisch zur Expropriation greifen will, für die Faucher gute Gründe anzuführen weiß, muß wenigstens eine vernunftgemäßere Besteuerung eingeführt und eine gründliche Umwandlung der Wohnsitte angestrebt werden. Zur Expropriation und

Neugestaltung des Steuerwesens muß der Staat eingreifen; die Umwandlung der Wohnsitte muß ausgehen von den gebildeten Klassen, die mit gutem Beispiel vorangehen. In ganz großzügiger Weise — Faucher dachte an genial geleitete Aktienunternehmungen — müssen die neuen Wohnsiedlungen der wohlhabenderen Stände hinausgehen über den schmalen Ring, der bereits mit spekulativen Talersummen belegt ist und die Stadt einschnürt. Nicht die Treppen dürfen, sondern die Straßen müssen vermehrt werden und zwar weit draußen, wo die verfügbare Fläche zunimmt, zunimmt nicht etwa im selben Verhältnis wie die Entfernung, sondern im Quadrat der Entfernung. London, die größte Stadt der Welt, war umgeben von einem 10 km breiten Gürtel von Gartenvorstädten. Faucher hat das blühende und im innersten Mark gesunde Leben dieser Gartenvorstädte[80]) in allen seinen Bedingungen und Wirkungen genau studiert; er entrollt das anschaulichste und alle wirtschaftlichen und sozialen Einzelheiten genau beleuchtende Bild dieser Gartenvorstädte; er schildert die spielende Leichtigkeit, mit der sich der Neubau der kleinen billigen Häuser auf billigem Boden vollzieht; er stellt fest, daß das durch die energischen Proteste der englischen Philantropen so berühmt gewordene Wohnungselend des Londoner East End (das Faucher mit Theodor Fontane und in Begleitung eines englischen Polizeibeamten genau studiert hat), im schlimmsten Falle verglichen werden darf mit der Lage desjenigen Teiles der Berliner Bevölkerung, der zu je 10 und 11, zu 12, zu 13—20 in Einzimmerwohnungen zusammengedrängt ist, daß aber in London im Gegensatz zu Berlin die große Masse, der Durchschnitt der Bevölkerung menschenwürdig wohnt, und daß die große Masse ihre Wohnungsansprüche ständig mit Erfolg steigert. Sehr geschickt begegnet Faucher dem Einwand, daß bei Einfamilienhäusern die Ausdehnung der Städte zu groß und der Brief- und Warenverkehr für den Haushalt zu schwierig sei; er weist nicht nur auf das entwickelte Londoner Verkehrswesen hin, sondern berechnet außerdem noch, daß bei Botengängen, Waren- und Briefablieferungen in Berlin die Niveauüberwindung der Treppen täglich 9000 Meilen für die Bevölkerung beträgt, die bei Einfamilienhäusern erspart würden. Besonderes Gewicht legt Faucher auf die segensreiche Zusammenfassung der Wohnungen materiell Gleichstehender in Straßen und Stadtvierteln, die aus etwa gleichwertigen Haustypen zusammengesetzt sind. Die durch den Berliner Bebauungsplan angestrebte Vermengung der verschiedenen Klassen — arme Leute in Hof- und Dachwohnungen, „Herrschaften" in Vorderwohnungen — ist nicht nur vielfach gescheitert, sondern hat auch da, wo sie gelungen ist, die allerschädlichsten Folgen für das soziale Leben, die Dienstbotenfrage und die Kindererziehung, was Faucher im einzelnen nachweist. Fauchers Anschauungen decken sich hier übrigens mit den Überzeugungen anderer sozialer Seher jener Zeit, wie z. B. Victor Aimé Huber, Ernst Bruch und besonders auch mit Arminius (vgl. S. 64 f.) und stehen im scharfen Gegensatz zu den lächerlichen Anschauungen, die Baurat Hobrecht, einer der Hauptverfasser des Berliner Bebauungsplanes, dargelegt hat, wobei er glaubt, die Berliner Mietkasernen könnten die soziale Frage dadurch lösen, daß die sogenannte bessere Familie in der Vorderwohnung den kleinen Leuten in der Hofwohnung einen Teller Suppe oder eine alte Hose hinüberschickt[81]). In der Tat, obgleich Hobrechts Mietkasernen-Ideal[82]) einer „friedlichen Durchdringung" der sozialen Schichten Anfang der 60er Jahre bei einer durchschnittlichen Besetzung jedes Berliner Hauses mit 48 Personen schon einigermaßen erreicht war, erlebte Berlin, genau wie vorher Paris, an jedem Quartalswechsel spontane Ausbrüche des Massenzornes in Gestalt von Reibungen

Abb. 27. Ausſteller: Stadt Schöneberg (Stadtbaurat Gerlach). Die bauliche Entwicklung Schönebergs.

Schwarz = Stand der Bebauung Ende 1880.
Grau = Bebauung von 1881-85.
Gelb = „ „ 1886-90.
Grün = „ „ 1891-95.
Blau = „ von 1896-1900.
Orange = „ von 1901-05.
Rot = „ „ 1906-09.

Es iſt zu unterſcheiden zwiſchen dem innerhalb der Ringbahn gelegenen, an Berlin anſchließenden Teile von Schöneberg und dem außerhalb der Ringbahn gelegenen Friedenauer Ortsteil. Der Friedenauer Ortsteil iſt aus einer Villenkolonie hervorgegangen. Die Villen werden allmählich durch hohe Miethäuſer verdrängt. Dadurch erklärt ſich, daß die heute vorhandenen Häuſer aus den verſchiedenſten Epochen ſtammen. Im Gegenſatz hierzu hat ſich der eigentliche (mehr als 100 Jahre alte) Stadtkern, aus sich selbſt heraus und an Berlin anſchließend, gleichmäßig fortſchreitend entwickelt. Dabei wurde der in anderen Vorortgemeinden vielfach übliche Lückenbau durch planmäßiges Vorgehen der hier beſonders kapitalkräftigen Spekulation (Kommerzienrat Haberland) vermieden. Die Phalanx der großen Miethäuſer wird geſchloſſen in das weite, vorher landwirtſchaftlich genutzte Gelände vorgeſchoben.

> Der Baustellenbesitz ist aber nicht bloß in der Lage, der ihm wehrlos gegenüberstehenden städtischen Bauunternehmung, ohne die Hand zu rühren, das ganze Fett abzuschöpfen, sondern, durch sie, auch noch der gesamten Bevölkerung.
>
> Julius Faucher 1869.

zwischen Wirten und Mietern, die manchmal revolutionären Anstrich hatten. Faucher schildert diese Vorgänge eingehend. Diese dumpfen, meist ganz führer- und planlosen Volksbewegungen loderten zuerst in Paris in den 50er Jahren auf, ohne daß vorher die Presse auch nur mit einem Worte erwähnt hätte, daß überhaupt ein Notstand vorhanden sei. Die ähnlichen Erscheinungen, die die Wohnungsnot bald darauf in Wien zeitigte, führten dort zu einer öffentlichen Bewegung für die Bebauung der „Glacis", der ausgedehnten Umwallungsgelände der Altstadt, von deren Bebauung man sich Linderung der Wohnungsnot versprach; eine Bewegung, die durch das berühmte kaiserliche Handschreiben vom 20. Dezember 1857 mit Erfolg gekrönt wurde. (Vgl. den besonderen Abschnitt über Wien[83]). In Berlin schlug beim Wohnungswechsel Ende des zweiten Quartals 1863 die Erbitterung besonders hohe Wogen; es kam zu gewaltigen Volksaufläufen und sogar Barrikadenkämpfen. Kein Wunder, daß in der Literatur der nächsten Jahre das Thema der „Wohnungsnot" eine große Rolle spielt.

Faucher macht ferner auf die Gefahren aufmerksam, die aus dem Hypothekenwesen, wie es sich damals in Berlin ausbildete, für die bauliche Entwicklung drohen[84]). Der hypothekarische Kredit wird nur gewährt, „um den Verkauf der Baustellen möglich zu machen, ist aber in Wahrheit nicht als permanente Kreditgewährung gemeint". „Eine solche Kreditgewährung beeinflußt den Kaufpreis", d. h. sie steigert ihn, denn „den Verkäufer der Baustelle blendet der höhere Preis, den er empfängt, bei der Abschätzung der Sicherheit des Kredits, den er gewährt"; „der Käufer der Baustelle, der Bauunternehmer, tröstet sich über den Preis mit der Hoffnung, daß er bald einen permanenten Gläubiger gefunden haben wird". Statt dieser Art des Realkredits, der nur gewährt wird, um den Verkauf möglich zu machen und der die Bodenpreise in die Höhe treibt, fordert Faucher den wirklich unkündbaren Realkredit mit der Verpflichtung langfristiger Tilgung. Faucher stellt die Grundsteuer einer solchen unkündbaren Hypothek gleich, deren Eigentümer die steuererhebende Behörde ist. In der Tat, ist nicht der Boden in den amerikanischen Städten zum Teil deswegen so billig, weil der Käufer ihn mit einer Hypothek übernimmt, deren Zinsen er in der Steuer nach dem gemeinen Wert an die Gemeinde zahlt? Und ist nicht auch die besonders in England so gebräuchliche Vergebung des Baulandes in Erbpacht schließlich gleichbedeutend mit einer Vergebung gegen eine für fast ein Jahrhundert unkündbare Hypothek auf das zu erbauende Haus? Bei der Besteuerung nach dem gemeinen Wert (in Amerika) steigt die Größe der zu verzinsenden gemeindlichen Hypothek in leicht erträglicher und jedenfalls gerechter Weise mit jedem Steigen des Bodenwertes; bei der Erbpacht (in England) wird die mit dem Erbpachtzins zu verzinsende hypothekarische Belastung alle 99 Jahre neu festgelegt, d. h. gesteigert.

Zur Charakteristik Fauchers gehört schließlich ein Wort über die hervorragende Rolle, die er als Preisrichter auf der Pariser Weltausstellung in den hochinteressanten internationalen Beratungen über die Ausstellung für Wohnungswesen gespielt hat. Die Jury, der er angehörte, beschloß nach eingehender Begründung und nachdem allen ausgestellten Versuchen mit dem Cottage-System (Kleinhäuser) Preise erteilt waren, denen mit dem Mietkasernensystem eine Strafe zuzuerkennen[85]).

Die Anregungen Fauchers fielen auf fruchtbareren Boden als früher Hubers Schriften. Nicht nur bei den Theoretikern fanden seine Schlüsse volle Anerkennung, sondern auch in der Praxis wurde sein Ruf „Hinaus in den zweiten Ring der Stadt" gehört und sein Gedanke großzügiger geschäftlicher Unternehmen, die entschlossen die hochwertige Zone unbebauten Landes überspringen und draußen im Freien Einfamilienhäuser nach englischem Muster erbauen, verwirklicht. Hier lag die einzige Rettung für die gesunde Bauunternehmung. Schon Viktor Aimé Huber hatte ihre „Depravation" durch die Spekulation festgestellt. Seitdem war sie immer mehr, wie Faucher es ausdrückte, „vom Baustellenmonopol eingezwängt, mit Sorgen beladen und mit Verlust bedrückt worden; der gebildete Unternehmungsgeist hatte sich mehr und mehr von ihr zurückgezogen, kleinen Emporkömmlingen, denen alle Mittel und Wege gleich sind, das Feld überlassend". „Um der Höhe der Baustellenpreise zu begegnen, wußte sie keinen anderen Ausweg als Stockwerk auf Stockwerk zu türmen, die Hinterflügel zu verlängern und die Höfe zu verengen. Aber mit dem Nutzwert der Baustellen gingen die Baustellenpreise in die Höhe, griffen von der Front zurück in die Tiefe, und die Bauunternehmung hatte von neuem das Nachsehen." „So ist es zu den Häusern mit sechs bewohnten Stockwerken gekommen, welche rings um Berlin herum gruppenweise auf freiem Felde stehen . . . während es im innersten Herzen der Stadt noch Massen zwei- und selbst einstöckiger Häuser gibt." „Mit dem Kreuzberg stehen die Dächer der letzten Mietkasernen an seinem Fuße schon fast gleich." Dieses die Baustellenunternehmungen lähmende „Baustellenmonopol" ermöglichte den Vermietern der Mietkasernen die Ausübung eines drakonischen „Wohnungsfeudalismus"[86]), der namentlich in der unerbittlichen Durchführung von Wohnungskontrakten zum Ausdruck kam, deren kurze Zeit und sonstige Bedingungen im höchsten Maße aufreizend waren. Diese ganzen drückenden Übelstände beschränkten sich jedoch vorläufig im wesentlichen auf das allerdings riesengroße Gebiet des polizeilich festgestellten Berliner Bebauungsplanes, ein Gebiet mit einem Durchmesser von etwa 9 km in der einen und 11 km in der anderen Richtung. Der verteuernde Einfluß des Bebauungsplanes auf die Bodenpreise ist ganz klar wohl erst später von Ernst Bruch erkannt und gebrandmarkt worden[87]). Dieser verhängnisvolle Einfluß wurde nach dem Erscheinen der Bruchschen Schrift aber auch offiziell festgestellt vom Berliner Magistrat in seinem Schreiben an den Minister für Handel, Gewerbe und öffentliche Arbeiten vom 23. Oktober 1871. Es heißt da: „Die Ausarbeitung des Bebauungsplanes für Berlin — richtiger des Straßenplanes von Berlin, — ohne daß diese Straßen wirklich angelegt wurden, hat eine große Zahl von Flächen zwar nicht der Bebauung erschlossen, denn die Straßen existierten nur auf dem Papier, wohl aber hat er den Inhabern dieser Flächen Veranlassung gegeben, Baustellenpreise dafür zu fordern, und er hat somit zur Preissteigerung der Baustellen wesentlich mitgewirkt. Jenseits des Rayons dieses Bebauungsplanes hört mit ihm selbst seine verteuernde Wirkung auf." Aus diesem verteuerten Rayon hinaus mußte die Bauunternehmung mit großzügiger, neuer Initiative gehen, wenn etwas zur Verbesserung der Wohnungsnot geschehen sollte. Der Boden dafür war aufs günstigste vorbereitet. Bei dem gewaltigen Aufschwung, den die Lebenshaltung in Deutsch-

Abb. 28. Ausſteller: Dr. Kuczynski, Dir. des Statiſt. Amtes der Stadt Schöneberg u. Regierungsbaumeiſter a. D. Walter Lehweß, Berlin.

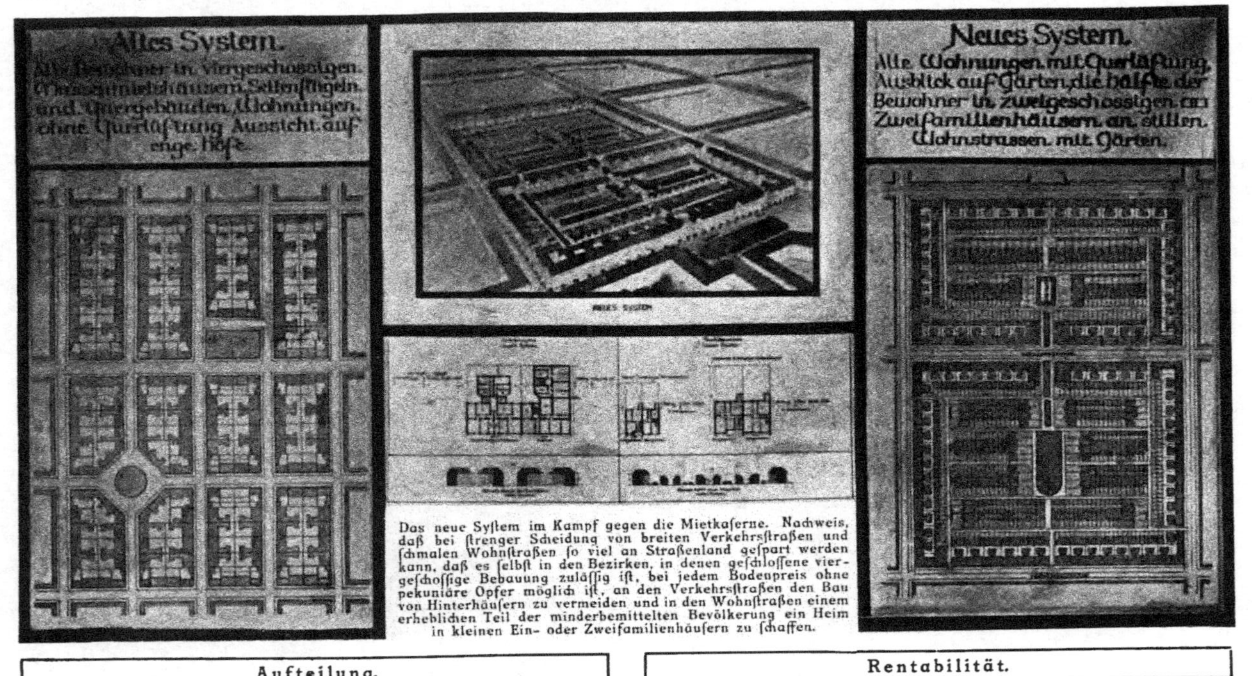

Aufteilung.

Geſamtfläche 282 m × 544 m = 207 808 qm.

	Altes Syſtem Hochbau qm	Hochbau qm	Flachbau qm	Zuſammen qm
Plätze	5 692	520	5 172	5 692
Straßen	63 408	29 304	24 976	54 280
Bauplatzfläche	138 708	55 224	92 612	147 836
Bebaute Fläche	72 637	40 908	47 494	88 402
Geſchoßfläche	290 549	163 632	126 651	290 283

Rentabilität.

	Altes Syſtem Mark	Neues Syſtem Mark
Bodenpreis: qm 30 Mark	6 063 480	6 063 480
Straßenbaukoſten: qm 18 Mark	1 141 344	977 040
Kanaliſationskoſten: m Front 60 Mark	327 432	526 560
Hausbaukoſten: qm Geſchoßfläche 75 Mark	21 791 160	21 771 200
Koſten zuſammen	29 323 416	29 338 280
Mietsertrag: qm Geſchoßfläche 6 Mark, 50000 Mark Zuſchlag für Läden	1 793 293	1 791 696
Rentabilität	6,1 %.	6,1 %.

Abb. 29. Ausſteller: Dr.-Ing. Ludwig Hercher, Wiesbaden. -- Entwurf zur heutigen Heerſtraße aus dem Jahre 1899.

Berlins weſtliche Ausfallſtraße. Große radiale Verkehrsſtraßen, die außerordentliche Breiten erfordern, fehlten im Berliner Bebauungsplan ebenſo wie die ſchmalen Wohnſtraßen. -- Rechts (nördlich der Heerſtraße) die moderne Wohnhausanlage Weſtend, die durch private Initiative auf einem nicht vom Bebauungsplan von 1858 berührten Gebiete entſtehen konnte. Links (ſüdlich der Heerſtraße) der Lietzenſee mit dem Park Witzleben, der von Hercher als Weltausſtellungspark in Ausſicht genommen war, der aber, nicht rechtzeitig von der Bebauung ausgeſchloſſen, zum größten Teile der fünfgeſchoſſigen Miethausbebauung geopfert werden mußte (vgl. nächſte Abb.).

land von den ſechziger Jahren an nahm, konnte ein weitſichtiger Bauunternehmer damit rechnen, daß in dem zur Reichshauptſtadt heranwachſenden Berlin ſich zum mindeſten eine breite ſoziale Oberſchicht entwickeln würde, die ein *abgeſchloſſenes Haus mit Garten* zu ihren unveräußerlichen Lebensanſprüchen zählt, und die, der damals ganz unerhörten Scherereien mit den Hauswirten, der ganz kurzen Mietkontrakte und der ſteten Mietſteigerungen müde, in *eigenem* Hauſe wohnen wollte. Bezeichnenderweiſe waren damals zuerſt in dem auf ſein altes Patriziat ſtolzen Hamburg neue größere Unternehmungen zur Befriedigung ſolcher geſteigerten Bedürfniſſe zu verzeichnen. „Das Verdienſt, zuerſt in Deutſchland eine Villabauunternehmung im großen und ganzen, und zwar mit verdientem Erfolg für ſich ſelbſt durchgeführt zu haben, gebührt bekanntlich Herrn *Carſtenn*, der die Villaſtadt in Wandsbeck bei Hamburg angelegt hat[88].“ Der günſtige Boden, den Berlin für ein ähnliches Unternehmen damals zu bieten verſprach, lockte denſelben Carſtenn in die Hauptſtadt. Ein bei der Anlage von Wandsbeck erworbenes Vermögen von etwa $2^{1}/_{2}$ Millionen Mark ſetzte ihn inſtand, ſelbſthandelnd vorzugehen; er ſtand ſomit nicht mehr unter dem Fluch des Kapitalmangels, der die vorhergehenden Berliner Bauunternehmungen geſchädigt hatte. Er ging 1854 nach London und ſtudierte dort, wie er ſelbſt mitgeteilt hat[89]), „an Ort und Stelle die Entwicklung dieſer damals einzigen Weltſtadt, welche in ihren neuen Teilen rationell angelegt war“ (d. h. nicht nach den Grundſätzen einer Feſtung, ſondern einer offenen Stadt). „Die innere Stadt, das alte London, iſt nämlich ringsum von Fideikommißgütern des hohen engliſchen Adels eingeſchloſſen, die geſetzlich nicht veräußert und auch nur zeitlich auf höchſtens 99 Jahre verpachtet werden dürfen. Hierdurch iſt die räumliche Entwicklung Londons zum Beſten der Einwohner dieſer Rieſenſtadt bedingt worden, denn dieſes Pachtverhältnis, welches einerſeits die Gefahr in ſich birgt, nach Ablauf der Pachtzeit eventuell die Häuſer abbrechen zu müſſen, und andererſeits den Vorteil bietet, den Bauplatz nicht ängſtlich mit vielſtöckigen Häuſern ausnutzen zu müſſen, ließ in den neuen Stadtteilen Londons vorwiegend villenartige Anlagen entſtehen.“ (Vgl. hiermit, S. 35, Oberbürgermeiſter Hobrechts Anſicht, die auch dahin geht, daß die Erbpacht „das Bauen erleichtert“.) Mit den in London geſammelten Erfahrungen kam Carſtenn nach Berlin und beantwortete die ihm vom König Wilhelm I. bei einer Beſichtigung Lichterfeldes geſtellte Frage nach der wahrſcheinlichen Entwicklung Berlins folgendermaßen: „Majeſtät, nach den Errungenſchaften des Jahres 1866 iſt Berlin zur erſten Stadt des Kontinents berufen, und was ſeine räumliche Ausdehnung anbelangt, ſo muß Berlin und Potsdam *eine* Stadt werden, verbunden durch den Grunewald als Park.“ Dieſer ſtädtebauliche Weitblick ermöglichte Carſtenn nicht nur für damalige, ſondern auch für heutige Verhältniſſe außerordentliche Leiſtungen. Da die Berliner Spekulation ſchon weit um ſich gegriffen hatte, genügte es, um billigen Baugrund zu erlangen, nicht, in den ſogenannten „zweiten Ring“ hinauszugehen, ſondern Carſtenn mußte, was man den „dritten Dorfring“ nannte, anſchneiden. Er wandte ſich nach Lichterfelde, und ſeine Wahl berechtigte zu den größten Hoffnungen. Schon 1869 konnte Faucher ſchreiben: „Carſtenn hat es durch rege Tätigkeit in der Chauſſierung, Erleuchtung mit ſelbſt hergeſtelltem Gas, Anpflanzung von Bäumen und Anlagen, von Gärten, Herſtellung von Verbindung mit der Stadt und den nächſten Eiſenbahnſtationen durch Omnibus, Einrichtung eines Reſtaurants uſw., vor allem durch die Billigkeit der Bauſtellen“

(Carſtenn hat auch ſpäter nie über 75 Mark die Quadratrute gefordert und dabei landhausmäßige Bebauung durch grundbuchliche Eintragung zur Bedingung gemacht) „erzwungen, daß ſchon im zweiten Jahre (1869) genug Bauſtellen verkauft und zum Teil bebaut und bewohnt ſind, ſo daß der Preis des Bodens und ſämtlicher Arbeiten gedeckt iſt, und der größere Reſt, deſſen Bebauung jetzt erſt recht gewiß, Reingewinn für ihn bildet". 1872 wurde Carſtenns Reingewinn an Lichterfelde bereits auf mehrere Millionen Taler geſchätzt[40]). Aber Carſtenn, ein praktiſcher Städtebauer großen Stils, beſchränkte ſich nicht auf Lichterfelde. Er bereitete die Gemarkung Deutſch-Wilmersdorf für gleiche Villenanlagen vor, ſchuf in der großen Kaiſerallee eine vortreffliche Straßenverbindung mit dem Weſten von Berlin. Die ganze Straßenanlage im Anſchluß an die Kaiſerallee, in Wilmersdorf ſowohl wie in Friedenau, geht auf Carſtenn zurück, desgleichen ein großer Teil der Querſtraßen zum weſtlichen Kurfürſtendamm (von der Waitz- bis zur Georg-Wilhelm-Straße) bis nach Schmargendorf hinein und bis dicht an die Kolonie Grunewald[41]). Das zuletzt genannte Gelände, das alſo ſehr günſtig unmittelbar (die Kolonie Grunewald exiſtierte noch nicht) an dem „Park Grunewald" lag, der nach Carſtenn Potsdam und Berlin verbinden ſollte, gehörte dem von Carſtenn 1872 gegründeten Berlin-Charlottenburger Bauverein. Dieſe Carſtennſche Geſellſchaft war es auch, die zuerſt mit großem Eifer den Plan verfolgte, aus dem Feldwege Kurfürſtendamm eine ſtattliche Zugangsſtraße zu ihrem Gelände im Weſten und damit zum „Park Grunewald" zu machen und ſo eine der großen Radialen zu ſchaffen, die dem Berliner Bebauungsplan fehlten (vgl. Abb. 29). Es iſt intereſſant zu ſehen, wie derartige klare ſtädtebauliche Gedanken ihre Wirkung auch auf einen Mann wie Bismarck nicht verfehlten und noch intereſſanter iſt, wie fruchtbar auch die nur vorübergehende Beſchäftigung eines großen Kopfes mit einem ſtädtebaulichen Problem werden kann. Bismarck war nämlich nicht damit zufrieden, daß der Kurfürſtendamm nach dem Muſter der von Carſtenn angelegten Kaiſerallee mit 30 m bemeſſen werden ſollte, ſondern in ſeinem Gutachten, das er über dieſe Frage an das königliche Zivilkabinett richtete, ſchüttelte er die Theorie der Ausfallſtraße, genau wie ſie ſpäter von Hercher, Otto March und dann auch im Groß-Berliner Wettbewerb, beſonders vom erſten Preisträger Hermann Janſen vertreten worden iſt, aus dem Ärmel. Dieſes ſtädtebauliche Gutachten Bismarcks, vortrefflich und bezeichnend für den Urheber, wie es iſt, lautete[42]): „Denkt man ſich Berlin ſo wie bisher fortwachſend, ſo wird es die doppelte Volkszahl noch ſchneller erreichen als Paris, das von 800000 Einwohnern auf 2 Millionen geſtiegen iſt. Dann würde der Grunewald etwa für Berlin das Bois de Boulogne und die Hauptader des Vergnügungsverkehrs dorthin in einer Breite wie die Elyſeiſchen Felder durchaus nicht zu groß bemeſſen ſein. An der in Rede ſtehenden Stelle allein liegt die Möglichkeit einer großen Straßenverbindung mit dem Grunewald vor, weil eine fiskaliſche Straße, der Kurfürſtendamm, über die geſetzlichen Anforderungen hinaus exiſtiert. Mein Votum würde ſonach dahin gehen, daß von den Anbauern die Herſtellung der üblichen Straßenbreite in vollſter Ausdehnung gefordert würde, ohne Rückſicht auf das Vorhandenſein des Kurfürſtendammes, ſo daß letzterer eine exzeptionelle Zugabe zur Straßenbreite bildete. Nur auf dieſe Weiſe würde über den Tiergarten hinaus eine bequeme Zirkulation der Berliner Bevölkerung ins Freie nach dem Grunewald hergeſtellt werden können, und nur bei dieſem Prinzip wird ſich ein ähnlicher

Reitweg, wie ihn das ſonſt wenig kavalleriſtiſche Frankreich in Paris nach dem Bois de Boulogne beſitzt, ſchaffen laſſen." Infolge des Bismarckſchen Votums wurde die Breite des Kurfürſtendammes von den zuerſt geplanten 30 m auf 53 m geſteigert, blieb ſomit alſo noch weit hinter den mehr als doppelt ſo breiten Champs Elyſées zurück, was in Zukunft wohl noch der Gegenſtand lebhaften Bedauerns werden wird. Nach der erſt viel ſpäter zur Durchführung kommenden Anlage (1883—1886 durch die Deutſche Bank) des ſo von Carſtenn und Bismarck angeregten Kurfürſtendammes ſind durch eine Steigerung des Bodenwertes (verglichen mit den ſechziger Jahren) um das 600fache des reinen Ackerwertes private Vermögen im Geſamtbetrage von rund 60 Millionen Mark entſtanden, ſo daß es ein Kinderſpiel geweſen wäre, die Straße in der von Bismarck angeregten Breite der Elyſeiſchen Felder zu bezahlen, da ihre gegenwärtige ſchmalere (53 m) Durchführung nur 3—4 Millionen Mark gekoſtet hat.

Das Beiſpiel des Kurfürſtendammes, ebenſo wie Carſtenns Beſtrebungen für Landhausſiedlungen, zeigen was aus Berlin hätte werden können, wenn ein Mann wie Bismarck Zeit und Gehör gefunden hätte, um dauernd auf den Bebauungsplan einzuwirken, oder wenn Männer wie Carſtenn freie Bahn zur Durchführung ihrer Ideen erhalten hätten. Aber die beſte theoretiſche Erkenntnis deſſen, was die Geſchicke der heranreifenden Millionenbevölkerung endgültig beeinfluſſen ſollte, blieb tot, weil ſie keine Verkörperung in einem machtvollen Staatsmanne fand, und die geſundeſten, auf ſchnelle praktiſche Durchführung gerichteten Projekte erſtickten unter der Ungunſt der politiſchen und beſonders der wirtſchaftlichen Verhältniſſe. Die Carſtennſchen Pläne, die ſich ſo vorzüglich angelaſſen hatten, ſollten, wenn auch nicht ganz ſcheitern, ſo doch in verhängnisvoller Weiſe auf ein Jahrzehnt hinaus niedergehalten und dann zum großen Teil vereitelt werden durch die furchtbare wirtſchaftliche Kataſtrophe, die auf das Spekulationsfieber der Gründerjahre folgte. Carſtenns weitblickende Tatkraft wurde obendrein in bedauerlicher Weiſe lahmgelegt, ja vernichtet durch ſeinen bekannten unſeligen Prozeß mit dem Militärfiskus [48]).

Das Schickſal, von der Kataſtrophe der Gründerjahre ſchwer in Mitleidenſchaft gezogen zu werden, traf in noch ſtärkerem Maße als Lichterfelde die Kolonie Weſtend, eine ganz ähnliche, geradenwegs auf Fauchers Anregungen zurückgehende Landhausſiedlung, die ſogar noch etwas früher als Lichterfelde in Erſcheinung getreten war und dabei die Phantaſie Berlins aufs lebhafteſte beſchäftigt hat. Ihr Erfolg iſt ein weiterer Beleg dafür, daß damals vor den unſeligen Gründerjahren eine ſegensreiche Umwandlung des Berliner Wohnungsweſens im Gange war. Leider wurde Weſtend von ſeinem Gründer, Heinrich Quiſtorp (der Mitbegründer Werkmeiſter iſt früh geſtorben), in den bald folgenden Gründerjahren zum Knotenpunkt eines Rattenkönigs von ſchwindelhaften Gründungen gemacht, ſo daß es geradezu ein Muſterbeiſpiel zu nennen iſt für die vergiftende Wirkung, die die Bodenſpekulation unter den geſchilderten verwaltungs- und ſteuerrechtlichen und ſonſtigen ſtädtebaulichen Verhältniſſen Berlins ausüben kann, wenn ſprunghaft ſteigende Mieten und Bodenpreiſe der betörten Phantaſie unbegrenzte Möglichkeiten vorzaubern. Dieſes Muſterbeiſpiel ſei hier kurz betrachtet. Heinrich Quiſtorp, der ſich ſpäter zu einem der „blutigſten" unter den „Gründern" auswuchs, kam als geſcheiterte Exiſtenz nach Berlin. Er erhielt die erſten Mittel für Weſtend von ſeinem Bruder, der als Kommerzienrat in Stettin, durch Schriften V. A. Hubers angeregt, gemeinnützige Wohnungskolonien verſchiedentlich unterſtützt hatte (ſo bei ſeiner Fabrik

> Es ist eine traurige Tatsache, auf welche die deutsche Nation mit tiefer Beschämung hinzuschauen hat, daß innerhalb ihrer besitzenden Klassen ein großer Teil derselben seine Capitalien schnöden Speculationen dahingab, im strafbaren Mißbrauch der Freiheit, während oft die dringendsten gemeinnützigen Unternehmungen, welche die Zeit forderte, aus Mangel der nötigen Unterstützung unterbleiben mußten. Arminius 1874.

auf Wollin, in Stettin und Wolgast). Es gelang, in Dr. Eduard Wiß einen Generaldirektor für Westend zu gewinnen, der auch von den Ideen Hubers und Fauchers erfüllt war und bereits für die Wohnungsreform wertvolle literarische Arbeiten geliefert hatte[44]). Dr. Wiß wurde ebenso wie das Geld des Stettiner Bruders für das Westend-Unternehmen durch die Versicherung gewonnen, es solle sich dabei um eine gemeinnützige Sache im Sinne der Wohnungsreform handeln. Man gründete eine Genossenschaft „Deutscher Zentralbauverein", veröffentlichte Baupläne für Einfamilienhäuser von 3000 Mark und gewann auch die Beteiligung wohlhabender Leute mit größeren Villen. Als dann aber nach dem Krieg das Gründungsfieber zu grassieren anfing, erklärte Quistorp die Genossenschaft für das „Experiment eines humanen Prinzips" und verwandelte sie in eine Aktiengesellschaft, deren Aktien eines der Hauptspielpapiere der Gründerjahre wurden und deren zweideutige Finanzoperationen er in die Hand einer eigens dazu gegründeten Bank, der berüchtigten „Vereinsbank Heinrich Quistorp" legte. „An die Förderung der Genossenschaft und der Bauunternehmungen wurde gar nicht mehr gedacht, sondern vor allem an der Börse gespielt und immer neue Gesellschaften gegründet, deren Effekten zu neuen gesuchten Börsenpapieren wurden" (Wiß). Fabrikanlagen zur eigenen Herstellung der Baumaterialien und neue Terraingesellschaften in Reinickendorf, Köpenick, Teltow und Breslau, Magdeburg, Bad Elmen, Thale a. H., Frankfurt a. M. usw. wurden mit 90 Millionen Mark fiktiven Kapitals unternommen, ohne daß eine andere Unterlage gewesen wäre als das Betriebskapital der Vereinsbank von 9 Millionen. Als dann endlich der von Wien aus einsetzende Krach das ganze Kartenhaus zusammenblies, war der Kurswert der Aktien der meisten Gesellschaften geringer als die schwindelhaften Jahresdividenden, die früher darauf erklärt worden waren. Auf der Höhe von Westend blieben die halbfertigen Landhäuser unvollendet stehen als die sogenannten „Krachruinen". „Längere Zeit vor der Katastrophe, schreibt E. Wiß, war ich in H. Quistorp gedrungen, für die Genossenschaft des deutschen Zentralbauvereins mehr zu tun. Eine Menge von Anforderungen traten an mich heran für Villen von tausend, zwei-, vier- und mehr tausend Talern; H. Quistorp sagte, es würde zu wenig dabei verdient, er wolle nur noch Villen von mindestens dreißigtausend Talern bauen und als ich einwarf, da könne er lange warten, bis das große Bauterrain bebaut sei: ‚Ach was; die Leute müssen noch auf Knien den Spandauer Berg heraufrutschen, um eine Bauparzelle von Westend zu bekommen.'"[45])

Was sich in Westend begab, geschah damals in allen Himmelsrichtungen des Berliner Weichbildes. Die segensreichen Gedanken Hubers und Fauchers wurden durch die auf unbeschränktes Verfügungsrecht über das Bauland gestützte Spekulation in ihr genaues verhängnisvolles Gegenteil verkehrt. Der Gedanke, daß man mit der Bauunternehmung hinausgehen müsse aus dem schmalen Ring, der bereits von der Spekulation ergriffen war, führte einfach dazu, daß die Spekulation auch den zweiten und dritten Ring ergriff, daß sich der schmale Ring der Spekulation in einen breiten Ring verwandelte. Der Unfug des Berliner

Müssen nicht die künftigen Bewohner der Häuser (die auf den durch hohe Zwischengewinne verteuerten Baustellen gebaut werden) die Verzinsung der jetzt von Wenigen so leicht gewonnenen Millionen auf ihre Schultern nehmen, ohne je wieder davon entlastet zu werden? Jedes Hundert Thaler pro Quadratrute belastet dauernd eine Familienwohnung mit 17—20 Thalern jährlichen Mietzins. Engel (in „Die moderne Wohnungsnot" 1873.)

Bebauungsplanes mit seinen projektierten Mietkasernen für vier Millionen Menschen steckte an und teilte sich der Nachbarschaft der Viermillionenkasernierung mit. Dr. Schwabe, der Direktor des Statistischen Amtes der Stadt Berlin, soll damals die in der Gründerzeit in Aussicht gestellten Neubauten berechnet und geschätzt haben, daß sie für eine Bevölkerung von neun Millionen Menschen ausreichten, also für eine selbst das heutige London übertreffende Zahl. Wenn das Polizeipräsidium, von dem man annehmen mochte, daß es konservativ und vorsichtig sei, mit seinem Bebauungsplane auf Mietkasernen für vier Millionen Menschen gerechnet hatte, war es den Phantasten der Gründerjahre kaum zu verargen, wenn sie auf neun Millionen spekulierten. Von Faucher war die Spekulation mit Klein-Häusern empfohlen worden, eine höchst gesunde und für das Gesamtwohl unbedingt notwendige Spekulation, von der man vom Standpunkte der Allgemeinheit aus beinahe wünschen muß, daß sie zu einer Überspekulation und Überproduktion führen möge. Aber die dahin gehenden Projekte wurden erdrosselt durch die unbeschreiblich viel höheren Gewinne, die durch die Spekulation nicht mit Kleinhäusern, sondern durch die Spekulation mit Bauland gemacht werden konnten. „Auf zwei Meilen im Umkreise von Berlin", schreibt Engel im Jahre 1873, „ist sämtliches Land in die Hand von Baustellenspekulanten übergegangen, ohne daß an eine Bebauung dieses Landes auf Jahre hinaus zu denken wäre. Nach den bestehenden Grundsteuergesetzen bleibt solches Areal so lange ein niedrig besteuertes Liegenschaftsobjekt, als es nicht als Baustelle benutzt wird, obschon es seine wahre Natur ganz und gar verändert hat, für viele bereits eine Quelle hohen Einkommens geworden ist, bis auch der letzte Besitzer, sofern seine Spekulation nicht mißglückt, an die Reihe des Erntens kommt." Berlin wurde überschwemmt mit sogenannten Baugesellschaften, deren hauptsächlichstes Geschäft die Bodenspekulation wurde. Am 1. Juni 1872 gab es 25 Baugesellschaften, mit einem Kapital von 104,1 Millionen Mark, von denen mehr als die Hälfte innerhalb des letzten Jahres gegründet waren. Im folgenden Jahre wuchs die Zahl auf 45[46]). Durch Erklärung fiktiver Dividenden wurden die Preistreibereien der Aktien und die Realisierung plötzlicher großer Börsengewinne möglich. Die Berliner Intelligenz, die Beamtenschaft und der Adel, über deren Zurückhaltung der Gemeinnützigen Baugesellschaft gegenüber einst der spätere Kaiser Wilhelm I., V. A. Huber und C. W. Hoffmann so bitter hatten klagen müssen, wurden jetzt wie von einem Taumel ergriffen und beteiligten sich in oft beschämendster Weise an zweifelhaften Abenteuern. Die Bestrebungen für Wohnungsreform, die ohne die durch die Rechtslage geschaffenen Klippen des Baustellenmonopols und bei gebührender Unterstützung durch das Verkehrswesen im innersten wirtschaftlich gesund und rentabel gewesen wäre, wurde bei diesen Verhältnissen zur mißachteten Nebensache. In der Sammlung von Gutachten über die „Wohnungsnot", die auf Veranlassung des späteren Finanzministers Miquel veranstaltet wurde[47]), muß festgestellt werden, daß „seitens gemeinnütziger und wohltätiger Vereine zur Abhilfe der Wohnungsnot trotz mannigfacher Bestrebungen und redlicher Bemühungen namhafte Erfolge nicht

> Manche der in den fünfziger und sechziger Jahren begründeten Aktienbaugesellschaften für Arbeiterwohnungen haben keine besonderen Geschäfte gemacht; vor allem aber sind viele nach einem kurzen Anlauf ersprießlicher Tätigkeit für Jahre und Jahrzehnte in eine Art vegetierende Lethargie verfallen; das vorübergehende Steigen des Zinsfußes 1866/76 trug dazu bei, noch mehr aber wohl die Schläfrigkeit der an der Spitze stehenden Persönlichkeiten und die Thatsache, daß alle öffentlichen Interessen anderweit in Anspruch genommen waren.
>
> Gustav v. Schmoller (in „Ein Mahnruf in der Wohnungsfrage" 1887).

erzielt sind, sei es nun, daß zu wenige derartige gemeinnützige Vereine bestanden, sei es, daß sie ihre Aufgabe nicht richtig auffaßten und mit ungenügenden Mitteln ins Leben traten". Ein großer Teil der Gesellschaften aus der Gründerzeit war eingegangen und den ganz wenigen, die für gesunde Wohnungsbeschaffung überhaupt in Frage kamen, weist der Bericht des Vereines für Sozialpolitik 160 %ige Steigerungen ihrer Verkaufspreise von Grund und Boden nach.

Die Gründerjahre hinterließen übrigens ihre Spuren nicht nur in der Umgegend von Berlin, sondern auch im Inneren der Stadt wurde damals manches Städtebauliche durchgeführt oder wenigstens versucht und meistens von den Aktionären mit schweren Verlusten bezahlt. Es seien hier nur kurz die Namen einiger der am meisten bekannt gewordenen Unternehmungen erwähnt: die Beuthstraße mit dem „Industriegebäude" auf dem Gelände der alten Franz-Kaserne, erbaut von der „Berliner Central-Straßen Aktiengesellschaft", das „Berliner Palais Royal" und der von den „72000 Gasflammen" erleuchtete „Stadtpark", auf dem Gelände des heutigen Central-Hotels, die „Kaiser-Galerie", die heute als „passage" bekannte Verbindung zwischen Linden- und Friedrichstraße, der „Lindenbauverein", aus dessen ursprünglich als „Prachtstraße" gedachter „Friedrich-Wilhelm-Straße" sich die heutige Lindengalerie entwickelt hat, die Voßstraße (von Wilhelmplatz bis Königgrätzer-Straße), die als einziges von den verschiedenen Straßenprojekten der „Deutschen Baugesellschaft" verwirklicht worden ist (vgl. Abb. 17 u. S. 53).

Während aber die an verschiedenen Stellen der Innenstadt entstandenen, zum Teil sehr schweren finanziellen Einbußen überwunden werden konnten, lastete das Unheil, das die Gründerjahre in der Umgebung Berlins angerichtet hatten, auf der weiteren Entwicklung des Groß-Berliner Wohnungswesens wie eine schwere, untilgbare Hypothek. „Durch die Gründerjahre wurde in vollständiger Verfälschung der ursprünglichen, an die englischen Baugenossenschaften anknüpfenden Ideen die Ära der kapitalistischen Terrainspekulanten für die Berliner Umgegend eingeleitet. Ein großer Teil des Grund und Bodens kam in die Hände gewerbsmäßiger Terrainspekulanten. Mit einem Schlage wurden die Grundbesitzer der Umgegend über die Möglichkeit, durch Verwandlung ihrer Sandschollen in Bauland fabelhafte Reichtümer zu erwerben, aufgeklärt. Die Wertbegriffe erfuhren eine vollständige Umgestaltung; die Bodenpreisbildung vollzog sich jetzt überall unter Rücksicht auf die Möglichkeit der zukünftigen Verwertung als Bauland. Wohl trat in der zweiten Hälfte der 70er Jahre ein starkes Sinken der Bodenpreise ein; an vereinzelten Stellen fand sogar zeitweise eine Rückbildung zum Ackerwert statt. Im allgemeinen aber hielten begreiflicherweise die Grundbesitzer überall dort, wo einmal eine intensivere Terrainspekulation eingesetzt hatte, an der Bewertung ihrer Ländereien als Bauland fest, wenn sie auch zu erheblich niedrigeren Preisen als in den Gründerjahren zu verkaufen bereit waren." [48]) Der geschaffene Zustand ist wohl zu vergleichen mit der Lage,

Abb. 30. Ausſteller: Stadt Charlottenburg, Hochbau-Deputation. — Ausgeſtaltung des Geländes am Lietzenſee.

Der verlorene Park Witzleben (Herchers Weltausſtellungsgelände, vgl. Abb. 29) ſoll durch Anlage eines Parkweges längs des Seeufers und mehrfache Unterbrechungen der umſchließenden Häuſerreihe ſoweit noch möglich erſetzt werden. (Hierzu Abb. 31.)

Abb. 31. Ausſteller: Stadt Charlottenburg, Hochbau-Deputation. — Ausgeſtaltung des Geländes am Lietzenſee.

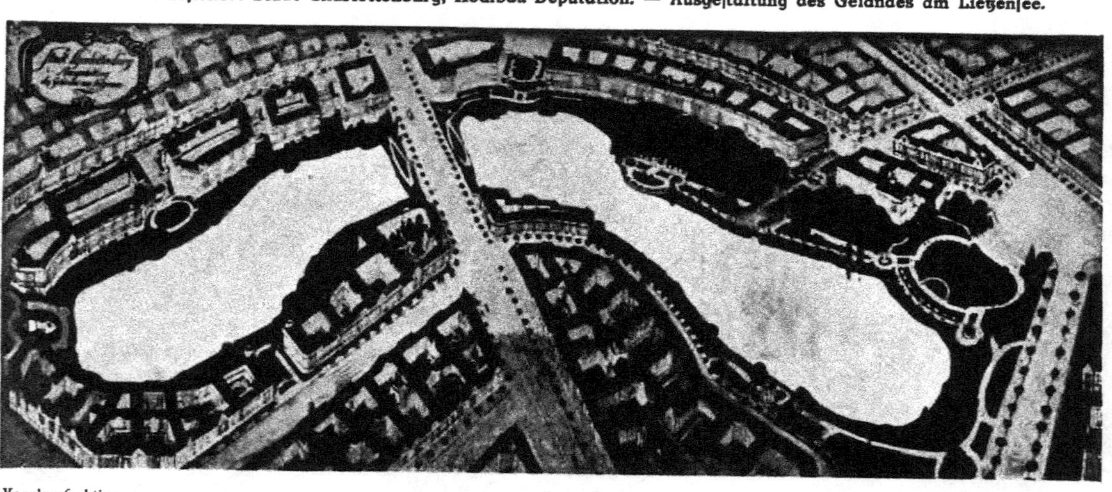

Vogelperſpektive zur Abb. 30.

Abb. 32. Ausſteller: Kgl. Bauinſpektor Redlich-Rixdorf. — Entwurf für eine geſchloſſene Wohnanlage „Miethäuſer ohne Seitenflügel" von den Architekten W. und P. Kind (vgl. Abb. 37).

die der Große Kurfürſt bei ſeinem Regierungsantritt zu Ende des Dreißigjährigen Krieges in Berlin vorfand: nämlich in beiden Fällen eine derartige Überlaſtung des Grundbeſitzes mit aus der Kriegszeit ſtammenden Verpflichtungen, daß ein großer Teil der Grundſtücke „wüſt“ liegen gelaſſen wurde (vgl. S. 93). Der Unterſchied iſt nur, daß es ſich nach dem Dreißigjährigen Kriege um Rückſtände aus Steuern handelte (deren Verteilung nicht mehr dem durch den unglücklichen Krieg veränderten und ſtark geſunkenen Werte der Grundſtücke entſprach), und die erlaſſen werden konnten und mußten. Nach dem Kriege von 1870 dagegen handelte es ſich um Belaſtungen, die aus ſpekulativen Vorſtellungen vom künftigen Wert des Grundbeſitzes ſtammten, wobei die „ſich von ihrem Grundbeſitz einen übertriebenen Wert einbildenden Eigentümer“ (Friedrichs des Großen Ausdruck über dieſelbe Sache nach dem ſiegreichen ſiebenjährigen Kriege vgl. S. 101/2) großenteils ſo lange hartnäckig auf die Realiſierung dieſer Phantaſiewerte drängten, bis dieſe Realiſierung durch die verhängnisvolle Bauordnung von 1887 tatſächlich verordnet wurde; dem ſelbſt von den „blutigſten Gründern“ nur für Landhauszwecke in Ausſicht genommenen Gelände wurde 1887 die Bauordnung der Berliner Innenſtadt und „damit das Syſtem des Maſſenmiethauſes von Obrigkeits wegen direkt aufoktroyiert. Selbſt für die ſchönen Villenorte im Südweſten wurde die fünfſtöckige Mietskaſerne als angemeſſene Bauart erklärt“ [49]). Daraufhin konnten die ſchwindelhaften Bodenwerte der Gründerjahre nicht nur realiſiert, ſondern noch weit, weit übertroffen werden. Die aus der ſchwindelnden Gründerphantaſie erwachſenen Wertvorſtellungen erhielten den Charakter „wohl erworbener Rechte“ und wurden künftig durch die ſtaatlichen Inſtitutionen geſchützt.

Die Gründerjahre haben ſo in eklatanter Weiſe dargetan, daß bei der ſtädtebaulichen Lage Berlins, d. h. alſo bei dem in Berlin herrſchenden Steuer- und Stadterweiterungsſyſtem, von der privaten, ſpekulativen Unternehmung für die Reform des Wohnungsweſens wenig zu erhoffen war. Berlin erlebte auch gerade damals ein ganz eigentümliches Beiſpiel dafür, wie angeſichts der ſchrecklichen Wohnungsnot der erſten ſiebziger Jahre ein bedeutender Mann mit ſcharfem Blick und Gewiſſen für öffentliche Bedürfniſſe an der faſt unbeſchränkt herrſchenden Auffaſſung, daß die ungehemmte Privatinitiative alle Schäden heilen könne (vgl. S. 71 u. Anm. 20), irre wurde und ſeine leitende Stellung dazu benutzen wollte, zur Bekämpfung der Wohnungsnot Mittel anzuwenden, die ſchon ganz im Sinne der durchgreifenden ſogenannten „kathederſozialiſtiſchen“ Umgeſtaltung des volkswirtſchaftlichen Denkens geweſen wären, jener Umgeſtaltung, deren Früchte dem Wohnweſen erſt ſo ſehr viel ſpäter zugute kommen ſollten, die ihm genau genommen noch heute nicht recht zugute gekommen ſind (vgl. S. 79). Dieſer Mann war der Oberbürgermeiſter Hobrecht von Berlin, der ſpätere preußiſche Finanzminiſter (der frühere Oberbürgermeiſter von Breslau, der ältere Bruder des durch den Bebauungsplan ſo berühmt gewordenen Baurats). Oberbürgermeiſter Hobrecht hat am 26. Juni 1872, zu einer Zeit, wo ſich die öffentliche Meinung über die Wohnungsnot ſtark erregt hatte, eine Vorlage an die Stadtverordnetenverſammlung zu Berlin unterzeichnet, in der er dringend zu energiſcher ſtädtebaulicher Politik auffordert und rät, der Teuerung des Baulandes entgegenzutreten durch ſchleuniges Aufſchließen ſtädtiſcher Terrains und durch Vergebung derſelben in Erbpacht unter der Bedingung ſofortiger Bebauung. Er verwahrte ſich dabei auf das lebhafteſte dagegen, in irgendeiner Weiſe die private Bauunternehmung lähmen zu wollen; er verſichert ſogar, daß er die

Bodenspekulation nicht tadeln, sondern vielmehr in ihr nur den Ausdruck unabänderlicher wirtschaftlicher Gesetze sehen könne, aber er fährt fort:

„Was jedoch die rasche Ausdehnung der Bebauung in Berlin am meisten erschwert, ist der übermäßig gesteigerte Preis des Baugrundes. Die Bauplätze des engeren Ringes, welcher sich unmittelbar an die schon bebaute Fläche schließt, sind so teuer, daß auch bei der billigsten Bauart und den auf das Notwendigste beschränkten Anforderungen an ihre Brauchbarkeit Wohnungen für den ärmeren Teil der Bevölkerung nicht mehr zu den Preisen hergestellt werden können, welche den sonstigen wirtschaftlichen Verhältnissen derselben entsprechen. Kann die Kommune diesem in der Teuerung des Baugrundes liegenden Hindernisse der Gründung neuer Ansiedelungen entgegentreten und kann sie, ohne die Grenzen der ihr im öffentlichen Rechte angewiesenen Tätigkeit zu überschreiten, insbesondere also, ohne lähmend in die Privatspekulation einzugreifen oder sich selbst an einer Spekulation zu beteiligen, dahin wirken, daß weitere Flächen mit geringerem Kapitalaufwande für die Bebauung nutzbar werden, so wird sie hiermit am erfolgreichsten zu einer Besserung der bestehenden Zustände beitragen." „In diesem Sinne haben wir zunächst unsere Anträge gestellt"; die Anträge gehen auf „geeignete Verwertung solchen städtischen Grundbesitzes, welcher voraussichtlich auch in Zukunft zu einer Verwendung für kommunale Zwecke keine Gelegenheit bietet." „Daß es vor allem erforderlich ist, für die Herstellung guter, bequemer und billiger Verbindungswege und Mittel für den Verkehr der neuen Ansiedelungen mit der Stadt zu sorgen, sowie die zum Aufschlusse von Bauplätzen notwendigen Querstraßen innerhalb des Bauterrains selbst anzulegen und für dessen Entwässerung die erforderlichen Einrichtungen zu treffen, liegt auf der Hand."[50] „Wir haben bereits unsere Bemühungen auf erhebliche Erleichterung der baupolizeilichen Vorschriften in Ansehung des Baues von Wohnungen gerichtet und sind versichert, daß das Königliche Polizeipräsidium auf unsere Vorschläge wenigstens teilweise eingehen werde." „Wir haben uns sowohl mit der Direktion der Verbindungs- (Ringbahn) als auch der Görlitzer Bahn in Korrespondenz gesetzt und dürfen von beiden auf ein Entgegenkommen rechnen, sofern wir ihnen das zur Einrichtung einer Haltestelle beziehungsweise einer Anschlußkurve erforderliche Terrain hergeben. Was die sofort zu pflasternden, zu chaussierenden oder sonst zu befestigenden Wege betrifft, so nehmen wir auf die Beilage Bezug," (die das zunächst ins Auge gefaßte Terrain hinter Treptow planmäßig bearbeitet) „die wenigstens einen ungefähren Anhalt gewährt, welcher für den Augenblick genügen dürfte. Wir würden aber fürchten, den Zweck der vorgeschlagenen Aufwendungen zu verfehlen, wenn wir einen Verkauf des Grund und Bodens, gleichviel ob in größeren oder kleineren Parzellen, ob im Wege der Lizitation oder freihändig, nach einer Taxe in Aussicht nähmen. Wir würden nicht zu hindern imstande sein, daß auch diese Bauflächen in den Kreis derselben Spekulation hineingezogen würden, welche die hohen Preise des Baugrundes in unmittelbarer Nähe der Stadt normiert. Wir wissen, daß diese Spekulation nicht zu tadeln, daß sie vielmehr nur der Ausdruck unabänderlicher wirtschaftlicher Gesetze ist. Aber wenn wir uns auch bei der Hingabe der städtischen Grundstücke nicht verleiten lassen wollen, die Wege zu verlassen, welche uns nach allgemeinen wirtschaftlichen Grundsätzen angewiesen sind, so glauben wir doch unter den zulässigen Wegen gerade den wählen und empfehlen zu müssen, welcher den Druck der augenblicklichen Spannung für die Obdachsuchenden am billigsten zu verteilen und die harten Konsequenzen der jetzigen Übergangszeit am meisten zu mildern verspricht. Wir glauben, daß dies der Weg der Verpachtung auf längere Zeit zum Zwecke und unter der Bedingung sofortiger Bebauung ist, für welchen auch der Umstand spricht, daß er das Bauen erleichtert, insofern die Kapitalanlage für den Grund und Boden erspart wird. Die letztere scheint insbesondere wichtig im Hinblick darauf, daß sich Genossenschaften zur Beschaffung von Wohnhäusern aus den gewerbetreibenden Kreisen bereits mehrfach gebildet haben, während andere in der Vorbereitung begriffen sind, und daß für diese die Durchführung ihrer Zwecke mit möglichst geringen Kapitalanlagen ein wesentliches Moment gedeihlicher Entwicklung ist." „Die Not des Augenblicks zwingt zu raschem Handeln. Was wir vorgeschlagen haben, ist auf alle Fälle erforderlich und nimmt so viel Zeit in Anspruch, daß inzwischen eine Erörterung und Festsetzung des Fehlenden erfolgen kann. Dagegen würde jede weitere Tätigkeit unsererseits nutzlos sein, wenn die Stadtverordnetenversammlung, was wir indessen nicht glauben befürchten zu müssen, im Prinzip sich gegen unsere Vorschläge erklären sollte." „Wir bitten daher schließlich, diese Vorlage als eine dringliche zu behandeln, damit womöglich zum 1. Oktober cr. wenigstens eine teilweise Verpachtung disponibler Grundstücke stattfinden könne. Magistrat hiesiger königl. Haupt- und Residenzstadt. gez. Hobrecht."

Dies waren wirkliche städtebauliche Vorschläge würdig der Hohenzollerschen Städtebauer: Aufschließung großer brach liegender Gebiete durch die Behörde, schleunigste Pflasterung und Chaussierung der Verkehrsstraßen, Anschluß des

> Es wird unſtreitig großenteils von der Stufe des moraliſchen Wertes der leitenden Organe eines großſtädtiſchen Gemeinweſens abhängen, ob die zeitgemäßen Ideen über die große Angelegenheit einer durchgreifenden Abhilfe der Wohnungsnot und einer allgemeinen Verbeſſerung der beſtehenden hier einſchlägigen Verhältniſſe, den ihren Anforderungen entſprechenden Anklang und die nötige Unterſtützung zur Durchführung im praktiſchen Felde finden werden oder nicht, und ob man anerkennt, daß es ſich hierbei nicht nur um die Wohnungen im engeren Sinne, ſondern zugleich um deren naturgemäßen Zubehör handle, nämlich um die Stätten der Erholung in freier Natur! Arminius 1874.

Geländes an die Eiſenbahn unter Einrichtung einer neuen Halteſtelle, Ausſcheidung der Bodenſpekulation und gleichzeitig durch Erbpacht Reſervierung des Geländes für ſpätere ſtädtiſche Bedürfniſſe, erhebliche Erleichterungen der baupolizeilichen Vorſchriften; lauter klare ſtädtebaulich zuſammenhängende Gedanken. Aber was Oberbürgermeiſter Hobrecht „nicht glaubte fürchten zu müſſen“, daß nämlich „die Stadtverordnetenverſammlung ſich im Prinzip gegen dieſe Vorſchläge erklären ſollte“, trat ein: das Projekt wurde abgelehnt. Engel ſchrieb damals: „Weil viele Perſonen der hohen Mietpreiſe wegen Berlin verlaſſen mußten und der beſonnenere Teil des Zuzugs deshalb mit der Ausführung ſeines Vorhabens noch zögert, glaubt man, die Wohnungsnot ſei vorüber. Dieſer Anſicht huldigen auch viele Stadtverordneten, welche durch wiederholte Verſchiebung der Faſſung eines definitiven Beſchluſſes der ganzen Angelegenheit gern aus dem Wege gehen möchten. Daß ſie dadurch den für das Wohl der Stadt eifrig beſorgten und von humanſter Geſinnung erfüllten Oberbürgermeiſter ſo tief kränkten, daß er ſich die Frage vorlegen mußte, ob er angeſichts ſolcher Behandlung einer ſo ernſten, tief in das öffentliche Wohl einſchneidenden Sache noch mit Ausſicht auf günſtigen Erfolg künftig ſein Amt werde verwalten können, ſei hier nur beiläufig erwähnt.“[51]) Der alte preußiſche Gedanke, daß die Behörde, die den Bebauungsplan aufſtellt, auch eine Aufſichtsbehörde iſt, die ſchmähliche Übelſtände im Wohnweſen nicht mit verſchränkten Armen dulden darf, ſondern im Notfalle zu aktiver Wohnungspolitik verpflichtet iſt, hat ſomit damals in Berlin eine Niederlage erlitten, eine Niederlage, von der er ſich bis heute nicht erholen ſollte. Die bald hereinbrechende wirtſchaftliche Kriſis und der Einfluß, den dieſe auf die Bevölkerungsbewegung Berlins nahm, brachte die Wohnungsnot in den nächſten Jahren in einen etwas weniger akuten Zuſtand. Waren die Bewohner der ſogenannten, behördlich anerkannt „übervölkerten“[52]) Wohnungen von 1867 bis 1871 von 111280 auf 162007 angewachſen, ſo betrug ihre Zahl im Jahre 1875 nur 162492. Wenn man den treffender definierten Begriff der Übervölkerung gelten läßt, wie er von Dr. G. Berthold 1886 für den Verein für Sozialpolitik aufgeſtellt wurde[53]), ſo war in der Folgezeit jedoch wieder eine Steigerung der in übervölkerten Wohnungen Lebenden von 557311 (59,3% der Geſamtbevölkerung) im Jahre 1875 auf 640600 (58,5%) Perſonen im Jahre 1880 zu verzeichnen.

Neben den erfolgloſen praktiſchen Beſtrebungen für die Reform des Berliner Wohnungsweſens, die eben geſchildert wurden, gingen in den erſten ſiebziger Jahren die theoretiſchen Arbeiten ernſter Kämpfer auf ſtädtebaulichem Gebiete, von denen einige hier gewürdigt werden müſſen. Julius Faucher hatte die Haupturſachen für die Möglichkeit des Berliner Bauſtellenwuchers erſtens in der mangelhaften Form der Kommunalbeſteuerung gefunden, weil ſie die wirtſchaftliche Kraft des Mieters ſchwächt und die Vorteile der kommunalen Aufwendungen dem Vermieter (oder dem Grundbesitzer als künftigen Vermieter) kostenlos in die Tasche steckt; Faucher hatte ferner als zweiten Grund die in dem kolonialen Charakter Berlins begründete Gefügigkeit der Mieter, ihre Wohnungsansprüche herabzumindern, hervorgehoben und dann drittens die starke Rückwirkung erkannt, welche die Lebenshaltung und die mehr oder weniger energisch verteidigten Wohnungsansprüche der großen Masse der Bevölkerung auf das Wohnwesen ausüben. Wie schon früher hervorgehoben, war es dann hauptsächlich das Verdienst Ernst Bruchs, darauf hingewiesen zu haben, daß der polizeilich aufgestellte Bebauungsplan und die rechtliche Stellung, die er nach Gesetz und administrativer Behandlung genoß, ein ausschlaggebender Faktor bei der Verteuerung des Berliner Grund und Bodens gewesen ist. Wie auch bereits

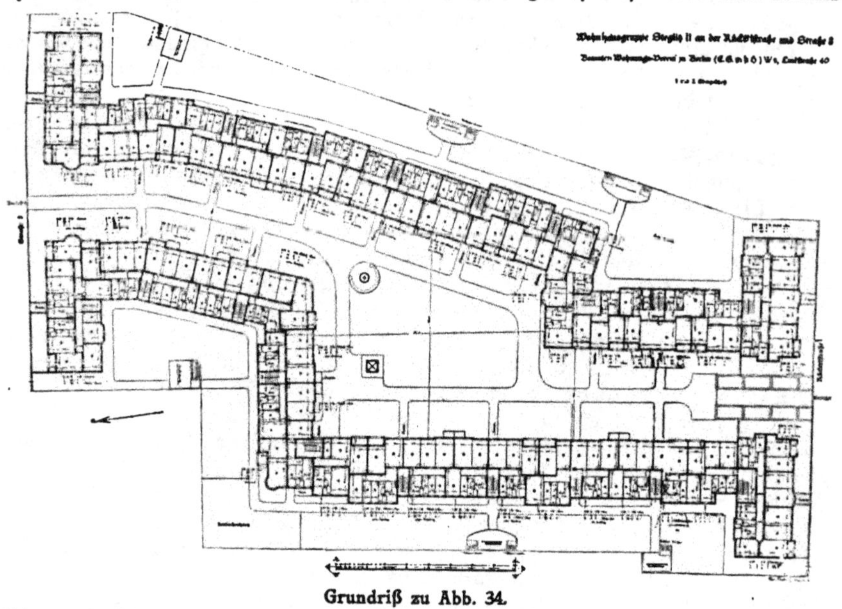

Grundriß zu Abb. 34.

Abb. 33. Aussteller: Beamten-Wohnungsverein zu Berlin. (Architekt Paul Mebes, Regierungsbaumeister.)

früher erwähnt, hatte sich der Berliner Magistrat dieser Auffassung durchaus angeschlossen (vgl. S. 26 u. 45). Ernst Bruch hat sich aber bei seiner Kritik nicht auf die allgemeine Feststellung der verhängnisvollen Wirkungen des Berliner Bebauungsplanes beschränkt, sondern er hat in seiner vortrefflichen Schrift, „Berlins bauliche Zukunft und der Bebauungsplan", 1870 (schon vorher teilweise in der Deutschen Bauzeitung erschienen), die schweren Übelstände des Bebauungsplanes sowie der ihn ergänzenden Bauordnung im einzelnen namhaft gemacht. Er war wie so viele seiner denkenden Zeitgenossen von der damals neue Höhen erreichenden Wohnungsnot zum Nachdenken angeregt worden und setzte seine Hoffnung auf eine weiträumige Bebauung der Vororte im Sinne der damals sich so hoffnungsvoll entwickelnden Lichterfelde, Westend, Wilhelmshöhe. Hauptzweck seiner Schrift ist „eine zeitgemäße Reform des Berliner Bebauungsplanes und des zu seiner Durchführung bisher innegehaltenen Verfahrens". „Wir

Abb. 34. Ausſteller: Beamten-Wohnungs-Verein zu Berlin (Architekt Paul Mebes, Regierungsbaumeiſter). — Wohnhausgruppe Steglitʒ (an der Rückertſtraße).

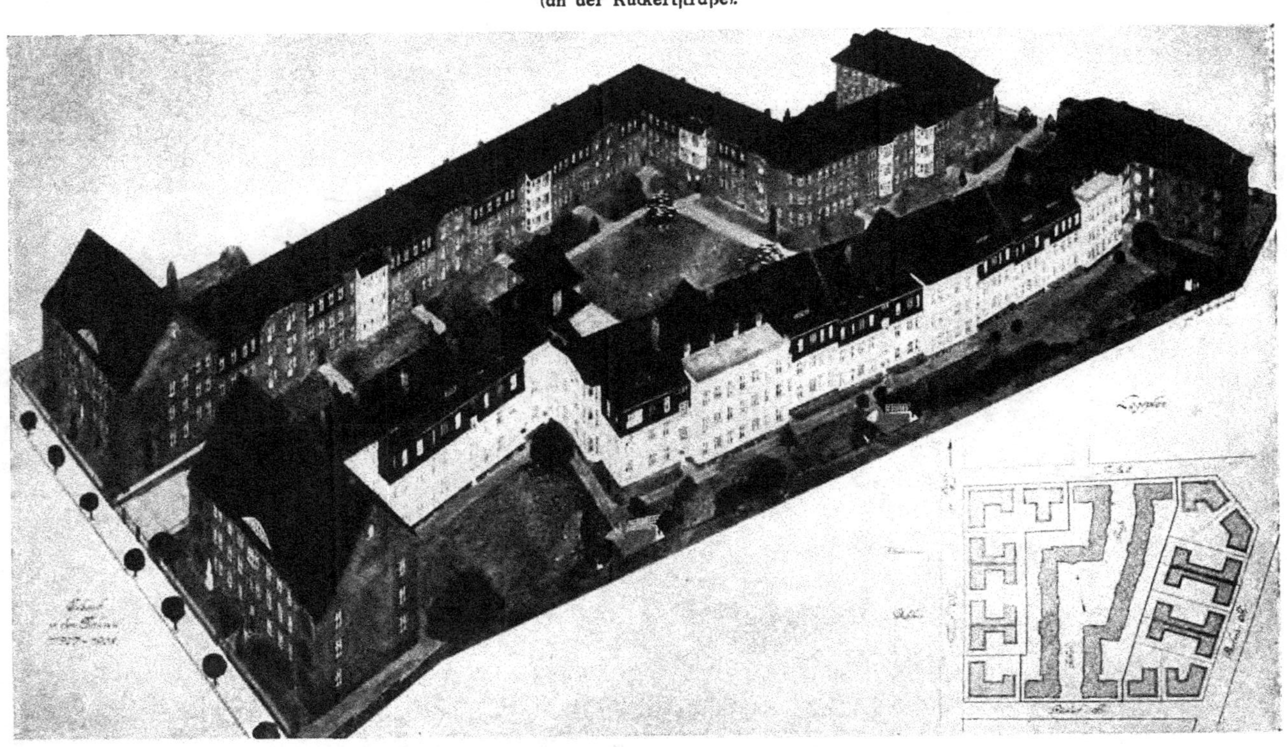

Erſatʒ der im Bebauungsplan fehlenden Wohnſtraße durch Schaffung einer Privatſtraße mit Kinderſpielplätʒen.
(Der Beamten-Wohnungs-Verein zu Berlin, Eingetr. Genoſſenſchaft m. b. H., hatte am 1. Jan. 1911 9046 Mitglieder, einen Grundbeſitʒ a) im Eigentum von 350 579 qm, mit Anlagekoſten von Mk. 10,5 Mill. für Grund und Boden, 26,4 Mill. für den Bau, ferner b) 390 574 qm in Erbpacht mit Anlagekoſten von 10,5 Mill. für Grund und Boden und 28,6 Mill. für Bau. Bis zum 1. Okt. 1911 waren fertiggeſtellt 3050 Wohnungen.)

Niederschönhausen an der Lindenstraße (174 Wohnungen).

Ersatz der im Bebauungsplan fehlenden Wohnstraßen durch private Platz- und Straßenanlagen.

wollen, ſo ſchreibt er in der Einleitung, unſere Überzeugung nicht verhehlen, daß wir die zehnjährige Herrſchaft der jetzigen Prinzipien auf dieſem Gebiete nicht für eine glückliche halten. Mit dem abſoluten Stillſtand der bisherigen Bauweiſe und den Anfängen einer ganz neuen Art der Entwicklung, welche ſich gerade jetzt in der bedeutungsvollſten Weiſe gegenüberſtehen, ſind wir unſeres Erachtens in eine neue Epoche Berliniſcher Baugeſchichte eingetreten". Dieſe Hoffnung auf eine neue Epoche, die mit Lichterfelde und Weſtend angehoben hatte, wurde ja durch die geſchilderten Ereigniſſe der Gründerzeit gründlich vereitelt. Die im Berliner Bebauungsplan zum Ausdruck kommenden Prinzipien

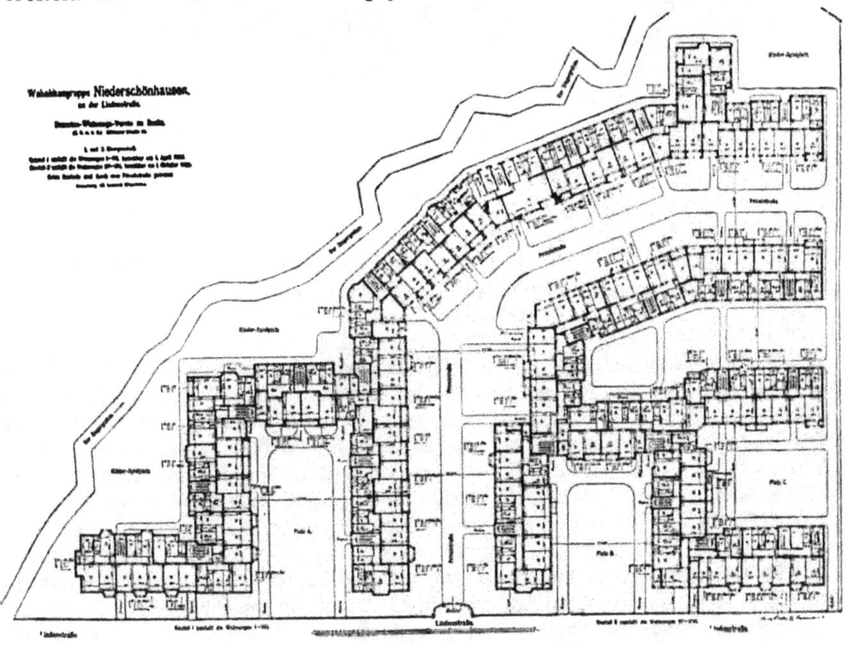

Grundriß zu Abb. 35.

Abb. 36. Ausſteller: Beamten-Wohnungsverein zu Berlin. (Architekt Paul Mebes, Regierungsbaumeiſter.)

übten unentwegt ihre verhängnisvollen Wirkungen weiter aus; Dr. Bruchs Einwände dagegen, ſtichhaltig wie ſie waren, bleiben alſo bis auf den heutigen Tag aktuell. Bruchs Schrift iſt in der Folgezeit ſo gut wie ganz in Vergeſſenheit geraten. Wenn ſeine Forderungen heute in jedem modernen Programm für die Entwicklung Groß-Berlins ſtehen, ſo iſt es das Verdienſt heute lebender Städtebauer ſie unabhängig von Bruch in ihrer Notwendigkeit erkannt und zur Geltung gebracht zu haben. Bruchs Einwände richteten ſich hauptſächlich gegen „die überflüſſige Breite der Straßen", die ihr „entſprechende rieſige Ausdehnung der Quartiere" (Baublöcke) mit ihren der Bauordnung entſprechenden „acht- und ſiebzehnfüßigen Höfen und Quergebäuden" (vgl. Abb. 9—12); er empfiehlt den beſcheidenen Gruppenbau (Reihenhäuſer) mit innerer Baufluchtlinie als wünſchenswerte und durchführbare Reform. „Gruppenbau, d. h. die Vereinigung der einem Straßenviertel angehörigen Häuſer zu einem

Abb. 37. Aussteller: Kgl. Bauinspektor Redlich, Rixdorf. Entwurf von Stadtbaurat Kiehl.

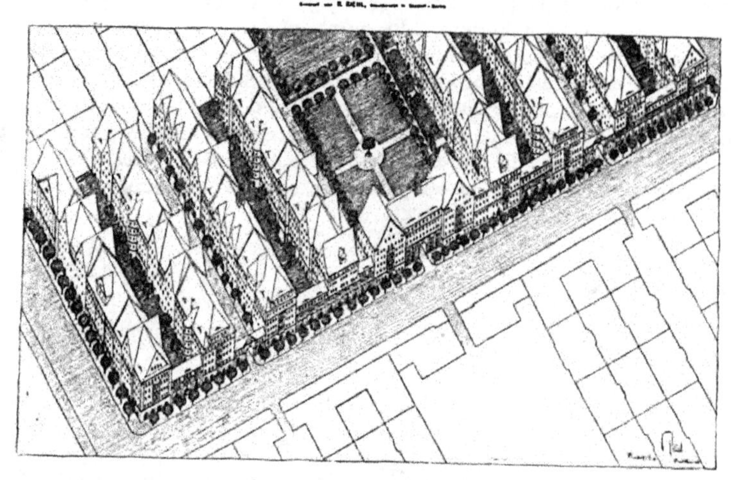

Schaffung ruhiger Wohnlagen durch rationelle Aufteilung tiefer Blocks durch Miethäuser ohne Seitenflügel. (Vgl. Abb. 32.)

organischen Ganzen, mit einer größeren zentralen offenen Park- und Hofanlage, wodurch erreicht wird, was das Streben aller Wohnungsreformen ist, Licht, Luft, Sonne nach allen Seiten; vorn die mäßig breite Straße, hinten der stattliche Hof mit Gartenanlagen, bei dem die Gefahr nicht vorliegt, durch Hintergebäude und Fabriken verdrängt zu werden, wie dies bei noch so gutem Willen des ersten Bebauers in Berlin doch selten abgewendet werden kann. Für bescheidenere Verhältnisse, wie sie bei uns Regel sind, paßt ein derartiger Gruppenbau ungleich besser, als die vielfach vorgeschlagenen Villen-Anlagen."

Eins der Beispiele, die Bruch für die ihm vorschwebende Gruppierung anführt, ist besonders interessant, weil es in der weiteren Diskussion des Berliner Städtebaues eine Rolle gespielt hat; es ist das die Umgebung der Marienkirche, wie sie damals noch bestand. Entsprechend der in den regelmäßigen Stadtanlagen östlich der Elbe befolgten Regel hatten die gotischen Stadtbaukünstler, die 1280 die Umgebung der Marienkirche anlegten, zum Teil wohl aus praktischen Rücksichten auf die Schaffung des Kirchhofs, aber sicher auch mit dem verständnisvollen Wunsche, die Weihe des Gottesdienstes zu erhöhen, die Marienkirche nicht an den neuen Markt gelegt, sondern abgerückt und dicht daneben in ein stilles Häuserquadrat abseits vom Geschrei des Marktes gefaßt (vgl. Memhardts Plan, Abb. 62 oben links). Auch die Raumform des Marktes hatte dadurch nur gewonnen (vgl. Abb. 71)[54]. Um die Kirche und den alten Friedhof war dann ein vom Verkehr getrenntes Wohnidyll entstanden, von dem Bruch sagt, daß es (zusammen mit einer verwandten Anlage bei der Nikolaikirche) „in ganz Berlin einzig war und nicht dringend genug zur Nachahmung empfohlen werden kann". Statt aber nachgeahmt zu werden, wurde es zerstört, ein Opfer des bald darauf umsichgreifenden Freilegungs- und Denkmalwahns. Was durch diese Zerstörung entstand, hat später die Kgl. Akademie des Bauwesens (in ihrem weiter unten noch zu besprechenden Gutachten von 1898, vgl. S. 76 u.

S. 57) folgendermaßen beurteilt: „Gegen die Geſtaltung des Platzes bei der Marienkirche und die Aufſtellung des Lutherdenkmals ſind folgende Bedenken zu erheben: Es fehlt dem Platz an Geſchloſſenheit und Ruhe, weil zwiſchen der Kirche und dem Lutherdenkmal eine durch den Verkehr nicht bedingte Fahrſtraße angelegt iſt“. (Gerade ihr Fehlen hatte Bruch ſo bewundert.) „Das Denkmal ſelbſt hat keinen angemeſſenen Hintergrund und ſteht ſo nahe an der Kaiſer-Wilhelm-Straße, daß die ruhige Betrachtung geſtört wird. Zwiſchen dem Kirchengebäude und den umgebenden Privathäuſern wird eine architektoniſche Vermittlung vermißt.“ Die Akademie rät dann eine wenigſtens teilweiſe Wiederherſtellung der alten Umbauung und bringt damit nicht nur den Gothikern von 1280, ſondern doch wohl auch Ernſt Bruch eine Ehrung dar.

Die von Bruch empfohlenen und im Berliner Bebauungsplan gänzlich fehlenden ruhigen Wohnlagen zu ſchaffen, ſei es durch Privatſtraßen oder durch vorteilhafte Aufteilung des Hinterlandes der zu großen Baublöcke, iſt eine der wichtigſten ſtädtebaulichen Beſtrebungen privater und baugenoſſenſchaftlicher Unternehmen in Berlin geworden (vgl. Abb. 32, 33—37, 39, 40, auch 26).

Bruch wies in ſeiner Schrift ferner darauf hin, daß im Berliner Bebauungsplan eine außerordentliche Gefahr künftiger Verkehrsſtockungen ſteckt. Der Berliner Bebauungsplan nämlich, ſo führt er aus, folgt einerſeits nicht dem Muſter der Londoner Bebauung, die mit ihren zahlloſen ſchmalen Straßen zwiſchen verhältnismäßig ſehr kleinen, alſo geringen Eigenverkehr (im Gegenſatz zum Durchgangsverkehr) erzeugenden Häuſerblöcken den Verkehr vielfach teilt und gliedert; andererſeits aber wird trotz dieſer Verſäumnis auch das andere Heilmittel gegen Verkehrsſtockungen nicht gewählt, das in der Verkehrs-Drainierung der Altſtadt mit durchgreifenden großen Straßendurchbrüchen liegt und das bekanntlich in Paris und auch, wie weniger bekannt, in London (z. B. Holborn Viaduct, 42 Millionen Mark Koſten, neuerdings Kings-Highway und Aldwich, vgl. ſpäteren Abſchnitt) in ſo großartiger Weiſe angewendet worden iſt. Wie richtig Bruchs Betrachtungen auch in dieſem Punkte ſind, wird Berlin wohl, in noch höherem Maße als bisher ſchon, nach dem Ausbau der Untergrundbahnen erfahren, die ja wahrſcheinlich wie in Paris eine ungeheure Steigerung auch des überirdiſchen Verkehrs mit ſich bringen werden.

Bruch forderte ferner ſtatt der vom Bebauungsplane in Ausſicht genommenen kompakten Verſchmelzung Berlins und ſeiner Vororte ihre planmäßige Trennung durch Parkanlagen und Promenaden und verwirft die ſchematiſch wiederkehrenden übergroßen Plätze[66]) und die mit kümmerlichen Bäumen dekorierten überbreiten Straßen als ſchlechten Erſatz für die im Bebauungsplan gänzlich fehlenden Parkanlagen; er ſtellt auch der baumbeſetzten Straße und der ſtädtiſchen „Schmuckanlage mit Teppichbeet“ die ſtillen Oaſen der Londoner Squares gegenüber.

Er brandmarkt die naive Rückſichtsloſigkeit, mit der der Bebauungsplan das Verkehrsweſen behandelte, als exiſtiere es gar nicht, während dann im entſcheidenden Moment und an den entſcheidenden Stellen der Bebauungsplan, als habe er nie exiſtiert, ja ſelbſt vorhandene Straßen, den Eiſenbahnen zu liebe einfach ausgewiſcht wurden. Ein geradezu klaſſiſches und mit halb ſchildbürgerlichem, halb teufliſchem Humor gewürztes Beiſpiel für dieſe Vorgänge, das auch von Bruch erwähnt wird, iſt die Berliner „Ringſtraße“. Der Kampf zwiſchen Verkehrstechniker und Stadtplanverfertiger (Städtebauer im alten Sinne des Wortes), der gerade in den Erörterungen des Groß-Berliner Wett-

Abb. 38. Aussteller: Magistrat Rixdorf. (Garteninspektor Halbritter.)

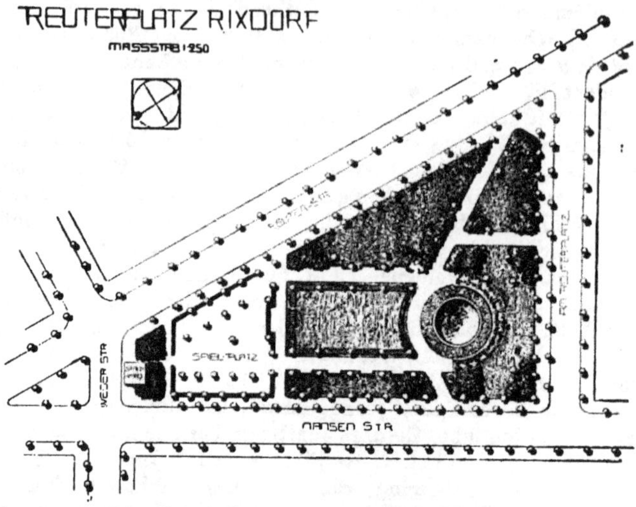

Glückliche Verwertung eines freigelassenen spitzwinkligen Baublocks als „Square". Scheidung zwischen der „Schmuckanlage" und dem von Hecken umgebenen Kinderspielplatz.

bewerbes, der Allgemeinen Städtebau-Ausstellung und der sich daran anschließenden Vorträge besonders lebhaft geworden ist, wird durch diese Alt-Berliner Episode so treffend illustriert, daß sie verdient, in den eisernen Bestand städtebaulichen Diskussionsmaterials aufgenommen zu werden. Auf besonderen Wunsch von höchster Stelle war nach dem Muster der Festungsboulevards von Paris bei der Aufstellung des Berliner Bebauungsplanes auch eine Ring- oder Gürtelstraße vorgesehen worden (vgl. Abb. 3). Für ihre Lage wurde jedoch dem Planbearbeiter die Weichbildgrenze maßgebend, die mit der damaligen oder irgendeiner zukünftigen Baugrenze nicht den mindesten Zusammenhang hatte und die zu einer völlig exzentrischen Anordnung dieses „Rings" (dessen später noch weiter verkümmerte Schöpfung wohl kaum je für einen Berliner lebendig geworden ist) führte: im Norden entfernte man sich fast bis Weißensee, im Süden blieb man auf wenige Ruten bei der alten Stadtmauer. Im Süden in der Nachbarschaft der elegantesten Quartiere der Tiergarten-Vorstadt und des „Geheimratsviertels" sollte dann dieser Grenzboulevard besonders großartig ausgestaltet werden; man projektierte auf ganz unbebautem, damals von der Spekulation noch nicht ergriffenem Gelände und verteilte freigiebig Straßenbreiten, die zwischen 55 und 75 Metern variierten und alle 450 bis 750 Meter wurde ein mächtiger Platz aufgereiht, durch den nicht nur der Boulevard mitten hindurchführte, sondern der auch noch von möglichst vielen anderen Straßen in allen Himmelsrichtungen aufgeschlitzt wurde. Die Plätze erhielten zum 50jährigen Jubiläum der Freiheitskriege Heldennamen wie: Wittenberg-, Nollendorf-, Dennewitz- und Wartenberg-Platz; die schönsten und größten dieser Perlenschnur aber wurden dem Marschall Vorwärts zu Ehren Walstattplatz und Blücherplatz getauft, weil sie als die abschließenden Prunkstücke des Geschmeides gedacht waren; sie bildeten auf dem Papier zusammen eine Platz-

Abb. 39. Ausſteller: Gemeinde Weißenſee (Baurat Bühring).

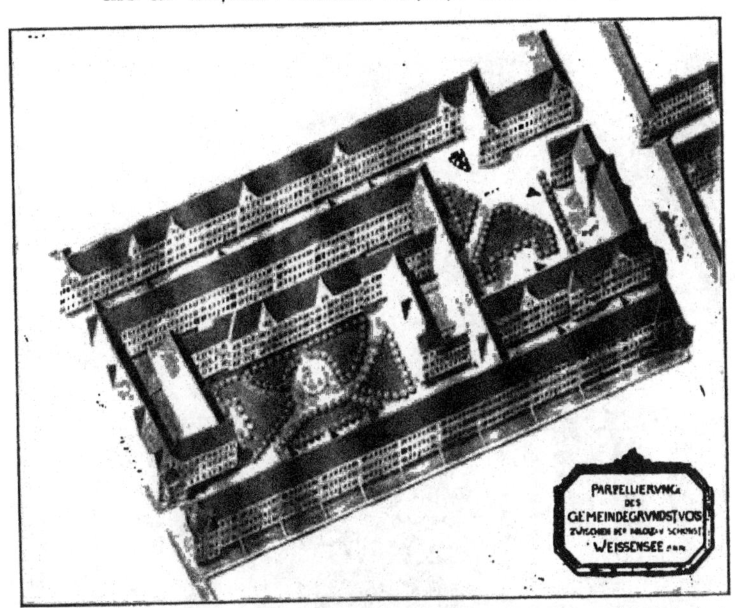

Projekt für die Aufteilung eines Gemeindegrundſtückes mit Vermeidung kleiner Hinterhöfe durch Feſtlegung einer inneren einheitlichen Baufluchtlinie und Schaffung großer, vom Durchgangsverkehr getrennter Innenplätze.

Abb. 40. Ausſteller: Geh. Baurat Otto March, Charlottenburg.

Baublock Amalienpark in Pankow. Hier gelang es der privaten Unternehmung, eine abgeſchloſſene Wohnanlage zu ſchaffen, wozu jedoch die ſehr umſtändliche Aufhebung der im Bebauungsplane feſtgeſetzten Baufluchtlinien erforderlich war. Nach dem Bebauungsplan wurde der Park in der Mitte durch eine Straße zerſchnitten, im Gegenſatz dazu wurde durch Zuſammenlegen der für jedes Haus erforderlichen Freifläche in der Mitte ein Square mit altem Baumbeſtand (die Bäume ſind im Bild nicht gezeichnet) erhalten, der mit den begrenzenden Straßen der Gemeinde gegen die Verpflichtung der Unterhaltung überlaſſen wurde. Beiſpiel für die Notwendigkeit der Forderung, die von den Generalverſammlungen der Architekten- und Ingenieurvereine 1874 und 1908 aufgeſtellt worden iſt, daß die untergeordnete Teilung des Bebauungsplanes der Privattätigkeit überlaſſen werden ſoll.

Abb. 41. Ausſteller: Stadt Rixdorf (Stadtbaurat Kiehl).

Ersatz einer im Bebauungsplan fehlenden, aber im öffentlichen Intereſſe notwendigen Verbindung zweier Straßen durch eine private Paſſage. Übernahme der Pflaſter- und Beleuchtungskoſten durch die Stadt: architektoniſche Ausgeſtaltung durch das Hochbauamt.

gruppe (ähnlich den von Camillo Sitte und A. E. Brinckmann ſpäter ſo beredt empfohlenen, aber in viel, ſehr viel „großartigerem“ Maßſtabe), ſie waren zuſammen mit ziemlich genau einem halben Kilometer Ausdehnung projektiert und lagen ſehr monumental gerade zwiſchen den beiden bereits ſeit 1838 und 1841 gebauten Potsdamer und Anhalter Bahnlinien[56]). Da das in Frage kommende Gelände aber für die Erweiterungen der Kopfbahnhöfe auserſehen und deshalb faſt ganz von den beiden Bahngeſellſchaften erworben war, hatte die ſelbſtherrliche Künſtlerphantaſie im Polizeipräſidium mit den ſtolzen Walſtatt- und Blücherplätzen dem Tode geweihte Zwillinge geboren; den Bahnen gegenüber, obgleich damals beide noch in privaten Händen waren und ſomit nicht den Einfluß der ſpäteren Staatsbahnen beſaßen, konnte die ſtaatliche Behörde ihre Platzprojekte nicht am Leben erhalten. Ja nicht nur die großartige Platzgruppe und der Traum der Ringſtraße wurde geopfert — ſtatt der fortlaufenden Ringſtraße entſtand der nach Süden ausſchweifende Winkelzug der Yorkſtraße —, nein ſogar die bereits *vorhandene* (alſo nicht nur projektierte) Teltower Straße (Verbindung zwiſchen der heutigen Teltower und Kurfürſtenſtraße) wurde klanglos kaſſiert[57]); auf einer Diſtanz von über 1100 Metern wurden alle durchgehenden Straßen geſperrt und damit eins der verhängnisvollſten Verkehrshinderniſſe des heutigen Berlin geſchaffen als böſe Entſchädigung für die geplante ſtolze boulevarddurchquerte Platzgruppe[58]). Ganz ähnliche Vorgänge ſpielten ſich beim Bau des Oſtbahnhofs, des Lehrter Bahnhofs, der Ringbahn, des Viehmarkts und Schlachthauſes, der Waſſerleitung (durch die engliſche Geſellſchaft), bei der Verlegung der Abdeckerei und bei anderen Gelegenheiten ab. Bei gänzlichem Mangel an einheitlicher kraftvoller Leitung gelang es den zahlreichen mitſprechenden Inſtanzen, ſich gegenſeitig an gemeinſchädlichen Untugenden zu überbieten. Dieſe vielfachen, ſpäter vorgenommenen Veränderungen des Bebauungsplanes von 1858 zeigen, daß eine „Reviſion des Bebauungsplanes im Hinblick auf den Kleinhausbau“, wie ſie z. B. Stübben empfiehlt[59]) durchaus möglich geweſen wäre, wenn es in dem Chaos von ſich befehdenden Inſtanzen nicht an Einſicht und gutem Willen gefehlt hätte. Dieſes Chaos beleuchtet Dr. Bruchs Schrift in anſchaulichſter Weiſe und mit großer Sachkenntnis und nimmt dabei dem Städtebauer von heute einen großen Teil ſeiner beſten Schlagworte vorweg. Er ſtellt ſchließlich einen Generalregulierungsplan auf, der viele treffliche Gedanken enthält, die im einzelnen hier nicht näher behandelt werden können. Die den Bebauungsplan in verhängnisvoller Weiſe ergänzende Baupolizeiordnung kennzeichnet Bruch als eine von wahrer „Pyromanie“ diktierte „Feuerpolizeiordnung“ und zeigt, wie ihre nur ſcheinbar auf Hygiene, in Wirklichkeit nur auf Feuerſicherheit zielenden Beſtimmungen auf das Erſtehen der Berliner Mietskaſerne geradenwegs hingearbeitet haben[60]).

Die Bruchſche Arbeit muß als vorzügliche, für den damaligen Stand ſtädtebaulicher Erkenntnis geradezu erſtaunliche Leiſtung bezeichnet werden, dennoch iſt ſie wirkungslos geblieben; auf der vier Jahre ſpäter in Berlin tagenden Generalverſammlung der Architekten- und Ingenieurvereine, wo in erſter Linie Stadterweiterungsfragen behandelt wurden, wird die Bruchſche Schrift, alſo ſogar in Intereſſentenkreiſen, nicht einmal erwähnt[61]). Bruch, der zur Zeit der Abfaſſung ſeiner Schrift Aſſiſtent am ſtatiſtiſchen Bureau der Stadt Berlin war, iſt bald darauf als Sechsunddreißigjähriger in Breslau geſtorben.

Neben den von Faucher betonten Gefahren, die das kommunale Steuerſyſtem, die Lebenshaltung der Bewohner und die Mietkaſernen Berlins für

> Unſere Hauptſtadt gleicht augenblicklich einem jungen Menſchen in jenem anmutigen Alter, da die Arme und Beine aus den Kleidern herauswachſen und eine tropiſche Vegetation die Geſichtshaut bedeckt. Eine zuſammengewürfelte Menſchenmaſſe, die noch nicht heimiſch geworden, lebt eingeengt in unerſchwinglich teueren Wohnungen: noch fehlen faſt alle die Hilfsmittel entwickelten Verkehrs, welche allein dies bedrängte Leben wieder zur Natur zurückführen können. H. v. Treitſchke (in „Der Sozialismus und ſeine Gönner" 1874).

die Bodenpreisbildung brachten und neben den von Ernſt Bruch klargeſtellten Schäden des Berliner Bebauungsplanes und der Bauordnung wurde die Entwicklung der Bodenpreiſe und des Wohnweſens in Berlin durch das Verkehrsweſen ausſchlaggebend beeinflußt. Die Bedeutung des Verkehrsweſens war bereits von Huber, Faucher und anderen erkannt worden. Huber hatte Anſiedelungen rings um die großen Städte gefordert, die der „Dampfwagen" in einer Viertelſtunde erreichen kann. Faucher hatte den Einfluß der Eiſenbahnentwicklung auf die Londoner Wohnungsverhältniſſe hervorgehoben und dabei „die Inſtitution der Eiſenbahn die wichtigſte unſerer Zeit" genannt, „die nirgends und in keiner Richtung die ſozialen Dinge laſſen wird, wie ſie bisher waren"[62]). Aber es iſt das Verdienſt des Architekten und Ingenieurs Geh. Baurat Auguſt Orth, zum erſtenmal erkannt zu haben, daß nicht nur allgemein eine Wechſelwirkung zwiſchen Verkehrs- und Wohnweſen beſteht, ſondern daß dem Verkehrsweſen eine durchaus grundlegende Bedeutung auf jede weitere Geſtaltung großſtädtiſcher Bebauungspläne eingeräumt werden muß. „Es iſt die Sache ſo neu und der Betrachtungsweiſe der Bevölkerung ſo fremd, daß eine Eiſenbahn eine Hauptverkehrsſtraße einer Stadt ſei," ſagte Auguſt Orth auf der erſten Generalverſammlung der deutſchen Architekten- und Ingenieurvereine[63]), daß er es für nötig hielt, die damals für die Abſtimmung vorgeſchlagenen Leitſätze zu ergänzen durch folgenden Zuſatz: „Bei großen Städten über eine halbe Million Einwohner müſſen mit Lokomotiven betriebene lokale Eiſenbahnen die Hauptverkehrsſtraßen bilden, deren Durchführung als Hauptſtraßennetz der weiteren Entwicklung von Straßenanlagen zweckmäßig vorangeht. In Verbindung damit muß ſtets eine Umbildung der inneren Stadt ſowie eine Feſtlegung ausreichend großer Außenbahnhöfe ſtehen."

Zum erſtenmal hat Auguſt Orth ſein tiefes Verſtändnis für dieſen von ihm vertretenen ſtädtebaulichen Grundſatz erſter Ordnung dargetan im Jahre 1871 in ſeiner heute wieder ganz überraſchend wirkenden Schrift: „Berliner Zentralbahn, Eiſenbahnprojekt zur Verbindung der Berliner Bahnhöfe nach der inneren Stadt". Die Wohnungsnot der Großſtädte, ſo führt er aus, ſei nur zu heben durch Schaffung eines Vorortverkehrsſyſtems im Sinne des großen Londoner Vorbildes; die äußere Ringbahn, die für Berlin ſeit 1867 in Angriff genommen war, ſei von der Feſtung Paris übernommen, Berlin dagegen ſei wie London eine offene, ohne Grenzen ausdehnungsfähige Stadt und müſſe deshalb ein radial ins Herz der Stadt dringendes Schnellverkehrsſyſtem nach Londoner Muſter erhalten; er forderte deswegen den Anſchluß ſämtlicher Bahnen (alſo auch der in die Potsdamer, Anhalter, Stettiner, Görlitzer und Lehrter Bahnhöfe mündenden Linien) an eine zentrale Stadtbahnanlage [die ſpätere „Stadtbahn"][64]), ohne welche die damals gebaute Ringbahn wirkungslos und ihre Rentabilität zweifelhaft(!) bleiben müſſe; Orth wies ferner hin auf die Vorteile dieſer Zentralbahn als aufgelöſter raumſparender Zentralſtation gegenüber den verkehrſtauenden Kopfbahnhöfen und ſtellte mit genialem Verſtändnis

> Es sind die Eisenbahnen die großen Hauptzufuhrwege, die Hauptverkehrsadern geworden und haben die großen, auf die Tore einmündenden Chausseen und Hauptstraßen diese Bedeutung ganz verloren. Die Verknüpfung der neuen Hauptverkehrsadern mit dem lokalen Verkehr wird eine der Hauptaufgaben der modernen Städtebildung sein.
> August Orth 1871.

für die Komplexität städtebaulicher Lösungen die Forderung auf, daß der Bau dieser Zentralbahn Hand in Hand gehen müsse mit einer einheitlichen Sanierung der Altstadt im Sinne der großen Wiener und Pariser Vorbilder, aber verbunden mit einer großzügigen Stadterweiterung im Sinne der Londoner Gartenvorstädte, und daß die Unkosten dafür aus einer zielbewußten, mit dem Bahnbau verbundenen Bodenpolitik zu bestreiten seien; also die hohen Bodenwertsteigerungen, die der Bahnbau sicher bringen mußte, sollten, wenigstens teilweise, der privaten Spekulation entzogen und für die Kostenbestreitung des Bahnbaues herangezogen werden.

Aus diesen klaren Gedanken spricht der Geist eines großen Städtebauers. Orth gibt Einblicke in das Wesen des modernen Städtbaues, deren Wert durch die Erfahrungen der folgenden vierzig Jahre nur bestätigt und gesteigert worden ist. Der werbenden Kraft dieser klaren Gedanken ist es wohl zuzuschreiben, daß damals, wenige Monate nach ihrer Veröffentlichung, der Berliner Magistrat ein Schreiben an den Minister für Handel, Gewerbe und öffentliche Arbeiten richten konnte, das um Neuregelung des Verkehrswesens bittet, und das sich in mancher Richtung ganz in Orth'schen Gedankengängen bewegt. Dieses Schreiben soll hier im Zusammenhang mit Orths Vorschlägen besprochen werden, weil es zeigt, daß die Zeit damals für eine durchgreifende Lösung im Orth'schen Sinne wohl reif gewesen wäre. In seiner Gesamtheit verdient dieses Schreiben als eines der interessantesten Dokumente behördlicher städtebaulicher Erkenntnis angesprochen zu werden, das der Behörde, von der es ausging, alle Ehre macht. Leider verpflichtete dieses Schreiben die Stadt Berlin zu nichts, sondern es enthält nur Ratschläge für andere. Wie sich die Berliner Stadtverordnetenversammlung gegenüber Vorschlägen, die an ihre eigene Adresse gerichtet waren, verhielt, hat der früher geschilderte Mißerfolg Oberbürgermeister Hobrechts gezeigt. Das Schreiben des Magistrats an das Ministerium enthält einen verblüffend klaren Einblick in die Schäden des Berliner „Baustellenmonopols", „der ausgefeilten wirtschaftlichen Regeln der kohärenten Berliner Steinmassen" und des Berliner Bebauungsplanes, ein Verständnis ferner für die Notwendigkeit, umgehend mit dem bisher befolgten System „der peripherischen Vergrößerung durch vielstöckige Wohnhäuser" zu brechen, die Erkenntnis schließlich, daß ein außerordentlicher Schritt zur Besserung der Verhältnisse durch schleunigen Bau von „radialen Bahnen, welche möglichst weit in die innere Stadt hineindringen," getan werden müsse, also ganz im Sinne der neuen Forderungen Orths; das Schreiben verlangt nebenbei nicht mehr und nicht weniger als die Schöpfung einer Art Groß-Berliner Zweckverbandes für Verkehrswesen; es ist mit einem Worte ein Schreiben, das nicht in Vergessenheit zu geraten verdient. Im folgenden sei es auszugsweise mitgeteilt[65]:

„Die hauptsächlichste Ursache der hohen Wohnungspreise in Berlin liegt in dem hohen Grund- und Bodenwerth. Wenn eine Quadratruthe Land 300—500 Thlr. kostet, so muß dieselbe für sich allein und ohne jede Hinzurechnung des Gebäudewerths jährlich 20—40 Thlr. Miethe aufbringen; erwägt man aber, welche Flächen für den Hof, die Einfahrt, die Treppenanlagen, das Privé und für nothwendige Wirtschaftsräume, event. für Straße und

Vorgarten freibleiben oder nicht zur eigentlichen Wohnung hinzugezogen werden können, so steigert sich die aufzubringende Rente von der eigentlichen Wohnungsfläche auf das Doppelte, nämlich 40–80 Thlr.; nimmt man nun ferner an, daß ein Haus in 3–4 Etagen übereinander Wohnungen gewährt, daß andererseits aber auch etwa 3–4 Quadratruthen zu einer nur kleinen Wohnung gehören, so stellt sich für eine solche die notwendige Miethe, soweit sie nur eine Verzinsung des Grund- und Bodenwerthes herbeiführen will, wiederum auf 60—80 Thlr. per Jahr, und dies ist, verglichen mit anderen Orten, ein bedauerlich hoher Satz. Die Ursache dieses Verhältnisses ist darin zu finden, daß das Wachsthum Berlins in stärkerem Tempo fortschreitet, als geeignete Vorkehrungsmaßregeln zur Verhütung der aus diesem Wachsthum entstehenden Nachtheile. Das Wachsthum Berlins ist gewissermaßen sich selbst überlassen und besteht einfach darin, daß dem dringendsten Bedürfnisse entsprechend rund um die Stadt, unmittelbar an der Peripherie derselben, sich neue Häuser und Häusergruppen ansetzen, so daß also, während der Charakter der gesamten städtischen Anlage derselbe bleibt, sie doch sich fortgesetzt an der Peripherie vergrößert und die Entfernungen von hier nach dem Mittelpunkt der Stadt — jahraus, jahrein — wachsen. Daraus resultiren verschiedene Übelstände; zunächst wird die Communication, für welche innerhalb einer schon bebauten Stadt doch nur sehr nothdürftige, jedenfalls nur enorm kostspielige Erleichterungen geschaffen werden können, immer schwieriger, weil die Straßen länger und belebter werden; der Gang aber, welchen der an der Peripherie der Stadt Wohnende nach seinem Geschäft innerhalb der Stadt täglich mehrmals zu machen hat, erreicht die Grenze der physischen Möglichkeit.

Dann erlangt das unbebaute Land, von Jahr zu Jahr fortschreitend, an der Peripherie die volle Qualification und damit den vollen Baustellen-Preis, welcher sich mit der unvermeidlichen Nachfrage — und gewissermaßen monopolisirt — entwickelt. Der unmittelbare Anschluß solcher Baustellen an vorhandene öffentliche Anlagen, wie Straßenpflaster, Beleuchtung usw., bietet ausschließliche Vortheile dar, welche in dem Preise dieser Baustellen sofort ihren Ausdruck finden.

Endlich aber wird jede Verschiedenartigkeit baulicher Behandlung dadurch so gut wie ausgeschlossen, denn alles, was sich unmittelbar um die Peripherie der großen Stadt gruppirt, muß sich den ausgefeilten wirthschaftlichen Regeln derselben unterordnen und seinen Charakter annehmen. Zwar haben sich in der Victoriastraße, Thiergartenstraße, Albrechtshof, in der Umgebung der Kurfürstenstraße und bei Charlottenburg einzelne Villenanlagen gebildet, aber man kann dieses Factum doch nicht als einen Beweis gegen das Vorgesagte anführen, denn diese wenigen Anlagen beruhen nicht auf wirthschaftlichen Motiven, die für das Ganze maßgebend sein können, sondern auf der Liebhaberei einzelner reicher Leute, welche eine Rente in der Befriedigung dieser Liebhaberei zu finden in der Lage sind.

Der Berliner Entwickelungsgang besteht sonach in der peripherischen Vergrößerung durch vielstöckige Wohnhäuser, welche ununterbrochen von Statten geht.

Die cohärente Berliner Steinmasse hat bereits einen Durchmesser erlangt, dessen Maß, wie gesagt, an die Grenze einer noch möglichen Fußcommunication streift.

Es ist deshalb die höchste Zeit, daß seitens der zuständigen Behörden diejenigen Heilmittel angewandt werden, welche innerhalb der ihnen zugewiesenen Thätigkeitssphäre liegen, und für welche andere große Städte, namentlich London, lehrreiche Beispiele liefern. Die Frage hat keineswegs nur ein communales Interesse, vielmehr ist es unverkennbar auch für den Staat von außerordentlicher Bedeutung, welchen Gang die Gestaltung der Wohnungsverhältnisse und der bezüglichen Lebensgewohnheiten im Centrum des Landes nimmt. Die Competenz der Communalbehörden reicht nicht weit genug, um ihnen ein selbständiges Vorgehen mit durchgreifenden Maßregeln zu ermöglichen, zumal es sich wesentlich um die geeignete Benutzung von Verkehrsanstalten des Staates und zum großen Theil auch um die Herstellung von billigen Communicationen nach und auf Gebieten handeln wird, welche nicht zum Weichbilde unserer Stadt gehören, und deren Einverleibung wir auch nicht einmal für rathsam erachten könnten." „Und doch wird dem Verlangen nach solcher Centralisation auf die Dauer mit Erfolg nur dann zu begegnen sein, wenn — ohne eine vorausgegangene communale Verschmelzung — ein größerer Umkreis von Berlin (zunächst etwa der sogenannte weitere Berliner Polizeibezirk) in Bezug auf alle dem Verkehr dienenden Anstalten und Einrichtungen: Post, Telegraphen, Chausseen usw., als zu Berlin gehörig behandelt wird." „Es erscheint uns als nothwendig, daß Maaßregeln getroffen werden, welche auch den im Centrum der Stadt beschäftigten Personen die Möglichkeit geben und es ihnen sogar bequem und angenehm machen, in einer weiteren Entfernung vom Mittelpunkte der Stadt ihre Wohnung zu nehmen[66]). Für die Entwickelung der Berliner Wohnungsverhältnisse würde dadurch eine neue Bahn eröffnet und derselben eine gesunde Richtung gegeben werden. Lediglich unter diesem Gesichtspunkte haben wir uns neuerdings für die Herstellung eines Netzes von Pferdeeisenbahnen interessiert." „Es werden jedoch diese Pferdebahnen, selbst wenn alle Schwierigkeiten, welche der vollständigen Ausführung des vorliegenden Projectes sich noch entgegenstellen, beseitigt wären, für sich allein nicht im Stande sein, in durchgreifender Weise auf eine Umgestaltung unserer Verhältnisse einzuwirken, weil die Pferdebahnen für größere Entfernungen wegen Langſamkeit der Beförderung zu zeitraubend ſind, und weil ſie bei der Beſchränktheit ihrer Leiſtungsfähigkeit in den für den regelmäßigen Verkehr nach und aus dem Centrum der Stadt entſcheidenden wenigen Morgen- und Abendſtunden nur einen verhältnismäßig geringen Theil des Verkehrs würden aufnehmen reſp. nicht die genügende Anzahl von Perſonen auf einmal würden befördern können — wie ſich dies gegenwärtig bereits täglich an der Charlottenburger Pferdebahn beobachten läßt. Auch werden Pferdebahnen immer — ſelbſt nach der hoffentlich bald erfolgten Beſeitigung der Belaſtung durch Chauſſeegeld — ein verhältnismäßig koſtſpieliges Beförderungsmittel bleiben und deshalb von den nicht bemittelten Bevölkerungsklaſſen nur in beſchränktem Maße benutzt werden können. Nur Locomotiv-Eiſenbahnen ſind unſeres Erachtens im Stande, allen Anſprüchen eines regelmäßigen maſſenhaften Perſonenverkehrs zu genügen und vermöge ihrer Leiſtungsfähigkeit eine allen Klaſſen der Bevölkerung zugängliche billige Communication aus dem geſamten weiteren Umkreiſe der Stadt nach dem Centrum derſelben und aus letzterem nach allen Theilen der Peripherie herzuſtellen.

Denn es iſt erforderlich, durch Darbietung ausreichender Communicationsmittel eine ſo große Fläche um Berlin herum (Ringbahngebiet) für die Bebauung aufzuſchließen und durch radiale Bahnen, welche möglichſt weit in die innere Stadt hineindringen, dieſe aufgeſchloſſene Bebauungsfläche ſo mit dem Innern der Stadt zu verbinden, daß das Land bei Weißenſee oder Steglitz, Wilmersdorf oder Stralau, Reinickendorf und Tempelhof in Concurrenz treten kann mit den hochpreiſigen Bauſtellen an der Peripherie Berlins.

Wenn wir den Durchmeſſer der bewohnten Stadt Berlin zu 1280 Ruthen annehmen, ſo hat eine Ringfläche — deren innerer Durchmeſſer gleich 1600 Ruthen iſt, welcher im Süden an der Bergmannſtraße, im Weſten am kleinen Stern, im Norden an der Mitte des Exercierplatzes zur einſamen Pappel, im Oſten an der Trennung des Boxhagener Weges von der Frankfurter Chauſſee beginnt —, deren äußerer Durchmeſſer gleich 3548 Ruthen iſt, und welcher im Süden kurz hinter Tempelhof, im Weſten mitten in Charlottenburg, im Norden zwiſchen Pankow und Nieder-Schönhauſen, im Oſten zwiſchen Lichtenberg und Friedrichsfelde aufhört, — bereits den 6fachen Flächeninhalt von ganz Berlin. Wenn es gelingt, dieſe Grundfläche für die Bebauung heranzuziehen, wird bei der außerordentlichen Concurrenz, welche die Größe dieſes Gebietes ſich ſelbſt macht, der Grund- und Bodenpreis nur noch einen kleinen Bruchtheil der jetzigen Forderungen betragen können, und ein den Bewohnern angemeſſener und billiger Charakter der Bebauung würde zum finanziellen und phyſiſchen Wohl aller Einwohner und namentlich der ärmeren Leute beitragen können.

Die Ausarbeitung des Bebauungsplanes für Berlin — richtiger des Straßenplanes von Berlin —, ohne daß dieſe Straßen wirklich angelegt wurden, hat eine große Zahl von Flächen zwar nicht der Bebauung erſchloſſen, denn die Straßen exiſtierten nur auf dem Papier, wohl aber hat er den Inhabern dieſer Flächen Veranlaſſung gegeben, Bauſtellenpreiſe dafür zu fordern, und er hat ſomit zur Preisſteigerung der Bauſtellen weſentlich mitgewirkt. Jenſeits des Rayons dieſes Bebauungsplanes hört mit ihm ſelbſt ſeine vertheuernde Wirkung auf[67]).

Mancherlei für das Innere Berlins nöthige baupolizeiliche Vorſchriften mußten ebenfalls ihre Wirkung dahin äußern, daß der Preis der Miethen ein hoher wurde, — in jener äußeren oben bezeichneten Ringfläche aber hat die Berliner Baupolizei-Ordnung keine Gültigkeit, und in freierer, allem Vermuthen nach billigerer Weiſe wird dort noch auf lange Zeit hinaus gebaut werden können.

Wenn ſo erhofft werden darf, daß durch Herſtellung von Communicationen billiges Bauterrain erſchloſſen wird, welches der Geldnoth der ärmeren Klaſſe gegenüber den hohen Miethspreiſen Erleichterung verſchafft, ſo knüpft ſich daran die Forderung, daß das, was geſchehen kann, baldigſt geſchehe.

Die neue Verbindungsbahn um Berlin hat eine vortreffliche Lage, um den Verkehr herzuſtellen, aber ſie befördert bis jetzt keine Perſonen. Wir dürfen wohl annehmen, daß ſie es tun würde, wenn das Bedürfnis dazu offen vorläge. Soll aber das Bedürfnis ſich etwa erſt ſo herausſtellen, daß eine für einen Perſonenzug genügende Anzahl Perſonen nicht vorübergehend, ſondern dauernd auf dem Bahnhofe die Mitnahme nachſucht, dann wird noch lange kein Nachweis des Bedürfniſſes geführt werden können; und doch iſt das Bedürfnis ein ſo dringendes, wie wir allein daraus entnehmen können, daß ohne ſolche Communication, bloß in Hoffnung des zukünftigen Zuſtandekommens einer ſolchen, Bebauungskomplexe außerhalb der Stadt entſtehen. Wenn nur gute Communicationen geſchaffen werden, ſo werden wir bald genug ſehen, mit welcher Begierde Berlin ſich von dem Drucke ſeiner hochbebauten Straßen entlaſtet, wie neue Bebauungscentren im Kreiſe um Berlin entſtehen, und wie intenſiv und in jetzt noch kaum geahnter Weiſe — ſei's zum Geſchäft, ſei's zum Genuß — der Berliner Einwohner dieſe Ringlinien benutzen wird. Für die Benutzung der Verbindungsbahn durch Perſonen würde es vorzugsweiſe wichtig ſein, daß die Züge auf derſelben in die (nöthigenfalls für die Aufnahme des neuen Verkehrs noch zu erweiternden) vorhandenen Bahnhöfe der die Gürtelbahn ſchneidenden

Eiſenbahnen eingeführt und von dort aus auch abgelaſſen würden. Erfolgte überdies an allen Kreuzungspunkten der Verbindungsbahn mit den Hauptverkehrsſtraßen die Anlage von Stationen für den Perſonenverkehr, ſo würden dieſe Stationen bald die Zielpunkte der Omnibus- und Pferdebahn-Routen aus dem Centrum der Stadt werden. Wofern aber die Privatbahnen, welche die Verbindung zwiſchen der Stadt und der Ringbahn allein in ausreichender Weiſe herſtellen können, ſich weigern ſollten, den Perſonenverkehr von der Verbindungsbahn aufzunehmen, ſo wird es Eurer Excellenz gewiß nicht an Mitteln fehlen, dieſen Widerſpruch bald zu beſeitigen."

Abb. 50 und 51. Ausſteller: Continentale Geſellſchaft für elektriſche Unternehmungen, Berlin. (Oberingenieur R. Peterſen.)

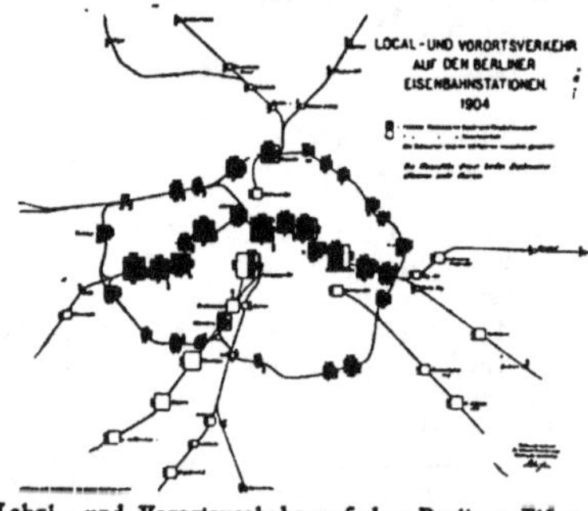

Lokal- und Vorortsverkehr auf den Berliner Eiſenbahnſtationen 1904.
Schwarzes Feld = Stadt- und Ringbahnverkehr, weißes Feld = Vorortsverkehr.

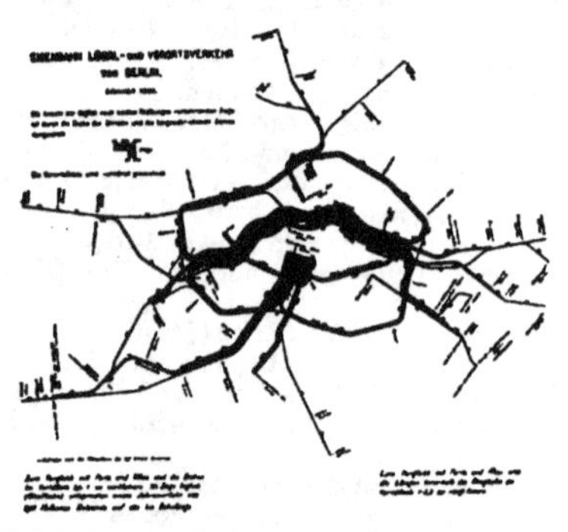

Eiſenbahn-, Lokal- und Vorortsverkehr von Berlin 1905. Die Anzahl der täglich nach beiden Richtungen verkehrenden Züge iſt durch die Dicke der Striche dargeſtellt.

Beide Darſtellungen zeigen die überwiegende Bedeutung der Stadtbahn, verglichen mit den anderen Linien.

Ein wahrhaft denkwürdiges Schreiben einer Behörde, das heute beinahe noch Wort für Wort ſeine Gültigkeit behalten hat. Wenn noch ein Reſt von Überſchätzung der Ringbahn vorhanden iſt, ſo ſteht doch im Vordergrunde die Forderung „radialer Bahnen, welche möglichſt weit in die innere Stadt hineindringen". Wäre damals eine kräftige Politik eingeſchlagen worden, die dieſen geſunden ſtädtebaulichen Anſchauungen des Magiſtrats entſprach, läge heute vieles anders im Berliner Wohnweſen. Die von Orth verkündete Erkenntnis, daß die „lokalen Eiſenbahnen die Hauptverkehrsſtraßen" der neuzeitlichen Großſtädte bilden, deren Entwicklung eine der „Hauptaufgaben der modernen Städtebildung" iſt, zog ſofort nach ihrem Anerkanntwerden die weittragendſten Verpflichtungen der Behörden nach ſich. Das Schreiben des Magiſtrats von 1871 zeigt, daß der Orthſche Grundſatz behördlicherſeits anerkannt worden iſt. Dieſe neuen Hauptverkehrsſtraßen brauchten natürlich ihre Fluchtlinien genau ſo gut wie die alten. Es war alſo Sache der Gemeinden, denen die Regelung des Fluchtlinienweſens übertragen war, für die Bahnen, dieſe neuen Hauptverkehrsſtraßen, zu ſorgen und Sache der Aufſichtsbehörde, dieſe Fürſorge zu überwachen. Genau ſo gut wie das Polizeipräſidium den Befehl zum Durchlegen von Straßen und zur Beſeitigung von „Bullenwinkeln" gab, mußte irgend eine verantwortungsvolle Behörde die als notwendig erkannten „Hauptverkehrsſtraßen" erzwingen, und das um ſo mehr, als die Kompetenz der Gemeinden, wie der Berliner Magiſtrat treffend ausführte, wegen der Beſchränktheit ihres Gebietes nicht ausreichte. Die Mittel, von denen der Magiſtrat ſpricht, den etwa auftretenden Widerſpruch der Privatbahnen gegen die geſunde Neugeſtaltung des Verkehrsweſens und des im argen liegenden Wohnweſens zu brechen, beſaß das Miniſterium zur Zeit Bismarcks allerdings. Freilich hatte man geſehen, z. B. bei der Kaſſierung der Teltower Straße, daß die Privat-Bahngeſellſchaften ihren Willen auch gegen

> Die Berliner Stadtbahn würde ihren Zweck offenbar erſt dann vollſtändig erfüllen, wenn ſämtliche Außenbahnen in möglichſt direkte Schienenverbindung mit der nächſtbelegenen Stadtbahnſtation treten. Mit einem derartigen Syſtem würden die Aufgaben eines Stadtbahnnetzes erfüllt ſein. R. Baumeiſter (in „Stadterweiterungen", Berlin 1876).

das öffentliche Intereſſe durchzuſetzen verſtanden. Aber es gab glücklicherweiſe auch Beiſpiele dafür, daß die preußiſche Regierung es vermochte, Bahnanlagen, deren Notwendigkeit ſie erkannt hatte, kurzerhand durchzuführen, ſelbſt ohne Bismarck. Eigentümlicherweiſe hatte gerade die preußiſche Regierung 20 Jahre früher eine Bahn, die in vieler Beziehung dem Orthſchen Projekt nahe verwandt war, ja teilweiſe in der Linienführung (Gitſchiner- und Skalitzer Straße, heutige Hochbahnlinie!) ihm genau entſprach, mit allergrößter Schnelligkeit ausgeführt. Es war das die alte Verbindungsbahn zwiſchen den verſchiedenen Kopfbahnhöfen Berlins (vgl. Abb. 49). Seit 1844 war der Plan dieſer Verbindungsbahn von einflußreichen privaten Unternehmern betrieben worden, jedoch, obgleich man allſeits Großes von ihr für Güter- und Perſonenverkehr erwartete, blieben alle Bemühungen fruchtlos. Da erfolgte im Herbſt 1850 die Mobilmachung des preußiſchen Heeres; dabei erkannte die Regierung die Notwendigkeit dieſer Bahn für militäriſche Zwecke; ſofort wurde ihre Ausführung auf Staatskoſten beſchloſſen, und zehn Monate ſpäter war die ganze Linie vom Stettiner über den Hamburger, Potsdamer, Anhalter zum Frankfurter Bahnhof in Betrieb[68]). Einmal anerkannte Staatsbedürfniſſe wurden ſchleunigſt befriedigt. Der Perſonenverkehr, von dem ſich auch die Regierung urſprünglich viel verſprochen hatte, wurde jedoch in der Folgezeit gar nicht verſucht. Der Güterverkehr wuchs dagegen derartig, daß eine Neugeſtaltung der bisher auf Straßenniveau laufenden Linie erforderlich wurde. Sie wurde darum aufgehoben und erſetzt durch die Berlin in weitem Umkreis umſchließende Ringbahn. Für den Neubau dieſer Ringbahn waren wieder militäriſche Gründe maßgebend, ſomit wurde er in verhältnismäßig kurzer Zeit (1867—1871) durchgeführt. Für die Wahl der ſehr weit draußen liegenden Linienführung war, neben der vom Kriegsminiſter geforderten Rückſicht auf das Tempelhofer Feld, die Billigkeit des von der Stadt entfernten Geländes und das unſelige Pariſer Vorbild (Chemin de fer de ceinture[69])) entſcheidend: ſelbſt die kommunalen Behörden Berlins, die von der Ringbahn nicht eher Kenntnis erhielten, als bis das ganze Projekt fix und fertig vorlag[70]), verſprachen ſich trotz der weiten Entfernung des Ringes vom Herzen der Stadt eine günſtige Wirkung der Bahn auf das Arbeiterwohnweſen, wobei der Magiſtrat damals (in den 60er Jahren) die ſpäter (1871) von ihm geforderten „radialen Bahnen, welche möglichſt weit in die innere Stadt dringen", noch nicht in ihrer überragenden Bedeutung gewürdigt hat. Was Berlin in der neuen Ringbahn erhielt, war ein wirkungsvolles Inſtrument für militäriſche Zwecke (was bei der Beurteilung der Rentabilität der Ringbahn nie vergeſſen werden darf): den Zuſammenſchluß des in Berlin auseinanderfallenden Syſtems der Bahnlinien des Reiches; man hatte ferner eine Art Güterumgehungsbahn, auch war man berechtigt, von ihr die Förderung der Induſtrie durch Erleichterung von Privatanſchlüſſen zu erhoffen (eine Hoffnung, die ſich übrigens in auffallend geringem Maße erfüllt hat); für die Entwicklung des großſtädtiſchen Perſonenverkehrs dagegen war die Ringbahn als ſolche bedeutungslos und gewann einigen Wert erſt durch ihre Verbindung mit radialen Bahnen, die ſie kreuzten und mit ihr kommunizierten, wobei Vorausſetzung war, daß dieſe radialen Bahnen ins

Herz der Stadt eindrangen, was jedoch vor der Erbauung der Stadtbahn, die eine teilweiſe Durchführung der Orthſchen Entwürfe bedeutete, bei keiner der Berliner Bahnen der Fall war. Im Gegenteil, die acht getrennten Endbahnhöfe, die Berlin anfangs der 70er Jahre beſaß, lagen weit von dem Stadtmittelpunkte entfernt, ja zum Teil ſelbſt außerhalb der bebauten Stadtviertel. Es war jedoch bei den Bahngeſellſchaften die natürliche Tendenz vorhanden, aus eigenem Intereſſe möglichſt weit ins Herz der Stadt einzudringen. Zu welchen gegenſeitigen Überbietungen in dieſer Richtung die Spekulation ſowie die Eiferſucht der konkurrierenden Eiſenbahnverwaltungen führen konnten, hatte damals ſchon die großartige Entwicklung des Londoner Eiſenbahnnetzes gezeigt. Mit welchen Schwierigkeiten aber die ähnliches anſtrebenden Berliner Bahnen kämpfen mußten, hat ſich in kraſſer Weiſe beim Bau der alten Verbindungsbahn ergeben, wo die ſtaatlichen Behörden aus ſteuerpolitiſchen (Schlacht- und Mahlſteuer) und militäriſchen Rückſichten der Durchbrechung der vorhandenen Stadtmauern die unglaublichſten Schwierigkeiten in den Weg geſtellt haben, „*da dieſe Maßregel der Aufgabe, welche die Garniſon bei entſtehenden inneren Unruhen löſen ſollte, in nicht zu rechtfertigender Weiſe entgegentreten würde*“[71]). Ganz ähnliche Schwierigkeiten ſetzte man noch nach 1870 dem Eindringen der Pferdebahnen in die innere Stadt entgegen. Berlin blieb in der Entwicklung der Pferdebahnen hinter Konſtantinopel und Bukareſt zurück[72]). Es iſt, als ob der ganze Fluch eine Feſtung aus mittelalterlicher und abſolutiſtiſcher Zeit zu ſein, damals noch, 200 Jahre nach Auflaſſung der Feſtung, auf Berlin, ſeinem Eiſenbahnweſen und ſomit auf der Entwicklung ſeines Wohnweſens gelaſtet habe. Sobald man derartige veraltete Rückſichten über Bord warf, und ſobald man Berlin nicht mehr mit der Abſicht, es mit Truppen- oder Gütermaſſen zu *umgehen*, betrachtete, wenn man alſo Berlin vom Standpunkte des Berliners etwa mit der Deviſe: „Berlin für die Berliner“ anſchaute, waren Auguſt Orths Vorſchläge die ſich notwendig ergebende Konſequenz. Die Vorteile der Orthſchen Vorſchläge waren ſo einleuchtend, daß es, ſobald einmal die Regierung nicht mehr länger dem Durchbrechen der Stadtmauer Schwierigheiten in den Weg legte, gar keiner miniſteriellen Maßnahmen, um „den Widerſpruch der Privatbahnen zu beſeitigen“, bedurfte. Was trotzdem die Ausführung der Orthſchen Vorſchläge teilweiſe ganz vereitelt, teilweiſe viele Jahre verzögert hat, waren einesteils die unſeligen Gründerjahre, in erſter Linie aber nicht etwa die Privatbahnen, deren Tage dank Bismarck gezählt waren, ſondern der Staat und die Staatsbahnen. Die Geſellſchaft (Deutſche Eiſenbahn-Bau-Geſellſchaft, ſpäter Berliner Stadteiſenbahn-Geſellſchaft), die ſich ſchnell zur Durchführung der Orthſchen, ſpäter von Hartwich neu geſtalteten Projekte gebildet hatte, gewann ohne Schwierigkeit die Beteiligung der ihr Intereſſe an Verbindung nach der Innenſtadt klar erkennenden (und bei der herrſchenden Konkurrenz auch wahrnehmenden) Bahnen, die in Berlin mit Kopfbahnhöfen einmündeten. Die Kriſis der Gründerjahre ſchlug dann der Baugeſellſchaft, die ſich in umfangreiche Geländekäufe zu Hochkonjunkturpreiſen eingelaſſen hatte, tödliche Wunden. Die Ausführung des Projektes, das viel zu geſund war, um ganz unter den Tiſch fallen zu können, fiel zuſammen mit 2,4 Millionen Mark verfallener (weil nicht rechtzeitig vervollſtändigter) Aktieneinzahlungen der Aktionäre (der Deutſchen Eiſenbahn-Bau-Geſellſchaft) dem preußiſchen Staate zu, der damals ſchon Beſitzer der im Oſten einmündenden Bahnen war und den ſtaatlichen Beſitz auszudehnen beabſichtigte. Der Bau der für die Regelung der Berliner Verkehrs-

net, zur Zeit als die Kgl. Akademie des Bauwesens ihr Gutachten über »die bauliche Entwicklung der Stadt Berlin nach künstlerischen und technischen Gesichtspunkten« abgab und als vorübergehend Hoffnung bestand, daß es gelingen werde, eine aus Vertretern der Reichsverwaltung, der preußischen Staatsregierung und der städtischen Behörden zusammengesetzten Ausschuß zu schaffen, dem die alleinige Verfugung über Bauplätze für öffentliche Gebäude zu ubertragen gewesen wäre. Diese Verfügung hatte dann nach künstlerischen Gesichtspunkten getroffen werden sollen, statt von den Zufälligkeiten jeweiligen Besitzes, augenblicklichen Bedürfnisses und dessen billigster Befriedigung abzuhängen. Vergl. S. 77.

Abb. 43. Ausſteller: Geh. Reg.-Rat Prof. Dr. Albert Orth. — Bebauungsplan von Berlin. Skizze einer Gesamtregulierung der inneren Stadt von Geh. Baurat August Orth vom 10. Oktober 1873.

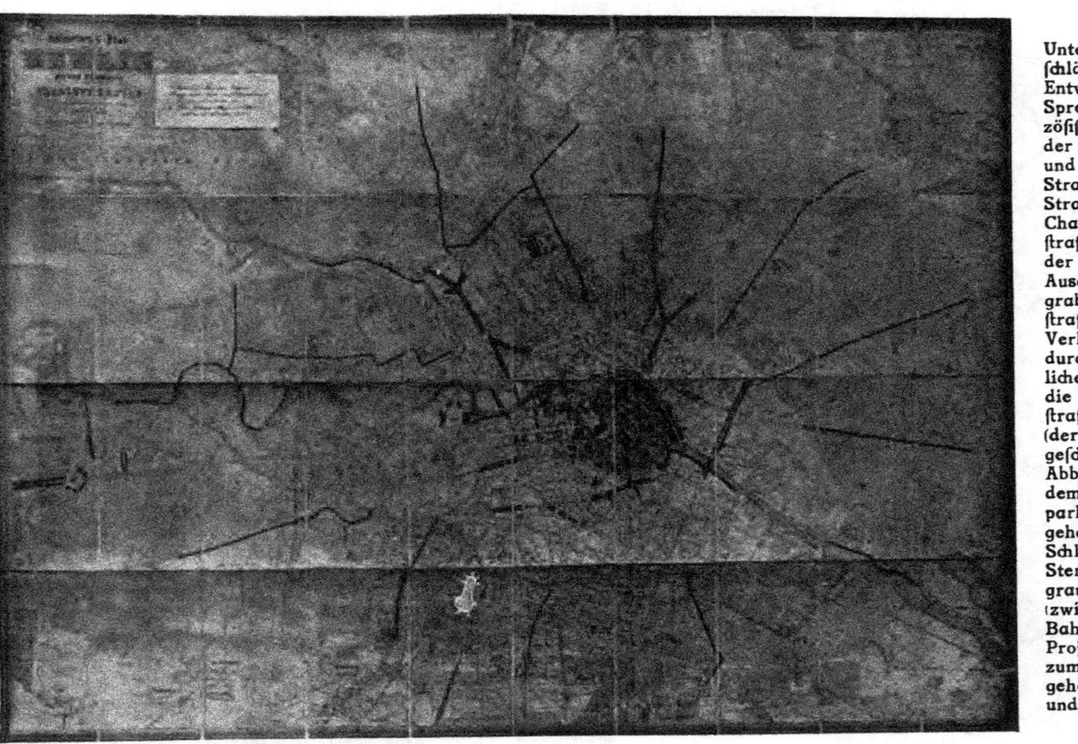

Unter den Orthschen Vorſchlägen ſind hervorzuheben: Entwicklung der Uferſtraßen der Spree, Durchlegung der Franzöſiſchen Straße nach Weſten, der Zimmerſtraße nach Weſten und Oſten, der Gr. Frankfurter Straße bis zur Landsberger Straße, die Verlängerung der Charlottenſtraße von Dorotheenſtraße bis Spree, die Neuſchaffung der Kaiſer Wilhelm-Straße, die Ausgeſtaltung des alten Königsgrabens zu einer inneren Ringſtraße nach Wiener Muſter, die Verkleinerung des Königsplatzes durch Umbauung mit öffentlichen Gebäuden an drei Seiten, die Entwicklung der Ausfallſtraßen, darunter der Heerſtraße (der im Zuge der Heerſtraße vorgeſchlagene Sternplatz, vgl. auch Abb. 29, entſpricht sehr wohl dem Charakter der großen auf parkartige Anfänge zurückgehenden Anmarſchſtraße zum Schloß; Großer und Kleiner Stern, Place de l'Etoile). Der grau ſchraffierte Platz im Süden (zwiſchen Anhalter u. Potsdamer Bahn) hat mit den Orthſchen Projekten nichts zu tun, es iſt die zum Bebauungsplan von 1859 gehörige Platzgruppe Blücher- und Walſtattplatʒ, vgl. S. 40.

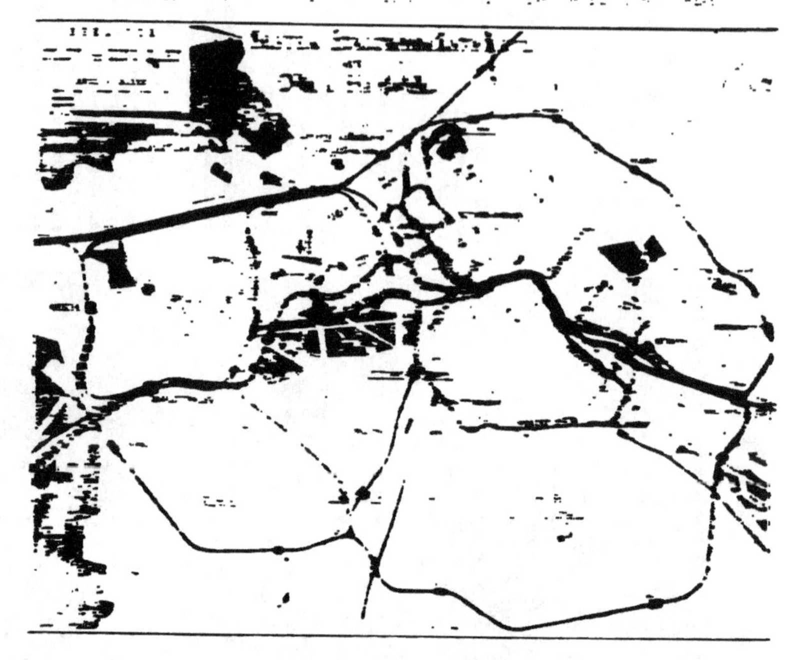

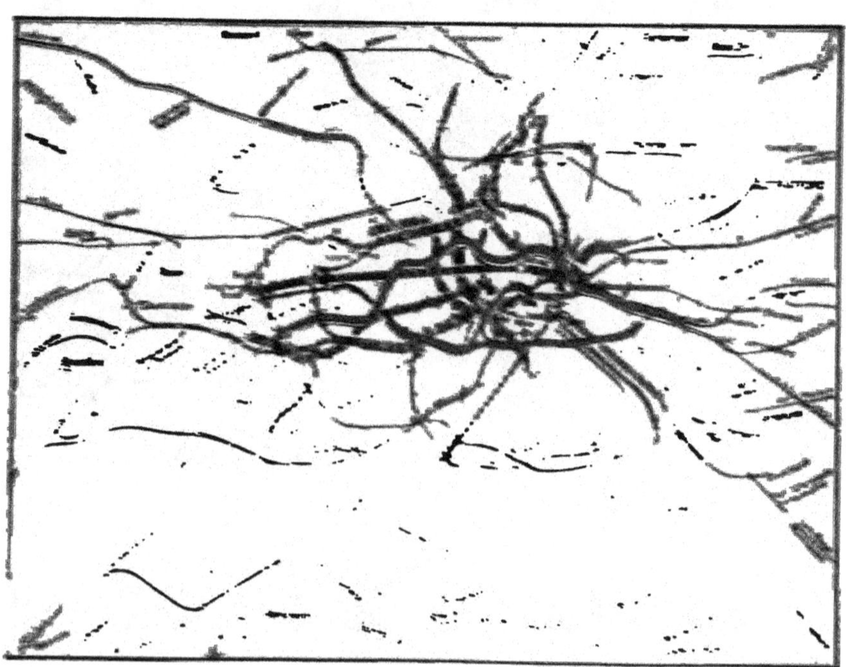

und Wohnverhältnisse so überaus wichtigen Stadtbahn wurde aber nicht mit der Dringlichkeit behandelt, die z. B. der alten Verbindungsbahn und der Ringbahn, wie geschildert, aus militärischen Gründen zuteil geworden war. Im Gegenteil wurde bewiesen, daß König Friedrich Wilhelm IV. sich getäuscht hatte, als er beim Anblick der ersten Eisenbahn seherisch ausrief, „daß diesen Karren, der durch die Welt rollt, niemand mehr aufzuhalten vermöge". Der in den 70er Jahren im staatlichen Eisenbahnwesen herrschende Bureaukratismus ist von den berufensten Fachleuten in vorsichtiger, aber unzweideutiger Weise gebrandmarkt worden. Es erwies sich als richtig, was der Wirkl. Geh. Ober-Regierungsrat Hartwich, Mitglied der Kgl. Technischen Baudeputation, eine der ersten Kapazitäten jener Zeit für Eisenbahnfragen, ausgesprochen hatte: „Mit den auf dem Kontinente bestehenden Vorschriften und Reglements würde man durch die Straßen der großen Städte Amerikas keine Schienenstraßen erzielt haben[73]." Die Gefahren ferner, die der Mangel einer vollständigen Trennung der Funktionen der Staatseisenbahnverwaltung von denen der Staatsaufsichtsbehörde mit sich brachte, auf die Hartwich so dringend aufmerksam gemacht hatte, wurde gesteigert durch die bald erfolgte Verstaatlichung sämtlicher in Berlin einmündenden Bahnen. Das gewaltige, vom Wettbewerb angestachelte, geschäftliche Interesse, das die großen Eisenbahngesellschaften in London und Neuyork dafür an den Tag gelegt haben, mit ihren Linien bis ins Herz der Stadt vorzudringen — man denke nur an die Tunnels, mit denen sich die Pennsylvania-Eisenbahn neuerdings mit einem Aufwande von alles in allem einer Milliarde Mark das Herz von Neuyork erobert hat[74]) — versagte in Berlin mit der Verstaatlichung der Bahnen. Seit der Verstaatlichung der Bahnen bestand immer die Gefahr, daß Berlin von der Eisenbahnverwaltung nicht mehr als die Quelle des wirtschaftlichen Lebens (vgl. S. 98f.), als das Herz des gesamten Eisenbahnsystems angesehen wurde, für dessen pflegliche Behandlung keine Opfer zu groß waren; bei der vorzüglichen Vertretung, die die preußische Eisenbahnverwaltung den lokalen Interessen **aller** Teile des Landes ermöglicht (eine geradezu parlamentarische Vertretung, wie sie bei den nur geschäftliche Interessen verfolgenden Privatbahnen, z. B. Amerikas, in ähnlicher Weise nicht existiert), kam es beinahe dazu, daß man den Boden Berlins und die Berliner Bahnen wie ein beliebiges landwirtschaftlich genutztes Fleckchen des Reiches mit darauf liegenden Schienensträngen behandelte, von dem beansprucht wurde, daß es für sich genommen **Reinerträge** liefere. Von ernst zu nehmender Seite sind Berechnungen aufgestellt worden[75]), nach deren Ergebnissen sich die bei der Berliner Stadt- und Ringbahn gemachten Aufwendungen nicht angemessen verzinsen. Eine solche Feststellung würde der Tatsache nicht genug Bedeutung einräumen, daß es sich bei der Ringbahn (und zum Teil sogar bei der Stadtbahn) in erster Linie um ein mit gänzlicher Umgehung (in jedem Sinne des Wortes) der Stadt Berlin und seiner Behörden gebautes **militärisches Unternehmen** handelt; daß ferner die vielen Millionen, die in die Bahnhofsanlagen der großen Städte gesteckt werden müssen, nicht für sich allein betrachtet werden dürfen, daß keine unmittelbare Verzinsung von ihnen erwartet werden darf, sondern **daß ihre Früchte an anderer Stelle des Bahnnetzes** geerntet werden. Eine solche Feststellung würde nicht genügend berücksichtigen, daß zum Funktionieren des gesamten Eisenbahnnetzes in erster Linie gewaltige Bahnanlagen in den großen, den Verkehr erzeugenden oder konzentrierenden Städten erforderlich sind, Bahnanlagen, die nach Ansicht der meisten Autoritäten von allgemein ſtädtebaulichem Standpunkte betrachtet noch weit großartiger und rationeller eingerichtet ſein können, als die Berliner Anlagen es heute ſind, daß von dieſen Anlagen unmittelbar Reinerträge zu erwarten ebenſowenig angängig wäre, wie zu verlangen, daß ein koſtſpieliger Tunnel, Viadukt oder eine teuere Brücke, an deren Vorhandenſein die wirtſchaftspolitiſche Bedeutung einer ganzen Linie hängt, ſich aus den geringen Frachtanteilen, die auf dieſe teuere, aber verhältnismäßig kurze Anlage ſelbſt entfallen, verzinſen ſoll. Eine ſolche Feſtſtellung würde ferner außer acht laſſen, daß, wenn dieſe koſtſpieligen großſtädtiſchen Bahnanlagen unweigerlich, ſchon im Intereſſe des Güter- und Perſonen-Fernverkehrs, einmal gemacht werden müſſen, es nur ein ſelbſtverſtändliches Gebot geſunder Wirtſchaftlichkeit iſt, die darin ſteckenden Aufwendungen dem Lokalverkehr ſo weit als möglich zugute kommen zu laſſen. Dieſes Nebeneinanderlegen von Fernverkehr einerſeits und Stadtſchnellverkehr und Vorortsverkehr andererſeits iſt aber nicht nur ein Gebot der Wirtſchaftlichkeit ſondern außerdem ſogar eine faſt unumgängliche Notwendigkeit. Eine Großſtadt mit modernen Bahnanlagen zu durchbrechen — etwa im Sinne der Pennſylvania-Tunnels in Neuyork oder der ebenfalls auf der Städtebauausſtellung vorgeführten Projekte der Metropolitan-Improvements-Commiſſion für Boſton oder ſchließlich im Sinne der beinah einmütig von allen Preisträgern im Groß-Berliner Wettbewerb aufgeſtellten Berliner Vorſchläge — bedeutet einen ſo gewaltigen Eingriff in das großſtädtiſche Labyrinth tauſendfach ſich kreuzender Intereſſen und ungeheuerer realer oder ſpekulativer Bodenwerte, daß es nicht nur eine große Kraftvergeudung genannt werden muß, wenn dieſer Eingriff nicht gleichzeitig auch für die Entwicklung des Lokalverkehrs nutzbar gemacht wird, ſondern daß es unter normalen Verhältniſſen (die Verhältniſſe des inſelartigen Neuyorks mit ſeinen Turmhäuſern ſind nicht normal) ſo gut wie unmöglich iſt, dieſen Eingriff zweimal an verſchiedenen Stellen zu verſuchen und zu bezahlen. Die Regelung des Stadt- und Vorortverkehrs im Anſchluß an die Regelung des Fernverkehrs kommt alſo nicht nur um ſehr viele Millionen billiger zu ſtehen, ſondern ſie wird in den meiſten Fällen auch, ganz abgeſehen von den finanziellen Möglichkeiten, die einzig durchführbare Regelung ſein [76]. Eine ſolche Regelung des Stadt- und Vorortverkehrs im Anſchluß an den Fernverkehr mußte leicht fallen und geradezu geboten erſcheinen in einer Reichshauptſtadt, für die der Staat nicht nur der Träger der verantwortungsvollen Pflichten der oberſten ſtädtebaulichen Aufſichtsbehörde, ſondern gleichzeitig der Beſitzer der Eiſenbahnen iſt. Für eine Regierung, die dem ſtädtebaulichen Geſichtspunkte die hervorragende Bedeutung beigemeſſen hätte, die ihm heute mehr und mehr zuerkannt wird, wäre es da ein leichtes geweſen, einerſeits die Gemeinden zum Bau der nötigen, die „Hauptverkehrsſtraßen" der Stadt darſtellenden Bahnen zu zwingen und andererſeits dieſen Bau zu fördern und überhaupt möglich zu machen durch planmäßig parallelgehende Maßnahmen bei der Regelung der großſtädtiſchen Fernverkehrsanlagen unter gebührender Unterordnung des fiskaliſchen Geſichtspunktes unter das höhere ſtädtebauliche Intereſſe. Infolge des Fehlens einer machtvollen ſtädtebaulichen Zentralbehörde wurde jedoch das ſtädtebauliche Intereſſe als das in dieſem Falle höhere bei der Regierung nicht vertreten und anerkannt, und obgleich Preußen in der Staatseiſenbahnverwaltung eine Behörde beſitzt, die es verſteht, verkehrspolitiſche Schwierigkeiten zur Bewunderung unparteiiſcher Sachverſtändiger zu löſen, blieben die verkehrspolitiſchen Schwierigkeiten Berlins ungelöſt. Der Mangel an den nötigen „Hauptverkehrsſtraßen“, d. h. an dem nötigen Stadtſchnell- und Vorortverkehr hat weſentlich dazu beigetragen, daß ſich das Anſiedlungsweſen Berlins mehr und mehr in einen ſtagnierenden Sumpf ohne Vorfluter verwandelt hat. Die eherne Konſequenz, zu der eine richtige Würdigung der ſtädtebaulichen Notwendigkeiten geführt und die zu einer „Blut- und Eiſenpolitik“ gezwungen hätte, wurde nicht gezogen, und ſoweit man überhaupt Konſequenzen gelten ließ, war man weit entfernt davon, die Eile für notwendig zu erachten, die bei den aus militäriſchen Gründen als notwendig erkannten Bahnbauten in Preußen ſelbſtverſtändlich geweſen war. Nur bei einem ähnlich eiligen Durchgreifen wäre es aber möglich geweſen, die „vollſtändige und tief einſchneidende, ſegensreiche, aber auch notwendige Revolution in unſerem wirtſchaftlichen und Verkehrsleben der Stadt hervorzurufen und zugleich deren Umbildung gerade in ihrem inneren Kern zu erzwingen“ [77]), die Orth in ſeiner denkwürdigen Schinkel-Feſtrede 1875 im Zuſammenhang mit der Durchführung der Stadtbahnprojekte forderte. Allerdings wurde der Stadtbahngedanke nicht ganz fallen gelaſſen. Der Staat war nämlich inſofern in hohem Maße daran intereſſiert, als „das weſtliche Ende der Stadtbahn an die damals zur Ausführung vorbereitete Staatsbahn Berlin—Wetzlar anſchließen ſollte, ſo daß auf dieſe Weiſe für die neue Bahn die Koſten des Berliner Endbahnhofes geſpart werden konnten, indem die Berlin—Wetzlarer Bahn die Zwiſchenſtationen der Stadtbahn und den öſtlichen Endbahnhof für die eigenen Betriebszwecke benutzen konnte. Die hierdurch zu erzielende Erſparnis war wegen der hohen Berliner Grundſtückspreiſe nicht unbeträchtlich“ [78]). Die Vollendung der Stadtbahn zwecks Erſparnis eines Endbahnhofes für die Berlin—Wetzlarer Bahn verlor jedoch alle Dringlichkeit vom Jahre 1877 an, weil damals der Staat die Berlin—Dresdener Bahn in Verwaltung nahm und künftighin die Berlin—Wetzlarer Züge auf dem Perſonenbahnhof der Dresdener Bahn abfertigen konnte, was vor der Verſtaatlichung wegen der hohen Forderungen der Privatgeſellſchaft unmöglich geweſen war. 1880 wurde auch die Potsdamer Bahn vom Staate angekauft und für die Einmündung der Berlin—Wetzlarer Bahn benutzt. Der Bau der Stadtbahn konnte ſomit in aller Gemächlichkeit vor ſich gehen. Bei der Wahl der Linienführung entdeckte man denn auch ſchnell zahlreiche „Hinderniſſe, die ſich im weſentlichen auf die hohen Grunderwerbskoſten und auf die großſtädtiſchen Verkehrsverhältniſſe bezogen“, Hinderniſſe, die durch durchgreifende außergewöhnliche Anſtrengungen zu überwinden vom fiskaliſchen Standpunkte aus kein zwingender Grund vorlag, und die man deshalb auf dem Wege langwieriger Verhandlungen zu beſiegen vorzog. „Eine annähernd geradlinige Verbindung der beiden in Ausſicht genommenen Endbahnhöfe wäre über die Michaelbrücke hinweg am Spittelmarkte vorbei parallel zur Leipziger Straße und durch die zwiſchen Tiergarten und Landwehrkanal gelegene Vorſtadt hindurch am Südrande des Zoologiſchen Gartens entlang möglich geweſen. Dieſe Führung hätte nicht nur die Bahnlänge gegenüber der ausgeführten Linie um 20% abgekürzt, ſondern auch in höherem Maße die Hauptverkehrsadern der Stadt dem Bahnverkehr erſchloſſen. Aber die hohen Grunderwerbskoſten machten dieſe Linie unausführbar. Es mußte vielmehr ein Weg ausfindig gemacht werden, der die dichtbebauten Häuſerviertel tunlichſt vermied“ [79]), d. h. alſo, der den Zweck der Stadtbahn als Mittel des Stadt-Schnellverkehrs unvollkommen erfüllte. Von dem von Orth vorgeſchlagenen Mittel, die Verſchiebung der Bodenwerte, die vom Bau der Stadtbahn ſicher zu erwarten war, für die Finanzierung des Unternehmens dienſtbar zu machen, wurde nur in geringem Umfange angewendet[80]). Die kürzere und verkehrstechnisch richtige Linie wurde geopfert und das Streben, mühelos und billig zu bauen, führte zu einem Schritt, dessen verhängnisvolle Bedeutung für das architektonische Äußere der Reichshauptstadt ebenso außerordentlich ist wie die Gleichgültigkeit, mit der er von den Bewohnern Berlins bis auf den heutigen Tag hingenommen ist: der Bau der Stadtbahn wurde zum Anlaß der Okkupierung des Königsgrabens in einer Form, die Aug. Orths Projekt schwer schädigte. Der Königsgraben war ein Stück altes Berlin, ein durchschnittlich 40 Meter breiter Streifen Wassers (mit den angrenzenden Gärten, Höfen und Lagerplätzen zwei- bis fünfmal so breit), ein fast 2 km langes Stück alter Befestigung aus der Zeit des Großen Kurfürsten, eine Möglichkeit repräsentativen Städtebaues ersten Ranges. Wenige Jahre vorher hatte in Wien Kaiser Franz der staunenden Welt ein Beispiel gegeben, wie derartige alte Festungsanlagen für eine moderne Großstadt würdige Verwendung finden können. Die Wiener Ringstraße war zum Stolz der alten Kaiserstadt geworden, und bei der Geldfülle, die nach dem deutsch-französischen Kriege in Preußen in den staatlichen Kassen herrschte, war um so weniger Grund vorhanden, daß die junge Kaiserstadt Berlin bei der Verwertung alten Festungsgeländes hinter Wien zurückstehen sollte, als das in Berlin noch in Frage kommende Gelände verhältnismäßig klein war. August Orth hatte darum auch im Zusammenhang mit seiner anderen Lieblingsidee, der Durchlegung der Kaiser-Wilhelm-Straße, ganz besondere Hoffnungen auf die Regulierung des Königsgrabens gesetzt. „Diese Regulierung," schrieb Orth 1873, „wird zweckmäßig in der Weise erfolgen, daß er zu einer breiten mit Bäumen bepflanzten und mit Statuen, Brunnenanlagen usw. besetzten Schmuckstraße umgestaltet würde. Dieselbe würde in der Mitte auf einem Bogengange die Stadtbahn aufnehmen können, wenn man nicht vorzieht, dieselbe von der Straße entfernt anzulegen. Jedenfalls würde beim Zuwerfen des Königsgrabens und dessen Regulierung zu einer breiten Straße für die Nachbargrundstücke eine sehr bedeutende Wertsteigerung entstehen, welche mit Zuschütten und Regulierung auf 6—9 Millionen Mark anzunehmen ist. Dieselbe sollte billigerweise weder den Adjazenten noch der Stadtbahn geschenkt, sondern für weitere Stadtregulierungszwecke bestimmt werden." „Jedenfalls würde es vollständig unzulässig sein, durch eine Lage, welche der Stadtbahn eine teilweise unentgeltliche Benutzung des Königsgrabens zu gestatten scheint, jeder ferneren Regulierung in den Weg zu treten, so wie auch der Anschlag des Unternehmens auf solche unentgeltliche Benutzung nicht basiert ist. Es ist zunächst ein hervorragendes städtisches Interesse, an dieser Stelle, wo es durch die Verhältnisse so sehr erleichtert ist, vorzugehen, aber es scheint zurzeit das Verständnis für diese Fragen sowie der nötige Wille zu fehlen."[81]) Statt daß man nun den Graben regulierte und obendrein noch die 6—9 Millionen dabei herauswirtschaftete, wurde die Sache verschleppt in einem Hin und Her zwischen dem Handelsministerium und dem Berliner Magistrat, das von Mai 1875 bis März 1879 dauerte und wobei sich die beiden Instanzen gegenseitig Rechnungen schickten — die neue Kanalisation wurde hineingemischt und schließlich ein allseitiges Defizit errechnet. Aus der von Orth erträumten Schmuckstraße wurde die 19 m breite Dirckfenstraße, mit ihren zum Teil heute noch unbebauten Lagerplätzen[82]). Zur Beurteilung des Verlustes, den Berlin im Königsgraben erlitten hat, vergegenwärtige man sich einen Augenblick, was ein vornehmer Straßenzug im Charakter der Linden und im Anschluß an die Linden und die Museumsinsel, im Zuge der heutigen Stadtbahn bis zum

> Die ſachgemäße Befriedigung aller Erforderniſſe durch den Stadtplan gehört zu den ſchwierigſten und verwickeltſten Aufgaben, die dem Techniker geſtellt ſind. Erwünſcht wäre es, daß die Aufgabe von einer Stelle bearbeitet und gelöſt würde, oder daß wenigſtens die beteiligten Behörden und Geſellſchaften ihre Bedürfniſſe und Wünſche offen mit einander austauſchten. Aber die einſeitige Vertretung der entgegenſtehenden Intereſſen und eine mitunter beobachtete, allzu große Fiskalität führen oft einen Zuſtand herbei, in welchem die Intereſſen ſich auf das lebhafteſte bekämpfen, bis ſchließlich ein Ausgleich erzielt wird, der ohne den Zeitverluſt von vornherein vollkommener und befriedigender möglich geweſen wäre. Es iſt dies ein mit vielfachen Mißſtänden verknüpfter, wunder Punkt des Städtebaues, an deſſen Beſeitigung einzelne Perſonen vergeblich ſich abmühen, deſſen Heilung eine dankbare und weittragende Aufgabe der höchſten Gewalten im Staatsleben ſein würde.
>
> J. Stübben (in „Der Städtebau" 1890).

Märkiſchen Muſeum (und an die dort jetzt im Bau befindlichen Uferſtraßen der Spree anſchließend) für das öſtliche Berlin und überhaupt für die ganze Altſtadt bedeutet hätte, und man vergleiche damit die heutige Dirckſenſtraße. Eine Metropole braucht eine Reihe von erleſenſten Geſchäftslagen, ohne die ihre Luxusindustrien ihre Erzeugniſſe nicht vorteilhaft präſentieren können. Die Erkenntnis der Möglichkeiten, wo ſolche Geſchäftslagen von internationaler Konkurrenzfähigkeit geſchaffen, gepflegt, konzentriert werden können, gehört zu den ganz ſchwierigen Aufgaben des Städtebaues. Möglichkeiten für ſolche ererleſenen Geſchäftsſtraßen, die, wenn ſie gefunden werden, mit Gold nicht aufzuwiegen ſind, gibt es auch in den Weltſtädten nur ganz wenige und die private Unternehmung braucht zu ihrer Ausnutzung der verſtändnisvollen Mitarbeit der ſtädtebaulichen Behörden. Da in Berlin vonſeiten der Behörden keine Schritte getan wurden, die Ausmünzung der großen ſtädtebaulichen Möglichkeiten der aufblühenden Geſchäftsſtadt zu unterſtützen, haben die Verſuche der privaten Unternehmung dem wachſenden Bedürfnis nach guten Geſchäftslagen mit Anlagen wie die Beuthſtraße, die beiden Paſſagen oder das Berliner Palais Royal entgegenzukommen (vgl. S. 32), zum Teil große Enttäuſchungen gebracht. Man vergegenwärtige ſich, welche verkehrsauffaugende Fähigkeit eine wirklich große Straße im Zuge des Königgrabens als ganz kurze, das Zentrum entlaſtende Ringſtraße, als geradezu idealer „périmètre de rayonnement" im Sinne des franzöſiſchen Verkehrstheoretikers Hénard gehabt hätte. Man vergegenwärtige ſich ferner, welche ſchweren Schäden der heilige Bezirk der Muſeumsinſel und der benachbarte Monbijoupark durch die Stadtbahn erlitten hat[83]). Man denke auch daran, daß das in Frage kommende Gelände des Königsgrabens urſprünglich Berliner Gemeindeland war, das vom Großen Kurfürſten nur zum Teil durch Kauf, zum großen Teil aber durch Okkupation erworben wurde[84]) und das ſomit nach Aufhebung der Befeſtigung nicht wie gewöhnlicher Boden der Bebauung hätte erſchloſſen werden dürfen. Das Intereſſe für ſtädtebauliche Fragen war aber in Berlin bis vor kurzem ſo gering, daß es auch heute noch ſelbſt unter den Gebildeten Berlins viele gibt, denen die Tatſache gänzlich unbekannt iſt, daß die Linienführung der Stadtbahn durch die Dirckſenſtraße ein Denkmal des vergeſſenen Königsgrabens iſt.

Auch abgeſehen vom Königsgraben wurden die großen von Orth erkannten Möglichkeiten, die Berliner Innenſtadt im Zuſammenhange mit dem Bau der Stadtbahn durchgreifend zu regulieren, nicht ausgenutzt.

Aus den verſchiedenen geſchilderten Gründen dauerte es elf Jahre, bis die Eröffnung der heutigen Stadtbahn eine teilweiſe Ausführung des Orthſchen Zentralbahngedankens brachte. Die Nord-Südverbindung zwiſchen Stettiner,

Lehrter, Potsdamer, Anhalter, Görlitzer Bahnhof, die Orth ſowohl, wie zu einem gewiſſen Grade wenigſtens, auch Hartwich (vgl. Abb. 44), der von Orth hochgeſchätzte erſte Leiter der Deutſchen Eiſenbahn-Bau-Geſellſchaft, ins Auge gefaßt hatten, iſt unterblieben bis heute, wo ſie von allen Preisträgern im Groß-Berliner Wettbewerb aufs neue gefordert wird.

Um zu ermeſſen, welch brennendem Bedürfnis auch der, nur eine teilweiſe Ausführung der Orthſchen Gedanken darſtellende, Bau der heutigen Stadtbahn abgeholfen hat, muß man leſen, in welchen oft geradezu rührenden Ausdrücken der Begeiſterung ſich die Zeitgenoſſen nach der Eröffnung über dieſe „großſtädtiſche Einrichtung“ gefreut haben. Dieſe Ausdrücke der Anerkennung, ebenſo wie der Stolz, mit der auch die Stadtbahn heute noch behandelt wird, dürfen nicht darüber hinwegtäuſchen, daß die verzögerte und teilweiſe ganz verſäumte Ausführung der Orthſchen Ideen eine der folgenſchwerſten Verſäumniſſe in der Geſchichte des Berliner Städtebaues darſtellt. Glücklicherweiſe treten dieſe über das künftige Schickſal einer Stadt entſcheidenden Augenblicke nicht nur einmal unwiederbringlich auf. Berlin erlebte einen ähnlichen Augenblick 1 – $1^{1}/_{2}$ Jahrzehnt ſpäter, etwa im Jahre 1895, als mit der Einführung des elektriſchen Betriebes auf den Pferdebahnen die Schaffung langer Durchgangslinien nach und zwiſchen den Außenbezirken und Vororten ermöglicht wurde. Auch damals bot ſich die Möglichkeit zu einem großartigen wohnungsreformatoriſchen Eingreifen, wenn der Ausbau des Straßenbahnſyſtems zum Inſtrument einer großſtädtiſchen Bodenpolitik nach höheren ſtädtebaulichen Grundſätzen erfolgt wäre, wie man Verwandtes bei den großen Trambahnbauten des Londoner Grafſchaftsrates geſehen hat. Aber dieſer wichtige Augenblick wurde ebenfalls verſäumt; die Zahl der ausgeführten Durchgangslinien blieb gering — man vergleiche ihre Zahl mit den in der Umgebung amerikaniſcher Städte (vgl. Abb. 52 u. 53) vorhandenen Linien — und auch die wenigen wurden nicht zu Inſtrumenten kommunaler Bodenpolitik. Zum drittenmal trat eine ähnlich entſcheidungsvolle Stunde an Groß-Berlin heran in dem Augenblick, wo die Stauung im Schnellverkehrsweſen, unter der Berlin leidet, ſo ſtark geworden war, daß es ſogar für private, auf finanziellen Reingewinn angewieſene Geſellſchaften, die ihre Linien ganz ſelbſtändig, d. h. ohne die verbilligende Unterſtützung gemeinſam vorgehender Fernbahnlinien, durch das großſtädtiſche Labyrinth durchbringen müſſen, rentabel wurde, ſolche Linien zu bauen. Dieſe Stunde kam in Berlin ſehr viel ſpäter, als ſie z. B. einſt in London gekommen war. Die großſtädtiſchen Schnellverkehrsunternehmungen nämlich, die einſt — in der erſten Schnellverkehrsbegeiſterung — in anderen Städten gebaut worden waren (namentlich in London; aber auch die Berliner Stadtbahn iſt ja urſprünglich nicht als gemeinnütziges, ſondern als rentables Unternehmen gebaut worden), haben bittere finanzielle Enttäuſchungen gebracht, und in Berlin wußte man mit den gemachten Erfahrungen zu rechnen. Das Eintreten dieſes Augenblicks, in dem ſelbſtändige Stadtſchnellbahnen in Berlin rentabel werden, iſt noch weiter ver-

Abb. 52. Berlin und ſeine elektriſchen Trambahnen **im ſelben Maßſtabe** wie nebenſtehender Plan von Boſton (Abb. 53). Reduziert nach Abb. 55. Die Bahnen kleben an dem für Hochbau beſtimmten Gebiet.

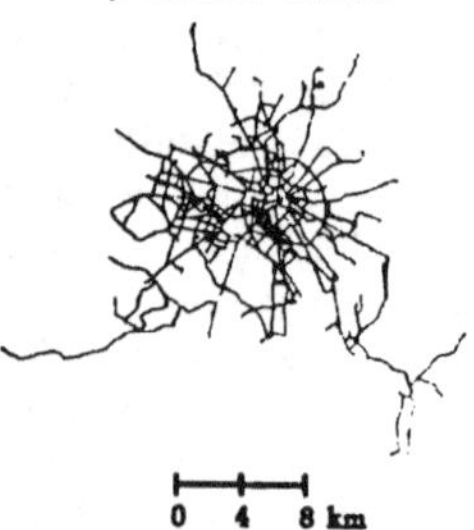

Die Trambahn im Dienſte der Mietkaſerne.

Abb. 53. Von der Internationalen Städtebau-Ausſtellung Düſſeldorf.
Ausſteller: Werner Hegemann, Berlin.

Boſton und ſeine elektriſchen Trambahnen (dargeſtellt durch die ſchwarzen Linien), die die Umgebung Boſtons dem Perſonen- und Güterverkehr in Konkurrenz mit den Dampf-Eiſenbahnen erſchließen. Die Trambahnen fahren außerhalb der Ortſchaften mit der Schnelligkeit von Schnellbahnen.

Die Trambahn im Dienſte des Kleinhauſes.

zögert worden durch den plötzlich Groß-Berlin wie ein Rauſch befallenden Wunſch, alle Schnellbahnen unterirdiſch zu führen, ſo daß noch größere Summen zu verzinſen ſind, d. h. daß ein noch größerer Notſtand abgewartet werden muß, bevor eine Bahn rentabel werden kann. Aber auch dieſe Stunde iſt für Berlin ſchließlich gekommen. Sie iſt noch nicht ganz verſtrichen; aber die über ein Jahrzehnt hingezögerten Verhandlungen über dieſe oder jene Schnellbahnlinie wiederholen das beim Bau der Stadtbahn erlebte Bild. Lange bevor der erſte Spatenſtich für eine ſolche Linie getan wird, ſieht man die Terraingeſellſchaften im Süden und Norden bereits mit dieſer Linie kalkulieren, d. h. ihre Wirkungen eskomptieren, als ſei ſie ſchon gebaut. Wenn die Linie dann wirklich einmal gebaut wird, iſt garnicht daran zu denken, daß ſie eine den Bodenpreis verringernde Wirkung hat. Was Männer wie V. A. Huber, Julius Faucher, von Carſtenn-Lichterfelde und Auguſt Orth hatten ſchaffen wollen, waren engliſche Verhältniſſe, wo der Boden ſo billig iſt, daß gar niemand daran denkt, ſo hoch zu bauen, als die Polizei es gerade eben noch geſtattet. Was dagegen erreicht wird bei der ſtagnierenden Berliner Verkehrspolitik (kumuliert durch die Übelſtände des Steuer-, Bauordnungs- und -Bebauungsplanweſens, durch die Bodenkreditverhältniſſe und durch die Anſpruchsloſigkeit der Bevölkerung in ihren Wohnungsbedürfniſſen), ſind Bodenpreiſe, bei denen auch die denkbar höchſte Ausnutzung des von der Polizei Geſtatteten doch noch mit der Gefahr der Unrentabilität rechnen muß. An der richtigen Ausmünzung der Möglichkeiten, die der ſchnelle und zielbewußte Ausbau des Groß-Berliner Schnellverkehrsſyſtems bietet, hängt die letzte Hoffnung auf viele Jahrzehnte hinaus, aus Berlin eine weiträumig gebaute, geſunde Stadt zu machen. Die verantwortungsvolle Aufgabe, dieſe Hoffnung zu erfüllen, fällt in ihrer ganzen Schwere auf den jungen Groß-Berliner Zweckverband oder ſeinen Rechtsnachfolger.

Im Zuſammenhang mit Orths Zentralbahnprojekten verdient hier eine Schrift genannt zu werden, die ſich an Orths Vorſchläge anſchließt, und die den hochverdienten Statiſtiker der Stadt Berlin, Dr. Schwabe, zum Verfaſſer hat. Dieſe Schrift: „Berliner Südweſtbahn und Zentralbahn, beleuchtet vom Standpunkte der Wohnungsfrage und der induſtriellen Geſellſchaft“ [86]), iſt nicht von einem Verkehrstechniker geſchrieben, ſie enthält aber bereits die in ſo unwiderleglicher Weiſe die Berliner Verkehrsmängel aufdeckenden übereinander gelegten Verkehrspläne von London und Berlin, wie die Städtebauausſtellung ſie ähnlich, wenn auch in verbeſſerter und darum draſtiſcherer (draſtiſcher heute noch trotz der verfloſſenen 39 Jahre!) Ausführung dem modernen Verkehrspolitiker Kemmann verdankte (vgl. Abb. 45).

Es genügt aber nicht, Auguſt Orth als Seher in verkehrspolitiſchen Fragen zu würdigen. Es muß vielmehr anerkannt werden, daß in ſeiner „Denkſchrift über die Reorganiſation der Stadt Berlin“ (1873) im neuzeitlichen Berliner Städtebau zum erſtenmal ein weitblickender Künſtler auf den Plan tritt. Das von ihm aufgeſtellte, geradezu prophetiſche Programm für die Regulierung der Stadt Berlin wurde (dank des Entgegenkommens des Bruders des Verſtorbenen, Geh. Rats Albert Orth) auf der Städtebauausſtellung im Plane vorgeführt (vgl. Abb. 43). Außer der ſchon erwähnten Regulierung des Königsgrabens im Zuſammenhang mit der Durchlegung der Kaiſer Wilhelmſtraße ſind die von ihm geforderte Verlängerung der Charlottenſtraße (von Dorotheenſtraße bis Spree), die Faſſung des Königsplatzes in öffentliche Gebäude, die Regulierung des linken Spreeufers vom Packhofe bis zum Königsplatz, die Bismarckſtraße in

Abb. 46 u. 47. Ausſteller: Regierungsrat a. D. Kemmann, Berlin.

Berlin.
Tagliche Fahrtenzahl 850000.

London.
Tagliche Fahrtenzahl 3050000.

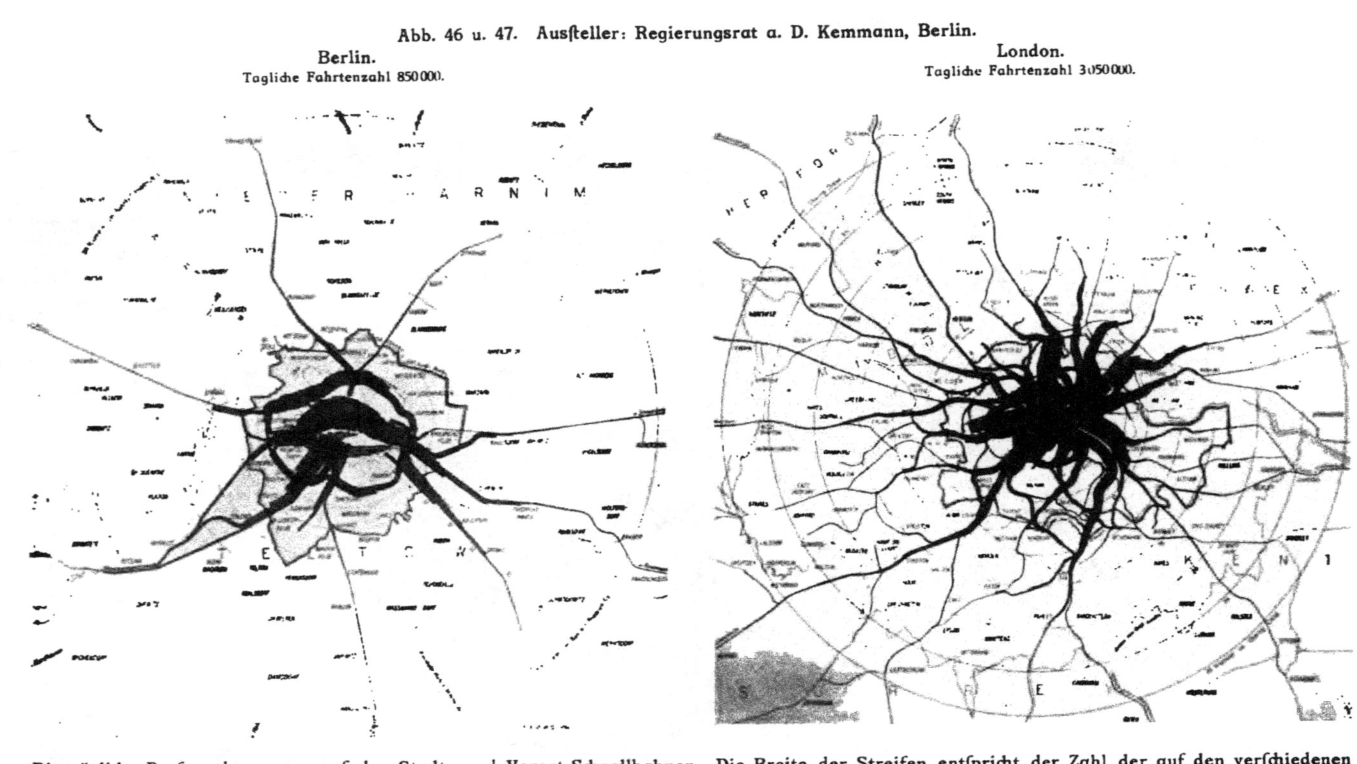

Die tägliche Perſonenbewegung auf den Stadt- und Vorort-Schnellbahnen Die Breite der Streifen entſpricht der Zahl der auf den verſchiedenen Bahnſtrecken in beiden Richtungen beförderten Perſonen. Dieſe Nebeneinanderſtellung zeigt faſt noch deutlicher als Abb. 45, daß auch unter Berückſichtigung der größeren Einwohnerzahl in London der Schnellverkehr in ungleich größerem Maße entwickelt iſt als in Berlin. In London ſpringt in die Augen 1. die Maſſenhaftigkeit des Schnellverkehrs in die innere Stadt und 2. die durchgreifende Aufſchließung eines äußeren Wohngebietes mit einem Halbmeſſer von über 15 km durch radiale Schnellbahnen.

Abb. 48. Tiefbau-Deputation und Verkehrs-Deput

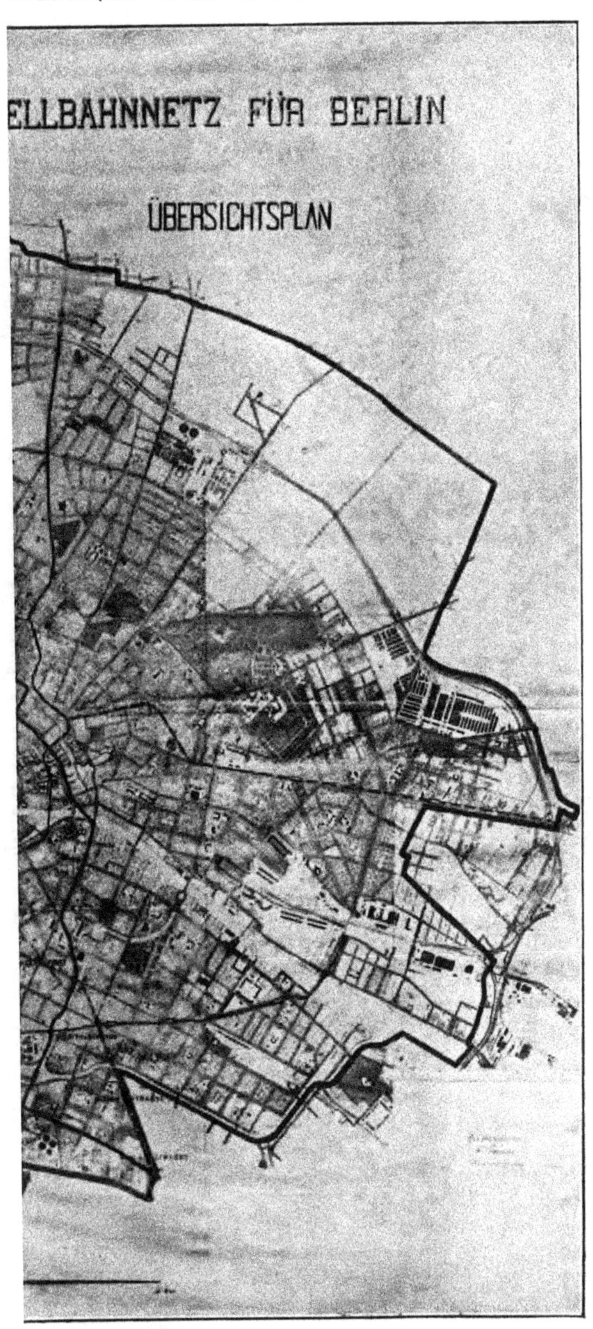

Der innerhalb des Weichbildes d. Stadt Berlin gelegene Teil des für Berlin projektierten Schnellbahnnetzes.

Die großen techniſchen u. finanziellen Schwierigkeiten des Baues der verſchiedenen Linien liegen innerhalb des Weichbildes. Die wohnungspolitiſche Bedeutung der Linien dagegen beginnt außerhalb der Grenze des Weichbildes und beruht auf der ſchnellen Verbindung zwiſchen dem Herzen der Stadt (Geſchäftsſtadt, City) mit zahlreichen Außengebieten, die einer weiträumigen Beſiedelung fähig ſind.

Abb. 49. Aussteller: Ministerium der öffentlichen Arbeiten (Staatseisenbahnverwaltung).

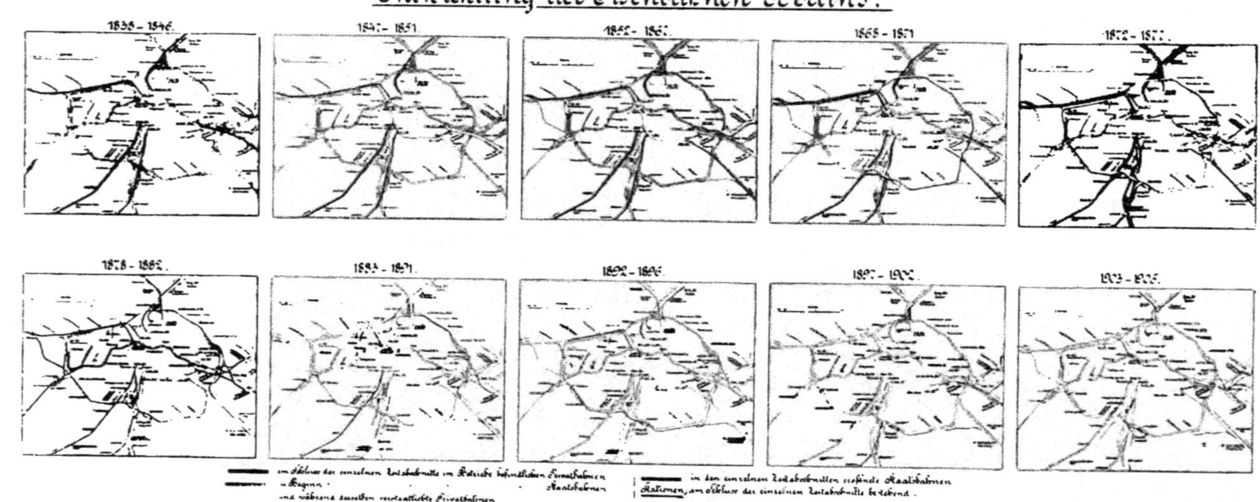

es kennzeichnet daher nur die farbige Darstellung die in jedem Zeitabschnitt vorhanden gewesenen Eisenbahnlinien und Stationen.

1838 Vollendung der Berlin-Potsdamer Eisenbahn. 1841 Vollendung der Anhalter Eisenbahn. 1842 Vollendung der Berlin-Stettiner Bahn. 1846 Vollendung der Berlin-Hamburger Eisenbahn. 1850 Übergang der Niederschlesisch-Märkischen Eisenbahn in Staatsverwaltung. 1851 Eröffnung der staatlichen Verbindungsbahn zwischen Stettiner, Hamburger, Potsdamer, Anhalter und Frankfurter Bahnhof. 1852 Verstaatlichung der Niederschlesisch-Märkischen Eisenbahn. 1866 Vollendung der Berlin-Görlitzer Bahn. 1867 Vollendung der Ostbahnstrecke Berlin-Cüstrin. 1871 Vollendung der Berlin-Lehrter Eisenbahn. Eröffnung des nördlichen, östlichen und südlichen Teils der staatlichen Ringbahn Moabit-Schöneberg. 1875 Vollendung der Berlin-Dresdener Eisenbahn. Vollendung der Militärbahn Berlin-Zossen. Gesetz betreffend Ankauf und Vollendung der Berliner Nordbahn. 1877 Vollendung der westlichen Reststrecke der Ringbahn. Übergang der Berlin-Dresdener Eisenbahn in preußische Staatsverwaltung. 1879 Verstaatlichung der Lehrter und Stettiner Bahn. 1880 Verstaatlichung der Berlin-Potsdam-Magdeburger Bahn. 1882 Verstaatlichung der Berlin-Görlitzer und der Berlin-Anhalter Eisenbahn. Eröffnung des Betriebs auf der Berliner Stadteisenbahn. 1883 Schließung des Dresdener Bahnhofs. 1884 Verstaatlichung der Berlin-Hamburger Eisenbahn. Schluß des Hamburger Bahnhofs für den Personenverkehr. 1891 3. und 4. Gleis Berlin-Zehlendorf (neue Wannseebahn). 1883—1906 weiterer Ausbau der Ringbahn und der Vorortbahnen.

Charlottenburg, die Anlage von (nötigenfalls unterwölbten) Uferſtraßen an der Spree, die Entwicklung der Radialſtraßen und vieles andere Forderungen, die ſpäter erfüllt worden ſind oder heute von den berufenſten Beurteilern wiederholt werden. Das feine Verſtändnis Orths für große Achſen kommt zum Ausdruck in folgender Forderung: „Die Kreuzung der Achſen für die Große Friedrichſtraße und die Prinzenſtraße auf der Höhe über der Haſenheide würde zweckmäßig der Mittelpunkt eines Kirchturms oder eines anderen hervorragenden Baukörpers ſein, *auch wenn man die Große Friedrichſtraße nicht bis dahin durchführt, eventuell die Richtung derſelben nur noch am Bergabhange wiederkehrt.*“

Ganz beſondere Ehre verdient ſchließlich Orths organiſatoriſcher Scharfblick in Städtebaufragen. Er hat im Jahre 1873 die ſpäter von ihm immer aufs neue wiederholte Forderung nach einer ſtädtebaulichen Zentralbehörde und nach einem ſie beratenden Sachverſtändigenbeirat aufgeſtellt – und wer ihn perſönlich kannte, kann berichten, daß dieſe Forderung („Immediatkommiſſion mit dem Kronprinzen an der Spitze“) für Orth ein wahres Ceterum censeo geworden iſt. Folgendermaßen drückte ſich Orth 1873 betreffs des ſtädtebaulichen Sachverſtändigenbeirats aus: „Es würde jedoch für dieſe die ganze Zukunft Berlins auf lange Zeit beſtimmende wichtige Frage nur dann etwas Weſentliches erreicht werden, wenn eine freie Kommiſſion weſentlich aus höheren Beamten der Miniſterien und anderen Kapazitäten zuſammengeſetzt würde, um die einſchlagenden Fragen für eine Entſcheidung der Miniſterien, teils durch Sammlung des nötigen Materials, teils durch detaillierte Beſprechungen vorzubereiten. Eine ſolche freie Kommiſſion, in der die Reichs- und Staatsbehörden, welche mit der Frage in Berührung ſtehen, ſowie die Kommunalbehörden vertreten ſein würden, wo unabhängige, mit dieſen Fragen vertraute Perſonen nach vielen Richtungen das den Behörden zur Verfügung ſtehende reiche Material ergänzten (Sachverſtändigenbeirat!), könnte für die ganze Stadtentwicklung und das Wohl vieler Bevölkerungsklaſſen von unberechenbaren günſtigen Folgen werden, auch im Prinzip eine raſche Entſcheidung möglich machen. Bei den vielen einſchlägigen Reſſorts würde eine *Erledigung in dem reſſortmäßigen Wege zu viel Zeit koſten* und viele Hinderniſſe finden, welche bei einer vorhergehenden Enquete vorausſichtlich wegfielen.“

Dieſe „freie Kommiſſion“ ſollte einer „beſonderen Verwaltung für Verſchönerung und Umgeſtaltung der Stadt“ zur Seite ſtehen, zu deren hauptſächlichen Aufgaben Orth auch die einheitliche Verwaltung alles ſtädtiſchen und ſtaatlichen Grundbeſitzes einſchließlich des Tiergartens, Grunewalds, der Jungfernheide und der Forſten in der Richtung auf Köpenik nach ſtädtebaulichen, ſtatt nach fiskaliſchen Grundſätzen rechnete. Auch dieſe für den Städtebau hochbedeutſame Forderung iſt bis auf den heutigen Tag unerfüllt geblieben. Ein Teil ihrer Durchführung, die Verwaltung der Wälder in großſtädtiſchem Intereſſe, wird dem Groß-Berliner Zweckverband zufallen. Der für die Gruppierung der öffentlichen Gebäude wichtige Teil iſt neuerdings von Otto March und dem Zwölferausſchuß für die bauliche Entwicklung Groß-Berlins aufs neue aufgenommen und in Eingaben an die einſchlägigen Behörden vertreten worden, nachdem bereits im Jahre 1898 die Königliche Akademie des Bauweſens dieſelbe Forderung, wieder vergeblich, wiederholt hat (vgl. S. 76). Ebenſo wie Ort betonte die Akademie, daß die für die Geſamterſcheinung der Stadt ausſchlaggebende Gruppierung der öffentlichen Gebäude *nicht dem ein-*

ſeitigen Entſchluß der verſchiedenen Behörden überlaſſen werden darf, ſondern daß eine vorherige Verſtändigung zwiſchen den verſchiedenen Intereſſenten dringend not tut. Es iſt damals dieſer Anregung folgend auf dem Miniſterium der öffentlichen Arbeiten der „Beſitznachweis der öffentlichen Grundſtücke“ (Abb. 42) gezeichnet worden. Zu einer dauernden Verſtändigung iſt es jedoch nicht gekommen. Das Gutachten der Akademie[86]) iſt gerade im Zuſammenhang mit Orth auch deshalb intereſſant, weil es einem Punkte im Berliner Stadtbild beſondere Bedeutung beimißt, der gerade auch für Orth ein Kardinalpunkt war: es iſt das der Mühlendamm. Über die ſtädtiſchen Verwaltungsgebäude am Mühlendamm, über die die Akademie in ihrem Gutachten ſagt, daß „ſie in beklagenswerter Weiſe den Blick in beide Richtungen des Spreelaufs verſperren“, zirkuliert die ſehr nette, wenn auch unverbürgte Anekdote, daß unſer jetziger Kaiſer bei ihrem Bau ſehr treffend ausgerufen haben ſoll: „Jetzt haben wir mal glücklich in Berlin einen freien Durchblick, da bauen ſie mir gleich eine Brauerei hin!“ Auguſt Orth hätte Sr. Majeſtät ſicher beigepflichtet; er hätte vielleicht noch folgende Worte hinzufügen dürfen, die er 1873 in ſeiner „Denkſchrift“ niedergelegt hat: „Als ganz beſonders nachteilig für die Entwicklung Berlins iſt der großenteils planlos erfolgende Verkauf fiskaliſcher Grundſtücke hervorzuheben, wodurch eine einheitliche Regulierung und Reorganiſation der Stadt fortwährend mehr erſchwert und fortwährend die Koſten derſelben geſteigert werden. So ſind neuerdings wieder die Königlichen Mühlen am Mühlendamm in Privatbeſitz übergegangen, und doch würden beide auf eine Regulierung der Stadt von großem Einfluß ſein können. Dieſelben hätten hier nie in Privatbeſitz übergehen dürfen, ſind außerdem für eine Straßenregulierung an dieſer Stelle unentbehrlich. Es läßt ſich die Notwendigkeit der Wiedererwerbung im Intereſſe der Spreeregulierung vorausſehen.“ „Der Staat hat durch ſeine Geſetzgebung ſo lange die Entwicklung großer Städte zurückgehalten, daß er dieſelbe auf dieſe Weiſe für Berlin nicht hätte ſchädigen ſollen.“ In der Tat, die vielbeanſtandeten ſtädtiſchen Verwaltungsgebäude ſtehen auf uraltem königlichen Boden. Die Stadt hat ihn teuer von der privaten Spekulation zurückerwerben müſſen, der er vom Fiskus in den Gründerjahren in recht zyniſcher Weiſe überantwortet wurde, nachdem die Stadt, im Vertrauen auf die Unveräußerlichkeit dieſes über einem öffentlichen Waſſerlaufe gelegenen Grundſtücks, den Ankauf abgelehnt hatte. Ein beſſerer Beleg für die Notwendigkeit einer einheitlichen Verwaltung alles ſtädtiſchen und ſtaatlichen Grundbeſitzes kann wohl kaum gefunden werden.

Die Zwölfergruppe für die bauliche Entwicklung Groß-Berlins hat gelegentlich der Verhandlungen im Landtag über das Groß-Berliner Zweckverbandgeſetz ihren Einfluß vergeblich geltend machen müſſen für den von Orth herbeigewünſchten ſtädtebaulichen Sachverſtändigenbeirat, von deſſen über den Parteien ſtehendem uneigennützigen Wirken dem Groß-Berliner Städtebau unſchätzbarer Segen erwachſen wäre[87]).

Der Gedanke der ſtädtebaulichen Zentralbehörde wurde nach Orth bereits im Jahre 1876 aufs neue betont in der ebenfalls in Berlin erſcheinenden Schrift Profeſſor R. Baumeiſters: „Stadterweiterungen“ — die nicht nur in Deutſchland, ſondern wohl überhaupt — als das erſte zuſammenfaſſende Werk über den modernen Städtebau gilt. Unter Hinweis auf Wien und London führte ſchon damals der Altmeiſter unter den Städtebauern folgendes aus:

„In großen Städten, wo das Stadterweiterungs-Geſchäft niemals aufhört, und wo zahlreiche Behörden und Korporationen mitzuſprechen haben, *ſollte für eine zweckmäßige Organiſation geſorgt werden*, um alle vorkommenden Konflikte raſch und glatt zu erledigen. Dies bezieht ſich ſowohl auf die erſte Feſtſtellung des allgemeinen Planes, als auf Privat-Unternehmungen, welche gewiſſe Beſtandteile davon weiter ausbilden, eventuell abändern wollen. So wurde in den letzten Jahren zu Berlin oft darüber geklagt, welchen Zeitverluſten Baugeſellſchaften ausgeſetzt wären, die ein eigenes und an ſich nicht unzweckmäßiges Projekt in den Bebauungsplan einzufügen gedachten. Der Geſchäftsgang von 6—10 zuſtändigen Verwaltungsbehörden, die Verhandlung über die von denſelben zu ſtellenden Vorbedingungen, und die Beteiligung verſchiedener Faktoren an den Koſten hat derartige Unternehmungen *jahrelang verſchleppt*, alſo den Urhebern einer dem öffentlichen Wohl an ihrem Teil nützlichen Anlage endloſe Schwierigkeiten, ja unter Umſtänden unberechenbaren Schaden verurſacht*). Bei dem beſten Willen der betreffenden Perſönlichkeiten muß die Erledigung umfaſſender Projekte unter ſo vielen konkurrierenden Behörden auf dem gewöhnlichen amtlichen Wege viel Zeit und Mühe koſten, und wo gar amtliche Rivalität ſtattfindet, die umfaſſende Behandlung von Fragen, welche nicht einſeitig zu erledigen ſind, *unmöglich* ſein. In vielen Sachen wird namentlich der Einfluß der Gemeinde in Fragen, welche ihr eigenſtes Intereſſe berühren, faſt verſchwindend. *Den unbegreiflichſten Beleg dafür liefert die Tatſache, daß die Staatsverwaltung weder bei den Vorverhandlungen noch jemals ſpäter den Verſuch gemacht hat, die Gemeinde Berlin zu einer Beteiligung bei der Stadteiſenbahn heranzuziehen*, einem Unternehmen, welches doch für die Entwicklung der Stadt von der einſchneidendſten und mannigfaltigſten Bedeutung iſt.

Das Aufſichtsrecht, welches die Behörden in Fragen der Stadterweiterung mit Recht in Anſpruch nehmen, würde offenbar keineswegs geſchmälert, wenn für dieſe wichtige Angelegenheit in Großſtädten *eine eigene Zentralbehörde* beſtände, welche alle einſchlagenden Gegenſtände in die Hand nimmt, und nach Anhörung der beteiligten Behörden und Privaten endgültig erledigt. Hierbei wäre ſelbſtverſtändlich die gebührende Mitwirkung der Gemeinde zu ſichern. Bei der Gemeindeverwaltung könnte dann auch eine Menge von Kommiſſionen für einzelne Fragen der Stadterweiterung in Wegfall kommen, welche gewöhnlich viel Zeit zum Beraten und Beſchließen verwenden und wegen unvollſtändiger Fühlung untereinander und mit den Staatsbehörden wenig erreichen. Auch die Korporationen der Technik, der Induſtrie und des Handels wären in einer ſolchen Zentralbehörde zu vertreten. Die Gegenſtände der Stadterweiterung greifen ſo ſehr ineinander, daß kaum ein Schritt zum Entwurf gemacht werden kann, ohne alle gleichzeitig zu berückſichtigen. Schon die Aufſtellung der leitenden Grundſätze für ſämtliche Verkehrsmittel, für öffentliche Gebäude und Anlagen, für die Kanaliſierung, noch mehr die Anwendung derſelben auf den gegebenen Ort und die Vergleichung entgegenſtehender Projekte könnte, ja *kann allein in einer Zentralbehörde richtig, leidenſchaftslos und raſch erledigt werden*. Vorbilder für eine ſolche Organiſation finden ſich in Wien und in London[88]).

Dieſe von den beſten Sachverſtändigen der Zeit rechtzeitig und nachdrücklich aufgeſtellten klaren Forderungen wurden jedoch in Berlin nicht durchgeführt. Ebenſowenig wirkten die Erfahrungen und Lehren anderer Weltſtädte. In London war 1856 im Metropolitan Board of Works und ſeit 1888 in ſeinem vollkommeneren Rechtsnachfolger, dem Londoner Grafſchaftsrat, eine ſtädtebauliche Zentralbehörde geſchaffen worden, in Wien hatte 1857 das großartige Vorgehen des Kaiſers und die von ihm einberufene Immediatkommiſſion für den monumentalen Städtebau ein wahrhaft auguſtiniſches Zeitalter eingeleitet, und in Paris hatte Haußmann ſeit 1860 den ewigen Zwiſtigkeiten zwiſchen dem Polizeipräfekten und dem Seinepräfekten in ſtädtebaulichen Fragen ein Ende gemacht, indem er das geſamte Bebauungsplanweſen in ſeiner, des Seinepräfekten Hand vereinigte. In Berlin, wo die Zerſplitterung der Gemeinden zu Verhältniſſen führte, „denen gegenüber, nach Oberbürgermeiſter Kirſchners ſpäterem Ausſpruch, die Verhältniſſe des ſeligen Römiſchen Reiches Deutſcher Nation einfach und geregelt waren", blieb es bei einigen kraftloſen Anläufen zur Durchführung moderner Organiſation. Derſelbe Oberbürgermeiſter Hobrecht, deſſen außerordentliches Verſtändnis für großſtädtiſche Wohnungspolitik zu der weiter oben geſchilderten Magiſtratsvorlage von 1872 geführt hat, hat es verſtanden, Bismarck für den

*) Zwei derartige Beiſpiele in der Deutſchen Bauzeitung 1873, Nr. 96 und 1875, Nr. 21.

Gedanken einer „Provinz Berlin“ zu erwärmen. Aber der dem Abgeordnetenhauſe von 1877/78 vorgelegte Geſetzentwurf ſcheiterte namentlich an der Oppoſition der Konſervativen, die damals gerade durch Bismarcks Übergang zur Schutzzollpolitik die Regierungspartei wurden. Die Regierungsvorlage wurde zurückgezogen. Bei einem Feſtmahl des gerade tagenden Teltower Kreistages ſoll ein von einem Landrat verfaßtes Spottlied geſungen worden ſein, das mit den Worten begann: „Wer reitet ſo ſpät durch Nacht und Wind? Es iſt Herr Hobrecht mit ſeinem Kind“, und mit dem Refrain ſchloß: „Die Provinz Berlin war mauſetot“; damit war der Gedanke begraben.

Es ſcheint als ob die ſtädtebauliche Leiſtungsfähigkeit der Geſetzgeber und Praktiker jener Zeit im weſentlichen ſich erſchöpft habe in dem Baufluchtliniengeſetz von 1875 und in dem Kampfe um die Kanaliſation. Das Baufluchtliniengeſetz brachte ſachlich für Berlin wenig Neues, ſondern ſtellte im weſentlichen nur die bisher geübte Praxis bei der Anlage neuer Straßen auf eine geſetzliche Grundlage und erleichterte ſomit dem Magiſtrat ſeine Stellung in der Flut von Prozeſſen, die die zweifelhafte Rechtslage bei der Enteignung von Straßenland und der Abwälzung der Wegebaulaſt auf die Anlieger heraufbeſchworen hatte. Das Baufluchtliniengeſetz ſanktionierte ferner das unſelige Auseinanderreißen ſtädtebaulich notwendig zueinander gehörender Funktionen in den abſtrakten Bebauungsplan einerſeits und die vollſtändig unabhängig davon aufgeſtellten Baupolizei-Verordnungen andererſeits. Das Geſetz von 1875 war alſo Stückwerk, das der Ergänzung bedurfte, um eine ſegensreiche ſtädtebauliche Politik zu ermöglichen. Dieſe dringend notwendige Ergänzung verſuchte man endlich 28 Jahre ſpäter durch den Wohnungsgeſetzentwurf vom Jahre 1903 zu ſchaffen, ein Entwurf, der mit ſeinen das Wohnbedürfnis berückſichtigenden Beſtimmungen an dem Widerſpruch der Mehrzahl der ſtädtiſchen Verwaltungen ſcheiterte. Erſt die Verfügung des Miniſters für öffentliche Arbeiten vom 20. Dezember 1906 hat einige Lücken im Fluchtliniengeſetz von 1875 ausgefüllt[89]) und hat auf die Ausnutzung der im Geſetze ſteckenden ſtädtebaulichen Möglichkeiten gedrungen. Auch dieſe Möglichkeiten des Geſetzes waren bis dahin vernachläſſigt worden. Die ſtädtebauliche Politik wurde ja nach 1875 genau ſo wie vorher von den unter dem Einfluß des Grundbeſitzes ſtehenden Parlamenten gemacht, und es iſt daher kein Wunder, daß es im weſentlichen beim alten blieb. Die Beſtimmungen des Geſetzes waren teils nicht ſcharf genug, teils konnten ſie umgangen werden. Das trifft ſogar zu auf den einen Punkt, in dem das Geſetz eine wirkliche Neuregelung brachte, nämlich in der Frage der Abwälzung der Anliegerbeiträge. Die umgehende Erhebung der Anliegerbeiträge sofort nach Bau der Straße hat ſich in den Händen amerikaniſcher Kommunen zu einem gewaltigen Mittel, den ſchleunigen Anbau zu befördern, ausgebildet, da wenige von den Anliegern geneigt ſind, die von ihnen erhobenen Anliegerbeiträge zuſammen mit den ſchweren jährlichen Steuern nach dem gemeinen Wert zu tragen, ohne ſich ſchnellſtens durch Bau und Verwertung von Häuſern bezahlt zu machen[90]). Nach dem preußiſchen Baufluchtliniengeſetz von 1875 dagegen müſſen die Anlieger ihre Beiträge erſt dann zahlen, „ſobald ſie Gebäude an der neuen Straße errichten“. Außerdem iſt die Feſtſetzung der Anliegerbeiträge eine derartige, daß die „Begründung des kommunalen Abgabengeſetzes“ 1892 feſtſtellen konnte: „Was insbeſondere die Aufbringung der Koſten für Kanaliſationsanlagen in den Gemeinden betrifft, ſo haben die dieſerhalb neuerdings ſtattgehabten Ermittlungen ergeben, daß in der weit überwiegenden Mehrzahl der Fälle Kanalgebühren von den die An-

Der bäuerliche Germane hat an die tausend Jahre in Städten gelebt, ohne für Reinlichkeit und Gesundheit ernstlich zu sorgen. Heute werden wir dieser vielhundertjährigen Schäden plötzlich inne. Überall fehlt es an dem Unentbehrlichsten: an Luft und Licht, an Wasser, an Sauberkeit; und natürlich werden solche Mängel in den Großstädten am schwersten empfunden. H. v. Treitschke (in „Der Sozialismus und seine Gönner" 1874).

lagen benutzenden Hausbesitzern entweder überhaupt nicht oder doch nur in völlig unzureichendem Maße bisher erhoben worden sind."

Gerade die Frage der Kanalisation aber wurde in den folgenden Jahrzehnten das Gebiet, auf dem sich das städtebauliche Interesse konzentriert hat. Neben der Wasserleitung gehörte besonders die Kanalisation zu den Dingen, an die der Berliner dachte, wenn er in den siebziger und achtziger Jahren mit stolzem Herzen immer aufs neue sein „Berlin wird Weltstadt" wiederholte. Seitdem in England die wohnungsreformatorischen Bestrebungen der vierziger Jahre zu einschneidenden gesetzgeberischen Regelungen der städtischen Hygiene und unter anderem auch zu einem bis dahin unbekannten Aufschwung der mit Hochdruckwasserleitung kombinierten städtischen Kanalisation geführt hatten, fing man auch auf dem Kontinent an, das englische Beispiel nachzuahmen. In Paris hat dann Napoleon III. in den fünfziger und sechziger Jahren nach den Haußmannschen Zusammenstellungen rund 177 Millionen Franken für Kanalisation und Wasserleitung ausgegeben, ohne damit endgültig zufriedenstellende Ergebnisse zu erzielen. In Berlin erwuchs in demselben Baurat Hobrecht, der für den Bebauungsplan verantwortlich ist, ein feuriger Apostel der modernen englischen Kanalisation. Seiner seit 1860 einsetzenden unermüdlichen Arbeit gelang es endlich 1873, wesentlich auch durch Unterstützung Virchows, die Berliner Stadtverordneten zur Inangriffnahme des großen Werkes zu bringen. Die erste Generalversammlung der deutschen Architekten- und Ingenieurvereine im Jahre 1874, bei der Stadterweiterungsfragen den Gegenstand der Verhandlungen bildeten, wurde, nach einem lebhaften Zusammenprallen der Geister über die viel erörterte Frage: „Kanalisation oder Abfuhr", zum Schauplatz eines Hobrechtschen Triumphes. In Berlin, dessen Straßen durch übelriechende breite Rinnsteine verseucht waren, wurde der Kampf um die Kanalisation unter der Beteiligung weitester Kreise wahrhaft erbittert geführt, wobei Hobrecht nicht nur wissenschaftliche Argumente, sondern auch ein gutes Teil pfahlbürgerlichen Stumpfsinns zu überwinden hatte. Leider sind die großen Anstrengungen, die Berlin auf dem Gebiete der Kanalisation und Wasserleitung gemacht hat, nicht ergänzt worden durch umfangreiche wohnungspolitische Leistungen wie in London, wo die hygienische und die wohnungspolitische Gesetzgebung Hand in Hand gingen. Die außerordentlich kostspieligen Wasserleitungs- und Kanalisationsanlagen, verbunden mit den überbreiten Straßen des Berliner Bebauungsplanes, mit ihren zum Bau von Hintergebäuden auffordernden tiefen Baustellen, wurden die Pioniere der Mietkaserne, sie wurden auch in die bescheidensten Arbeiterviertel und die entlegensten Vororte hinausgetragen, schufen dort die notwendige Vorbedingung für hohe Bodenpreise und abscheuliche Massenquartiere und verdrängten dort die Möglichkeit anspruchsloser ländlicher Siedlungen durch den wirtschaftlichen Zwang zur Stockwerkshäufung. Es entstand ein „Kultus der Straße" und namentlich dessen, was unter ihr liegt, der auf die wahren Bedürfnisse der Generationen, die die Straßen bewohnen sollen, viel weniger Rücksicht nimmt als auf den Geldbeutel des momentanen Bodenbesitzers an der Straße. Dieser Kultus ist die Schöpfung des ſelbſtherrlichen Technikers, der von den durch die Technik mühelos gemeiſterten Städten der Zukunft träumt; ein in ſeinem Innerſten menſchenfreundlicher Kultus, der jedoch, abgeſehen davon, daß er vielfach noch an naivem Mangel künſtleriſcher Durchbildung leidet, namentlich dann ernſte Gefahren mit ſich bringt, wenn er ſeinen Nimbus der Bodenſpekulation leiht und wenn die Befriedigung der Bedürfniſſe der Mehrzahl der Menſchen, die vorläufig die neuen Errungenſchaften der Technik nicht ohne weiteres bezahlen kann, durch ein ſtarkes öffentliches Kulturgewiſſen nicht genügend ſichergeſtellt iſt.

Im Gegenſatz zu dieſem Standpunkte des Technikers, der, wenn es nicht an Kapital fehlte, alle Menſchen mit Asphalt, Kanaliſation, Gas und Dampf, Untergrundbahn und Rohrpoſt beglücken würde, ſteht im Städtebau das einſichtige Verſtändnis für die unabweislichen Bedürfniſſe des Augenblicks und der entſchloſſene Wille, kein Opfer zu ihrer Befriedigung zu ſcheuen. Dieſe Auffaſſung des Städtebaues, die wohl als eine wahrhaft ſittliche bezeichnet werden kann, iſt gerade für Berlin in vornehmer und zur Begeiſterung hinreißender Weiſe vertreten worden durch eine Schrift, die im ſelben Jahre (1874) erſchienen iſt, in dem die deutſchen Architekten und Ingenieure auf ihrer erſten Generalverſammlung in Berlin ſtädtebauliche Fragen behandelt haben. Dieſe Schrift iſt unter dem Titel: „Die Großſtädte in ihrer Wohnungsnot und die Grundlagen einer durchgreifenden Abhilfe“ von einem Unbekannten mit dem Pſeudonym „Arminius“ geſchrieben und von Profeſſor (an der Univerſität Königsberg) Freiherrn von der Goltz herausgegeben worden. Sie verdient wohl noch vor Baumeiſters „Stadterweiterungen“ (1876) als erſtes ſtädtebauliches Handbuch oder nach dem ſelbſtgewählten Ausdruck als erſte „Theorie über die Architektur der Großſtädte“ genannt zu werden. Die Schrift, deren Verfaſſer ſich in ein Inkognito gehüllt hat, das ſich heute als undurchdringlich erweiſt (was ein Licht wirft auf das Intereſſe, das man in Berlin ſtädtebaulichen Schriften entgegenbrachte), verbindet ein ſolch ungewöhnliches Maß von naiver Logik und ſtolzer, auf wahrer Allgemeinbildung beruhender Unbefangenheit mit überraſchender Detailkenntnis in Fragen der ſozialen Praxis, daß man überraſcht nach dem Urheber fragen muß. Man denkt unwillkürlich an die prophetiſchen Worte, mit denen Julius Faucher ſeinen Aufſatz über „Die Bewegung der Wohnungsreform“ beſchloß: „Uns dünkt, wir ſehen das Banner einer Zeit der politiſchen Ruhe, in der ſich das lebende oder das nachfolgende Geſchlecht ohne Scheu auch an die ſchwierigſten Kulturaufgaben machen wird, ſich ſchon langſam heben; wenn es einſt, *vielleicht in weiblicher Hand*, wohl über dieſen Landen rauſchen wird, wird man kaum verſtehen, wie es möglich war, daß man erſt gegen die Mitte des 19. Jahrhunderts über die Wohnung nachzudenken begonnen hat.“ Die Geſinnung, aus der heraus das Buch von Arminius geſchrieben iſt, erinnert in ſo vieler Beziehung an den Geiſt, aus dem heraus es der großen Jane Addams und anderen amerikaniſchen Frauen[91]) in Chikago und man kann wohl ſagen in den ganzen Vereinigten Staaten möglich geworden iſt, den Städtebau, namentlich das Wohn- und Parkweſen, nachhaltig und durchgreifend zu beeinfluſſen, daß man zur Annahme gedrängt wird, hinter dem Pſeudonym Arminius verberge ſich eine Frau, wahrſcheinlich eine international gebildete Ariſtokratin aus dem Freundeskreiſe V. A. Hubers[91a]). In der Tat, man glaubt einen Ariſtokraten aus der „guten alten Zeit“ zu hören, der für die Schätze der Kultur und der Religion, die ihm heilig ſind, und deren Konſervierung zuliebe er eben konſervativ iſt, weitſichtige Opfer von ſeinen Standes-

Einmal im Gange, breitet sich die Wohnungsreform in geometrischer Progression aus, und es liegt ein Zeitpunkt in der Perspektive, wo sie unwiderstehlich wird, nämlich, wenn die stärkste Gewalt auf dieser Erde, welche selten spricht, weil sie nur spricht, wenn die Überzeugung fertig ist und die Handlung allein übrig bleibt, wenn die Phalanx der Hausfrauen und Mütter, in deren Augen vieles, das ihre Männer lärmend betreiben, mit Recht nur als Tand oder Vorwitz erscheint, die Vorteile aus eigener Anschauung begriffen hat.

Julius Faucher (in „Die Bewegung für Wohnungsreform" 1865).

genossen fordert und selbst zu bringen bereit ist. Möchte dieser im edelsten Sinne konservative Geist, für den man sich keinen würdigeren Träger denken kann als wahrhaft gebildete Frauen, auch dem deutschen Städtebau nachhaltig zugute kommen, wie er in den Vereinigten Staaten so unendlich viel Segen gestiftet hat.

Die Anregungen zu städtebaulichem Denken hat Arminius von dem großen Wiener Wettbewerb aus dem Jahre 1857 für die Erweiterung der Wiener Altstadt gewonnen, den er mit erlebt und studiert hat, und dessen einseitige Berücksichtigung des Gedankens eleganter Repräsentation (Kaiser Franz Joseph soll sein Streben mit den Worten gekennzeichnet haben: „Ich will eine elegante Hauptstadt haben!") und dessen Vernachlässigung des Wohnungsbedürfnisses der großen Massen ihm den Anstoß zur Aufstellung einer gesunderen „Theorie über die Architektur der Großstädte" gegeben hat. Die Grundstimmung des 17 Jahre später geschriebenen Buches kommt zum Ausdruck in einer kleinen Geschichte von einem Gutsbesitzer aus der Zeit der Freiheitskriege, die einfach und ergreifend erzählt wird (vielleicht ein Stück Familienchronik). Die französische Invasion, so beginnt die kleine Anekdote, hat den preußischen Staat zu hohen Besteuerungen nicht nur an Geld, sondern auch an anderem Gute, wie die Silbersteuer, gezwungen. „Bei Gelegenheit dieser Silbersteuer hatte der Gutsbesitzer als Steuer silberner Gerätschaften 2000 Taler bereits bar gezahlt, und da diese Summe noch nicht zureichte, wurde ein Tafelaufsatz zugegeben, wobei, als der in der Mittelgruppe desselben befindliche Neptun mit seinem Dreizack noch aus einer Tonne der Steuereinnehmer hervorragte, das Kunstwerk alsbald unter Hammerschlägen in derselben verschwand. — Mochte auch der erste Eindruck dem Eigentümer ein unerfreulicher gewesen sein, so wurde doch der guten patriotischen Sache sicherlich gern das Opfer gebracht. Handelte es sich doch nicht um eine Beraubung an Geld und Gut, sondern um eine pflichtgemäße, rettend heilsame Entziehung rechtmäßig erworbenen Eigentums." Ganz ähnlich, meint Arminius, werden die Beschränkungen zu verstehen sein, die der Staat, gezwungen durch die Schrecken der großstädtischen Wohnungsnot, dem unbeschränkten Eigentumsrecht an Grund und Boden wird auferlegen müssen. Wenn dem Staate zwar nicht die französische Invasion, aber „innere Feinde drohen, die wahrlich nicht minder gefährlich sind, sittliche Zerrüttungen, wie in unseren Tagen, die dann auch soziale nach sich ziehen, sollen da nicht gleiche Opfer verlangt werden, und haftet nicht schwere Verantwortung an der Unterlassung?" „So mancher Neptun, der das bescheidene, standesgemäße Bedürfnis seines Besitzers überragt, wird sich unter dem Hammer der Steuer beugen müssen."

Folgendes ist kurz die „gesunde Theorie über die Architektur der Großstadt", wie sie sich aus dem Arminiusschen Werke herausschälen läßt. Wie die Architektur eines einzelnen Bauwerkes, so muß die Architektur einer Stadt in allen

Teilen ihrem Zwecke harmoniſch entſprechen. „Die Stadtgemeinde in ihren verſchiedenen Schichten ſoll *menſchlich* wohnen — das iſt das erſte und vornehmlichſte Bedürfnis, das beim Aufbauen ſowie bei Erweiterung der Städte verſorgt werden muß! — Das Bedürfnis des menſchlichen Wohnens erſtreckt ſich im weiteren Sinne nicht nur auf die Behauſung, ſondern auch auf die Erholungsſtätten im Freien und Grünen im Weichbilde der Stadt.“ Neben dieſem Wohnungsbedürfniſſe im weiten Sinne des Wortes ſind dann die Bedürfniſſe des Kultus, der Verwaltung des Unterrichtes, die repräſentativen Gebäude der Großſtadt und ihre Gruppierung zu berückſichtigen. „Das Wohnen des Volkes iſt naturgemäß als das Fundamentale bei der baulichen Konſtruktion einer Großſtadt und ſomit auch bei Erweiterungsplänen zu betrachten.“ „Soll eine Großſtadt erweitert werden, ſo iſt dabei keine andere Aufgabe wichtiger als die, fürzuſorgen, daß die kleinen Wohnungen ſowohl ihrer Anzahl nach in das richtige Verhältnis zu den übrigen Baulichkeiten gebracht werden, als daß die Anlage ihrer Räumlichkeiten dem Bedürfniſſe entſpreche, und daß ihre Lage und Gruppierung zweckmäßig ſei.“ „Gerade in Beziehung auf die Lage und Gruppierung der Arbeiterwohnungen wurde jedoch in keiner unſerer Großſtädte nach einem einheitlichen Plane und nach feſten Prinzipien vorgegangen, und nirgends iſt das wahre Bedürfnis gegenüber der Laune und Willkür in ſeine ihm zukömmlichen Rechte getreten.“ Alle bisherigen Stadterweiterungspläne haben dieſen wichtigſten, weil größten Teil des Stadtkörpers vernachläſſigt. „Durch ſolche ſchwere Vernachläſſigungen ſind die Großſtädte überwachſen, ſie kamen aus ihren richtigen Gleiſen und aus organiſcher Faſſung!“ — „Es erwuchſen Sodomsfrüchte voller Grauen.“ Bei der Betrachtung der großſtädtiſchen Verhältniſſe gerät Arminius in einen gerechten heiligen Zorn, der an manches Wort von John Ruskin oder Viktor Aimé Huber erinnert. In Berlin, berichtet er, hat man Ende der fünfziger Jahre bei dem leidenſchaftlich betriebenen plötzlichen Anbau der weiten Fläche des Köpenicker Feldes nicht an eine durchgreifende Verbeſſerung der Wohnungsverhältniſſe im neuen Stadtteil gedacht, wohl aber „ging in gut unterrichteten Kreiſen die Rede, daß in nächſter Nähe der projektierten Neubauten die Erbauung einer Zitadelle in Ausſicht genommen ſei, um ein Proletariat im Zügel zu halten, deſſen reichliches Zuſammenſtrömen in dem zu errichtenden Stadtteile wegen der Nähe vieler Fabriken damals vorausgeſetzt wurde“. Aus demſelben Geiſte wie dieſes Zitadellenprojekt iſt ein noch immer unbezwungenes Vorurteil geboren, „welches einer richtigen Gruppierung der Wohnungen für großſtädtiſche Arbeiter arg hindernd in den Weg tritt“. Dieſes Vorurteil (das, wie früher ausgeführt, von Baurat Hobrecht aufs entſchiedenſte geteilt und von Faucher aufs energiſchſte bekämpft worden iſt) iſt der Glaube, man könne die in dem Vorhandenſein eines großen Proletariats ſteckende Gefahr durch „atomiſtiſche Zerſtreuung“, durch „zerſplittertes Wohnen der Arbeiter“ bekämpfen. „Die Furcht, daß Verbindungen zu einzelnen Gemeinſchaften die Maſſen noch gefährlicher machen und das Bewußtſein ihrer Stärke erhöhen könnten, verleitete zu der falſchen Maxime, ihre Kraft durch Zerſplitterung brechen zu wollen. In dem verworrenen Knäuel der Maſſen glaubte man eine größere Sicherheit zu finden, und nur mit vereinzelten, wohnungsreformatoriſchen Beſtrebungen flickte man fort und fort an der *unüberſehbaren, unfaßbar großen Not* in dieſem Knäuel und bewältigte ſie doch nicht.“ „Beharrlicher Leichtſinn und Eigenſinn in Erhaltung jenes Vorurteiles und vornehmlich Mangel an Verſtändnis über die Beſchaffenheit und den Charakter zweckmäßiger Wohnungsgruppen für Arbeiter trägt meiſtens

Abb. 54. Aussteller: Ministerium der öffentlichen Arbeiten (Staatseisenbahn-Verwaltung).

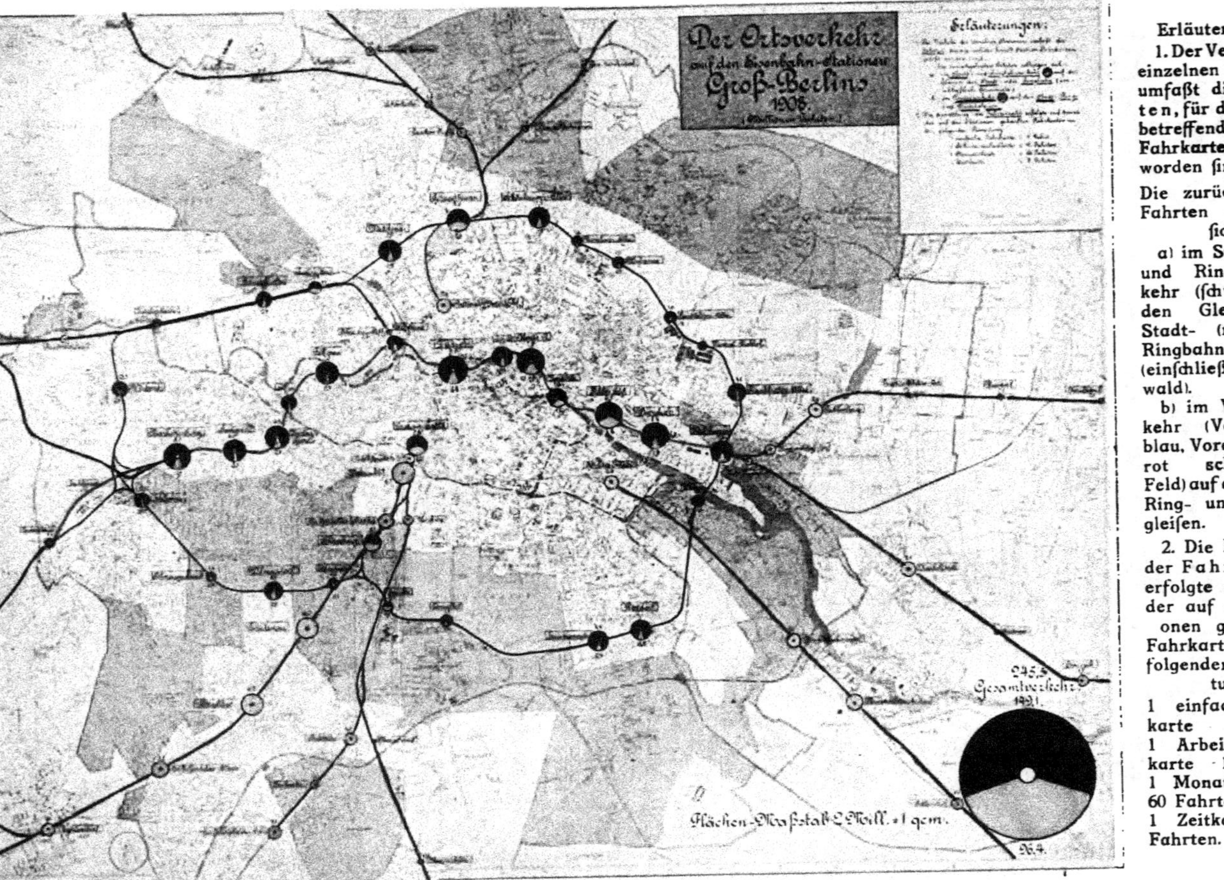

Man beachte die überragende Bedeutung der zentralen Stadtbahn auch für den Vorortverkehr; ihr kann nur die Bedeutung der Linien verglichen werden, die in den Potsdamer Bahnhof münden, dessen Lage durch Verschiebung des Schwerpunktes der Stadt nach Westen mehr und mehr eine zentrale wird.

Erläuterungen:

1. Der Verkehr der einzelnen Stationen umfaßt die **Fahrten**, für die auf der betreffenden Station **Fahrkarten** gelöst worden sind.

Die zurückgelegten Fahrten vollzogen sich:

a) im Stadt- (rot) und Ringbahnverkehr (schwarz) auf den Gleisen der Stadt- (rot) oder Ringbahn (schwarz) (einschließl. Grunewald).

b) im Vorortverkehr (Vorortgleise blau, Vorortverkehr rot **schraffiertes** Feld) auf den Stadt-, Ring- und Vorortgleisen.

2. Die Ermittlung der Fahrtenzahl erfolgte auf Grund der auf den Stationen gekauften Fahrkarten unter folgender Bewertung:

1 einfache Fahrkarte 1 Fahrt
1 Arbeiterwochenkarte 12 Fahrten;
1 Monatskarte 60 Fahrten;
1 Zeitkarte 2 Fahrten.

Abb. 55. Aussteller: Die Verkehrsbehörden und Verkehrsgesellschaften Berlins. Der Plan wurde für die Ausstellung gezeichnet von Beauftragten der verschiedenen Linien auf den Bureaus der Großen Berliner Straßenbahn.

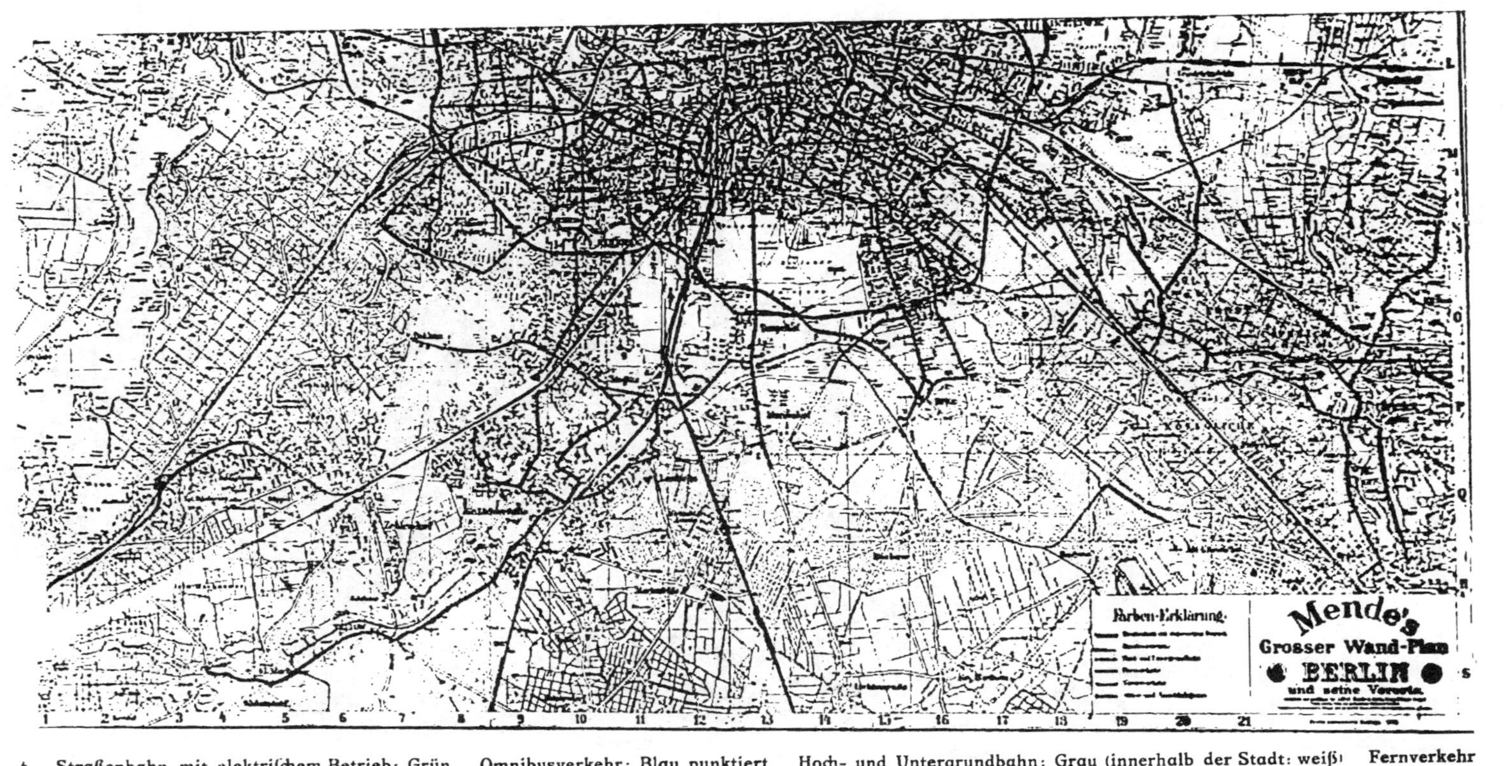

t Straßenbahn mit elektrischem Betrieb; Grün Omnibusverkehr; Blau punktiert Hoch- und Untergrundbahn; Grau (innerhalb der Stadt: weiß) Fernverkehr der Staatsbahnen; Blau — Vorortsverkehr; Gelb Güter- und Anschluß-Gleise.

Abb. 56. Ausſteller: Statiſtiſches Bureau der Stadt Budapeſt. Direktor Prof. Dr. Thirring.

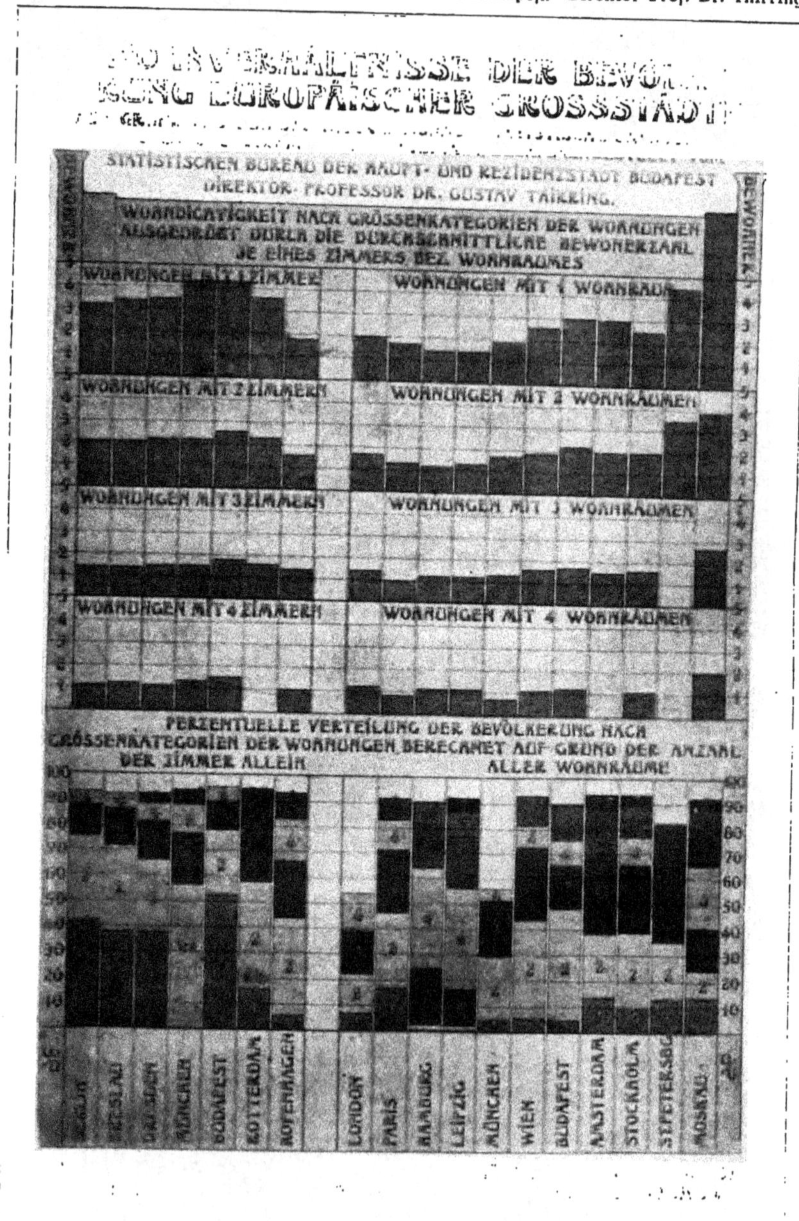

Die links gegebenen Zahlen rechnen nur mit heizbaren Zimmern. Die rechts gegebenen Zahlen rechnen mit allen Raumen, auch mit Küchen und unheizbaren Zimmern

Ein Vergleich zwiſchen den Zahlen links und rechts iſt darum immer ungenau, er iſt zu einem gewiſſen Grade richtig, wenn man annimmt, daß links in den meiſten Fallen ein Raum (Kuche oder unheizbarer Nebenraum) zu addieren iſt Ein Vergleich zwiſchen Berlin und London würde dann ergeben, daß in Berlin etwa 42 % der Bevölkerung in Einzimmerwohnungen (Zimmer ohne oder mit Kuche) wohnen, wahrend in London in ähnlichen Wohnungen (von einem Zimmer mit einer Küche oder einem zweiten Zimmer) nur etwa 23 % der Bevölkerung wohnen. In Berlin wohnen nur etwa 12 % der Bevolkerung in Wohnungen mit mehr als 3 Zimmern und Kuche, während in London etwa 45 % der Bevolkerung in Wohnungen mit mindeſtens 4 Räumen leben. Die Tatſache, daß die Londoner Zimmer kleiner ſind als die Berliner, wird teils aufgewogen durch die beſſere Lüftung (durch den engliſchen Kamin), teils kann ſie vom Standpunkte der Trennung der Geſchlechter — außer acht gelaſſen werden

Über die Frage, was zur Milderung bestehender Härten in einer bestimmten Zeit und in einem bestimmten Volke geschehen könne, entscheidet einmal eine kritische Untersuchung aller mitwirkenden Faktoren, das andere Mal der reformatorische Muth, der selbst vor dem scheinbar Unmöglichen nicht sofort zurückschreckt, wie Ranke so schön die Initiative des Genius bezeichnet, der an eine Zukunft und an einen Fortschritt glaubt, der mit Energie und Nachdruck, sei es durch weise reformatorische Gesetze, sei es durch humane Einrichtungen, durch Arbeiterverbände, durch ein zähes Festhalten an dem Standard of life gegen die Degeneration, gegen die zunehmende körperliche und geistige Ungleichheit der Menschen ankämpft.
Gustav von Schmoller (in dem „Offenen Sendschreiben an Heinrich v. Treitschke“ 1875).

hier die Schuld und hat für diejenigen städtischen und staatlichen Autoritäten, welche hier tätig einzugreifen berufen sind, eine schwere Verantwortlichkeit.“ „Aber wahrlich, die Zerstreuung der Arbeiter in vereinzelten Wohnungen ist nimmermehr ein genügender Schutz gegen die Zusammenrottung verkommender Arbeitermassen, die Klubs der Schankstätten sind unvermeidlich, und die Parole des Elends ist schnell ausgegeben, ihr Verständnis ist leicht, und sie verbreitet sich mit fliegender Eile durch die weitesten Kreise!“ — „Das zerspitterte Wohnen der Arbeiter in Großstädten, ihre atomistische Zerstreuung ist kein Schutzmittel gegen ihre Verbrüderung zum Bösen. Man überwindet das Böse nur mit positivem Guten an seiner Stelle.“ Das positiv Gute aber sind gesunde Wohnungsverhältnisse, die wiederum nur dann möglich sind, wenn sie städtebaulich richtig in den Stadtorganismus eingeordnet sind, und wenn ihre Schaffung wirtschaftlich und ideell ermöglicht wird durch die geeinten wirtschaftlichen Kräfte und den freudigen Willen der großen Arbeiterverbände. „Diese Assoziationsbewegungen der Arbeiter, sagt Arminius mit einem Blick auf die sozialpolitischen Kämpfe seiner Zeit, lenkten sich zunächst auf die Verbrüderung zur Arbeit und Lebensnotdurft, und diese sind es, die man energisch wohlwollend und Zutrauen erweckend zu unterstützen versäumt hat, so große Verdienste sich auch einzelne erwarben.“ — „Es war nicht nur Befangenheit und Kurzsichtigkeit, die lange Zeit in vielen sogenannt konservativen Kreisen herrschte, sondern auch Sünde, großstädtische Arbeiter-Assoziationen in ihrer Entwicklung aufhalten zu wollen, anstatt sich leitend ihrer anzunehmen.“ — „Wohl der Großstadt, in welcher sich noch genug echt konservative und aristokratische Elemente — mit oder ohne Diplom — unter den Ständen, die außerhalb der handarbeitenden stehen, zusammenfinden, um das Assoziationswesen der Arbeiter im rechten Geiste zu unterstützen.“ Was die städtebaulich richtige Einordnung der Kleinwohnungen in den Organismus der Großstadt betrifft, so ist nach Arminius zu scheiden zwischen den Kleinwohnungen, deren Bewohner im Inneren der Stadt wohnen müssen (er nennt Händler, Schenkwirte, Lohnkutscher und gewisse Klassen der Subalternbeamten), und den Wohnungen der großen Masse der Arbeiter, die „jetzt innerhalb der Stadt und der Vororte noch schlecht wohnt und für deren bessere und angemessenere Wohnungsverhältnisse weiter draußen noch viel geschehen kann, eben deshalb, weil der billigere Grund und Boden sowie die modernen Verkehrswege die Möglichkeit dieser Versetzung erschließen“. — „Neben den tiefen Schatten, welche die Versäumnisse werfen, deren der höhere und bemittelte Teil der Gesellschaft sowie betreffende staatliche und städtische Autoritäten sich schuldig machten, indem man, statt rechtzeitig vorzubeugen, es zuließ, daß der kostbare Boden rings um Berlin der Spekulation in die Hände fiel und damit wichtige Interessen der Einwohnerschaft preisgegeben wurden — neben diesen Schatten hebt sich das Bild der“, von Arminius geschilderten, „noch vorhandenen Möglichkeiten zu künftiger Neugeſtaltung hell und kräftig ab." Das von Arminius entworfene Bild wird beſonders anziehend und intereſſant dadurch, daß er (nicht angeregt aber beſtärkt durch Gedanken, die Schwabe in ſeiner Schrift „Berliner Südweſtbahn und Zentralbahn", vgl. S. 56, kurz vorher geäußert hat) die Theorie des grünen Ringes der Großſtädte, des Wald- und Wieſengürtels, in einer plaſtiſchen Ausführlichkeit entwickelt, die den zwei Jahrzehnte ſpäter in Wien geführten Streit, wer dort in den neunziger Jahren als erſter den „grünen Gürtel"gedanken entwickelt habe, gegenſtandslos macht. Da die Frage des „grünen Gürtels" und ihre Illuſtrierung ſozuſagen einen der Grundpfeiler der Städtebauausſtellung gebildet hat, verdient diese Ausführung hier beſondere Beachtung.

Nach Arminius iſt „die Erweiterung der Stadt durch neue Bauten in denjenigen Schranken zu halten, welche bedingen, daß das Anrecht jedes Einwohners, innerhalb einer halben Stunde von ſeiner Wohnung aus die freie Flur erreichen zu können, nicht verletzt werde. Da bei dem hier anzulegenden Maßſtabe auch Alte, Schwache und Kinder zu berückſichtigen ſind, welche im allgemeinen in einer halben Stunde nicht mehr als eine Viertelmeile zurücklegen können, ſo wird dieſe Entfernung als Maximum angenommen.

Es iſt im Weichbilde der Stadt eine Fläche abzugrenzen, welche den Raum einnimmt zwiſchen einer Linie, welche die Stadt nach dem Umfange ihrer kompakten Häuſermaſſe umſchließt, und einer weiteren Linie, welche nach außen hin von der erſteren an allen Punkten eine halbe Meile entfernt iſt. Dieſe Fläche, als der koſtbare grüne Ring, welcher der Stadt zu erhalten iſt, darf nur in einem Fünfteile mit Gebäuden beſetzt werden; der übrige Raum bleibt den Eigentümern und Pächtern zur Benutzung als Gärten, Feld, Wieſe und Wald und dient zugleich der geſamten Bevölkerung in allen ihren Schichten zu mannigfaltigen, ihren verſchiedenen naturgemäßen Bedürfniſſen angemeſſenen Erholungsſtätten in freier Natur, einſchließlich der Nutzgärtnereien." (Dieſer Gedanke erinnert auch an die heute von den Gartenſtädten angeſtrebte landwirtſchaftliche Zone.)

„Bezüglich der Errichtung von Bauten auf dem fünften Teile vom Areal des grünen Ringes haben öffentliche Gebäude, welche dem Gemeindewohl dienen, inſofern ſie ihrer Beſtimmung nach hier an richtiger Stelle ſind, als etwa Kirchen, Schulen, Seminarien, weibliche Erziehungspenſionate, Diakoniſſenhäuſer, Altersverſorgungsanſtalten, Herbergsaſyle für junge Fabrik- und Nadelarbeiterinnen, Waiſenhäuſer, Unterhaltungslokale und andere, die Priorität vor Bauten zu Privatzwecken, als Zinshäuſer, Villen u. dgl. Die Begründung neuer Fabriketabliſſements im grünen Ringe iſt nirgends zuläſſig; dagegen, inſoweit das Bedürfnis vorliegt, gehören hierher auch Gruppen von Wohnungen für ſubalterne Beamte und für Arbeiter, jedoch in mäßiger Ausdehnung, ſo daß die richtigen Proportionen — welche durch die Anſprüche anderer zu errichtenden gemeinnützigen Bauten bedingt ſind — nicht überſchritten werden." „Unter dem Begriffe: der grüne Ring der Großſtädte — ein Begriff, welcher, im nachſtehenden Sinne genommen, in unſeren Tagen eine ſo hervorragende Bedeutung erringen soll (sic) — wird nun eben hier die freie Flur, welche die kompakten Steinmaſſen dieſer Städte und deren Ausläufer rings umgibt, verſtanden, und von der Ausdehnung derſelben iſt zu verlangen, daß ſie genüge, um die zureichenden Erholungsſtätten für alle Schichten der Bevölkerung, an den geeignetſten Punkten gelegen, zu umfaſſen. Es iſt mithin hier von keiner dem Wortlaut entſprechenden ringförmigen Fläche die Rede, ſondern nur, um das ‚rings Umſchließende' zu bezeichnen, iſt jener Ausdruck gewählt."

Im Anſchluß an dieſe allgemeinen Ausführungen gibt Arminius eigentümlicherweiſe genauere Berechnungen über die Ausdehnung und Lage des grünen Gürtels gerade derjenigen Stadt, in der die Durchführung des Wald- und Wieſengürtel-Gedankens zwei Jahrzehnte ſpäter zuerſt in Angriff genommen werden ſollte, nämlich Wien. Alle Stadterweiterungen, beſonders alſo die Kleinwohnungsquartiere, die im innerhalb des grünen Rings liegenden Stadtgebiete, ſei es wegen zu hoher Bodenpreiſe, ſei es wegen Raummangels, keinen Platz finden, werden in das Gebiet jenſeits des grünen Rings mit Verbindung durch Dampf- und Pferdebahnen verwieſen. Bei der Gruppierung der Kleinwohnungsquartiere iſt nach Arminius beſondere Rückſicht zu nehmen auf denjenigen Teil der Arbeiter, der noch nicht teilnehmen kann an den Segnungen, die von der Selbſthilfe der großen Arbeiterverbände oder auch von dem paternalistischen Wohlwollen der Arbeitgeber erwartet werden müssen. Diese „Kategorie der materiell und sittlich Bedürftigsten, solcher, denen neben der Selbsthilfe noch Nachhilfe unentbehrlich ist, ist (nach Arminius) noch für lange Zeit die bei weitem zahlreichste". — „Dieser zahlreichste Teil bedarf einer organischen Nachhilfe, um später zur Selbsthilfe zu gelangen." Ihnen müssen „verschiedenartige materielle Vorteile dargeboten werden, als billigere Mieten, bessere Wohnung, ein Gartenstück, Aushilfe bei der Erziehung der Kinder, ermäßigte Preise für Arbeiterzüge usw.". Besonderen Wert legt Arminius auch (im Einklang mit den von modernen Wirtschaftspolitikern, so von Lujo Brentano, heute dringend wiederholten Forderungen) auf die Bekämpfung des Schlafgängerwesens durch Errichtung von Herbergsasylen, also Ledigenheime, namentlich für alleinstehende ledige Arbeiterinnen.

Arminius gibt sodann eine detaillierte Schilderung von der Art, wie er sich die Nutzbarmachung des grünen Gürtels für die mannigfaltigsten Zwecke denkt, eine Schilderung, die von eindringendstem Verständnis für soziale Notwendigkeiten und Möglichkeiten und wohl auch von langjähriger Erfahrung zeugt. (Die außerordentliche Größe und Bedeutung des hier vorliegenden Problems hat die verdienstvolle Schrift über das Berliner Laubenkoloniewesen von Dr. F. Coenen, herausgegeben vom Groß-Berliner Ansiedelungsverein, in diesen Tagen neu aufgedeckt.) Arminius trennt zwischen „Erholungsstätten in freier Natur am Feierabende und Sonntage, insbesondere für die handarbeitenden Klassen", und solchen „für die Intelligenten, die höheren Stände". Er trennt scharf zwischen den verschiedenen Bedürfnissen nach „Gärten im Interesse des Familienlebens", „Warte- und Spielplätze für kleine Kinder", „Kindergärten für Knaben und Mädchen im Schulalter", „Feierabendstätten für die Jugend der handarbeitenden Klassen", „für Gesellen und Lehrlinge", „für die in Fabriken arbeitende männliche Jugend", „für Nadelarbeiterinnen", „für die in Fabriken arbeitende weibliche Jugend", „für Dienstmädchen", und behandelt diese verschiedenen Notwendigkeiten in verschiedenen Abschnitten. Bei den Erholungsstätten der höheren Stände trennt er „die Gärten im Interesse des Familienlebens" in „Villen mit Gärten und städtische Hausgärten", „Privatgärten für Familien in Gruppen angelegt", „Lauben in Nutzgärtnereien". Ein besonderer Abschnitt ist den „Gärten für besondere Genossenschaften und Institute" gewidmet; da wird wieder getrennt zwischen „Gärten für Genossenschaften, welche sich wohltätigen Werken widmen", „Universitätsgärten", „Gärten an kommunalen und an weiblichen Erziehungspensionaten"; weitere Abschnitte handeln von den „öffentlichen Restaurationsgärten", „den öffentlichen Promenaden und Parkanlagen zwischen der inneren Stadt und den Vorstädten" und „jenseits der Vorstädte". Besondere Beachtung schenkt Arminius auch der Freihaltung von Innenparks in solchen Städten, deren bebautes Gebiet bereits so umfangreich ist, daß den Bewohnern der inneren Teile das schnelle Erreichen des grünen Gürtels nicht mehr möglich ist. Vieles in diesen Ausführungen, die aus herzlicher, plastischer Anschauung wirklich vorhandener Bedürfnisse geschrieben sind, könnten heute wörtlich einem gerade erschienenen Bericht einer amerikanischen Parkkommission entnommen sein. „Es wird wahrlich höchste Zeit, daran zu denken, daß in unseren Großstädten, deren Bevölkerung sich christlich nennt, die Gasse und der Rinnstein wie der enge Hof keine passenden Orte für die Erholung der Kinder sind, und daß man Sorge tragen muß, gedeihlichere Stätten ihnen aufzuschließen und die nötigen Kommunikationen herzustellen, anstatt müßig zuzusehen, wie an Abenden der schönen

Wo es sich um Weg und Steg handelt, um Chaussee, Kanal, Eisenbahn, da schützt die deutsche Gesetzgebung die Unternehmungen gegen das Monopol durch die Expropriation; wo das Monopol sich weigert, die Schätze im Schoße der Erde für Menschenwohlfahrt auszunutzen, da hat sie seit uralter Zeit in der Bergbaufreiheit die Abhilfe bereitzuhalten gewußt. Die Unternehmung, welche Dach und Fach für die Menge des Volks zu schaffen hat, erfreut sich keiner solchen gesetzgeberischen Fürsorge, obgleich es sich doch bei ihr um weit brennendere Notwendigkeiten des menschlichen Daseins handelt. Julius Faucher 1869.

Jahreszeit die Kinder der untersten Schichten aus den Hinterhäusern, aus hohen Stockwerken und Keller hervorquellend, in zahlreichen Schwärmen die Höfe und die Straßen überfüllen, im wirren, unbeaufsichtigten Treiben". Die Pferdeeisenbahnen nennt Arminius die „goldenen Brücken ins Freie, die Verbindung mit der blühenden Welt in Gärten, Feldern und Wäldern schaffen", und von der Durchführung seiner Vorschläge erhofft er die Abhilfe des „gigantischen Mißstandes, daß durch rücksichtlose, willkürliche, immer weitere Ausdehnung der Häusermassen in Großstädten ein zahlreicher Teil der Bewohner eingesperrt und verrammt wurde".

Die praktischen Mittel für die dringend erforderliche Neugestaltung des Städtebaues, namentlich in den Großstädten, findet Arminius in einer neuen gerechteren Auffassung des Eigentumsrechtes am Grund und Boden der Großstädte. Der Begriff des Eigentums darf nicht länger schematisch aufgefaßt und ausgebeutet werden, sondern muß den wohlverstandenen Interessen der Allgemeinheit angepaßt werden. „Kein Neubau darf störend in ein vorliegendes Bedürfnis irgendeiner einzelnen Kategorie der Einwohnerschaft eingreifen." Wie die Obrigkeit bisher das Baurecht mit Rücksicht auf Feuersgefahr, auf die Verteidigung beim Anlegen von Festungen oder auf Eisenbahnbauten beschränkt hat, so muß in Zukunft eine Beschränkung eintreten, die eine organische Ausgestaltung des Stadtkörpers im Sinne wirtschaftlicher Befriedigung aller berechtigten Interessen der Gesamtheit ermöglicht. Den Beschränkungen im Interesse der Sicherheit reiht sich eine Beschränkung „zur Wahrung der Moralität" notwendig an; „noch ungemessen sind die großen Schäden für Moralität und rückwirkend für Gesundheit und Sicherheit, welche aus dem willkürlichen Verbauen der freien Plätze und Feldgrundstücke entstehen, deren jede Hauptstadt in wesentlich bedingten Dimensionen und in geeigneter lokaler Verteilung unveräußerlich bedarf"! Die wohlerworbenen Rechte der Grundbesitzer müssen nach Arminius teils abgelöst, teils beschränkt werden (vgl. auch Motto S. 7). Die Ablösungen sind, führt Arminius aus, in Preußen durchaus nichts Neues:

„Gleichwie vor beiläufig 50 Jahren im Königreiche Preußen die Regierung Kommissionen einsetzte, welche, wie vorerwähnt, durch den ganzen Staat den Wert der bäuerlichen Dienste zu taxieren hatten und die Dienstablösungen handhabten, unter den verschiedenartigsten und schwierigsten Modalitäten, die in den Verhältnissen zwischen den Gutsherren und Bauern stattfanden, so wird es auch heute geschehen können, Kommissionen einzusetzen, welche nach bestimmten allgemeinen Normen, aber dabei ebenfalls die verschiedenen Modalitäten der Verhältnisse berücksichtigend, den annähernd richtigen, d. i. billigen Ansprüchen genügenden Modus für die Besteuerung der Hausherren und der Eigentümer von noch unbebauten Grundstücken in großstädtischen Weichbilden herausfinden. Man wird bei den Berechnungen von einem bestimmten Jahre (etwa von 1840) auszugehen haben, wobei man die damals herrschenden Preise beim Ankaufe von Grundstücken und die Preise der Wohnungsmieten als normale annimmt."

Im Anschluß hieran entwickelt dann Arminius sehr ausführlich eine Steuertheorie, die allerdings Treitschke in seiner Auseinandersetzung mit Arminius als Expropriation ablehnt, die sich aber genau betrachtet sehr wenig von dem unterſcheidet, was ſchon 1869 Julius Faucher und was 1872 in Eiſenach Adolf Wagner unter Berufung auf ſeinen Vorgänger der „Freihandelsſchule" gefordert hat. Eine Steuertheorie, die praktiſch auf eine Beſteuerung nach dem gemeinen Wert mit hohen Sätzen hinausläuft, Sätze, die noch nicht einmal an die heranreichen, die in den Staaten der amerikaniſchen Union gang und gäbe ſind.

„Was den Einwand betrifft," ſagt Arminius, „den man ſicherlich erheben wird, daß bei einer ſo durchgreifenden Maßregel, wie die der angeregten Beſteuerung, eine nicht unbedeutende Anzahl von Hausbeſitzern gründlich beſchädigt ſein, viele unter ihnen vielleicht finanziell zugrunde gehen würden, ſo kann das freilich nicht verneint werden; allein es geſchieht damit nichts anderes als das, was in allen ähnlichen Fällen unvermeidlich iſt und ebenfalls bei Regulierung der anormal gewordenen Verhältniſſe zwiſchen Gutsherren und Bauern mit ‚innerer Berechtigung' ſtattfand. Die Beſchädigung zahlreicher Gutsherren war nicht geringer, als die der Hausherren bei Ausführung der in Vorſchlag gebrachten Regulierung es ſein würde. — Es kommt hier nicht die Verſchiedenheit der ſozialen Verhältniſſe in Betracht, in denen die Verkürzten von damals und jetzt zu den Bereicherten ſtanden, ſondern in beiden Fällen gilt es nur die Aufrechterhaltung eines für alle Zeiten vom Staate zu befolgenden Prinzips, wonach abnorm gewordene Verhältniſſe verſchiedener Berufsklaſſen zueinander in geregelte Gleiſe zurückzuführen ſind." „Die heutige Stellung zwiſchen dieſen Hausbeſitzern und ihren Mietern iſt, ungeachtet weſentlicher Verſchiedenheit, doch nicht ohne frappante Ähnlichkeit mit der Stellung, welche vor beiläufig einem halben Jahrhundert die Gutsbeſitzer den Bauern gegenüber einnahmen, nämlich daß ein Stand ſich auf Koſten des anderen bereichert hatte, zum weſentlichen Schaden der Beeinträchtigten, und ferner iſt ähnlich, daß dieſe Bereicherung, im allgemeinen wenigſtens, in bürgerlicher Weiſe vor ſich gegangen war. — Hinſichtlich des Verhältniſſes zwiſchen Gutsherren und Bauern ſahen ſich die Staaten, um drohenden Folgen vorzubeugen, bekanntlich zum energiſchen Eingreifen, zur Regulierung dieſer abnorm gewordenen Verhältniſſe genötigt. Dieſes Abnorme in ſeiner ſittlichen Unzuläſſigkeit wurde immer mehr erkannt, je mehr das den alten feudalen Einrichtungen entgegentretende Humanitätsprinzip, im wahren Fortſchritte der Zeit, an Geltung gewann und Staatsbürger wie Regierungen in Erwägung zogen, daß die Kraft und das Gedeihen eines Volkes mit der ſteigenden Wohlverſorgung aller Klaſſen gleichen Schritt hält. — In Preußen wurde dem heraufziehenden Unwetter durch die in allen Provinzen in geregelter Weiſe vor ſich gehende Ablöſung der bäuerlichen Dienſte vorgebeugt, wobei man vorſchriftsmäßig in einem Sinne vorging, der eine ſtarke Beeinträchtigung der Gutsherren durch geringe Veranſchlagung der Dienſte keineswegs ausſchloß. Und doch lag in dieſer „Eigentumsbeſchränkung" ſicherlich kein Übergriff von ſeiten des Staates; denn wenn auch faktiſche Rechte der Gutsherren durch neue Verordnungen und Geſetze aufgehoben wurden, ſo lag dieſes Vorgehen doch eben in der naturgemäßen Befugnis des Staates, die Geſetzgebung nach den jedesmaligen Anforderungen des Gemeinwohls zu modifizieren.

Wenn in unſeren Tagen die ſtaatlichen Autoritäten in ähnlicher Weiſe bezüglich einer Regulierung der Verhältniſſe zwiſchen Hausherren und Mietern in Großſtädten vorgehen würden, ſo dürfte hierin wahrlich keine Ungerechtigkeit liegen, keine übergreifende Anmaßung, und die Autoritäten würden ebenfalls nicht nur in ihrem natürlichen Rechte ſein, ſondern zugleich auch eine dringende Pflicht erfüllen und vielleicht großem Unheile vorbeugen! Daß die Beiſpiele vom faktiſchen energiſchen Eingreifen des Staates durch außerordentliche Beſteuerung zur Abwehr von drohenden Gefahren, namentlich in Kriegszeiten, nicht vereinzelt ſtehen und keinem willkürlichen Eingreifen in rechtmäßiges Eigentum gleichgeachtet waren, iſt doch wohl als bekannt vorauszuſetzen. Es möge nur an die im preußiſchen Staate vorgenommenen Maßregeln dieſer Art gegenüber der franzöſiſchen Invaſion während der Befreiungskriege erinnert werden, an die hohen Beſteuerungen nicht nur an Geld, ſondern auch an anderem Gut, wie die Silberſteuer und ähnliche."

Der Durchführung dieſer umfangreichen Maßnahmen hat nach Arminius „die Errichtung eines beſonderen Departements im Miniſterium des Innern, welches die Wohnungsintereſſen des Volkes namentlich in Großſtädten im Auge hat und überwacht", vorauszugehen. In den einzelnen Großkommunen „dürfte die Einſetzung einer Kommiſſion zu erfolgen haben, welche die Wohnungsbedürfniſſe der Bevölkerung, namentlich der unteren Schichten, nach ihrem faktiſchen Beſtand gewiſſenhaft unterſucht und vollſtändig nachweiſt". — „Sollte es denn zu viel erwartet ſein, wenn man annimmt, daß in jeder unſerer Großſtädte etwa drei bis fünf Männer ſich finden laſſen, die befähigt ſind, ein ſolches Komitee zu bilden? Und ſollte es übergreifend ſein, vorauszuſetzen, daß es

> Der preußische Staat wurde nur durch solche durch und durch kathedersozialistische Maßregeln groß; der größte preußische König, Friedrich II., wollte nie etwas anderes sein als ein roi de gueux; derselbe Fürst tat den Ausspruch, die Steuern hätten neben den anderen Zwecken namentlich auch den, „eine Art Gleichgewicht zwischen den Reichen und den Armen herzustellen".
> Gustav von Schmoller
> (in dem „Offenen Sendschreiben an Herrn Prof. Dr. Heinrich v. Treitschke").

einem jeden solchen Komitee möglich sein würde, sich mit einer Anzahl von Agenten und Korrespondenten zu versorgen, die ihre Tätigkeit unterstützen würden, und daß sie auch neben diesen in den gebildeten Kreisen ihrer Stadt noch viele erwecken könnten, das Werk zu verstehen und zu fördern? Sobald die Lebendigkeit und Energie, die heute im Auffassen und Betreiben materieller Interessen sich kundgibt, auch nur zum hundertsten Teile der Beseitigung sittlicher Notstände sich zuwenden wollte, alsdann freilich würde die Aussicht auf ihre Bewältigung eine ganz andere sein als leider noch bis zur Stunde."

Es ist in diesem eigentümlichen Werke ein ausführlicher Plan des Zusammenwirkens aller Instanzen entworfen; Staat, Kommune, Arbeiterverbände, Arbeitgeber sowie private gemeinnützige Vereinigungen müssen zusammenwirken; die gleichzeitige Anwendung aller Mittel, Steuerreform, Boden-, Wohnungs- und Städtebaupolitik erscheint Arminius erforderlich; „nicht dringend genug kann wiederholt werden, daß halbe Maßnahmen heutiger Zeit in Großstädten nicht retten, sondern daß man nach der Summe der Hilfen, die Gottes Hand darbietet, sich umschauen muß, und daß innere und äußere Hilfsmittel zusammenwirken sollen". Der Leitgedanke aber, der durch alle Ausführungen des Buches geht, ist die Erkenntnis, daß „die Lösung der Wohnungsfrage, die heute in allen zivilisierten Staaten in die Reihe der brennendsten getreten ist, auf den höheren sittlichen Prinzipien beruhe. Der Erfolg ist eben daran gebunden, daß man sie anerkenne und walten lasse!"

Man mag zugeben, daß derartige Leitgedanken leicht als „weibliche Argumente" abzutun sind; aber es sei hier wiederholt, daß es gerade solche Argumente waren, mit denen die öffentliche Meinung und die großen privaten und öffentlichen Geldquellen Amerikas für Park- und Wohnungsreform gewonnen worden sind. Und wahrlich, das müßte ein aussichtsloses Land von Hungerleidern sein, das sich solchen Argumenten auf die Dauer zu widersetzen vermöchte!

Von der Aufstellung dieses von Arminius entwickelten weitblickenden Programms bis zu seiner Durchführung ist ein weiter Schritt. Die Verhältnisse zur Zeit seiner Aufstellung waren seiner Durchführung in gewissem Sinne nicht ungünstig. Fiel doch die Aufstellung gerade in jene Zeit, die Treitschke „eine Zeit der Gärung aller sittlichen Begriffe" genannt hat. Entbrannte doch gerade damals jener in der Geschichte der wirtschaftlichen und sozialen Kultur denkwürdige Kampf, in dem es einer Reihe deutscher Gelehrter, den sogenannten Kathedersozialisten, gelang, nachhaltigen Einfluß auf die Gesetzgebung zu gewinnen und für das mit eherner Rücksichtslosigkeit anhebende Wirtschaftsleben der Neuzeit das in der mühsamen Arbeit der Jahrtausende langsam erworbene Gut zu retten, das eine Gemeinschaft von Menschen in einer edlen, brüderlichen Weltanschauung besitzt. Wie schon erwähnt, stand auf der Tagesordnung der ersten entscheidenden Sitzung, die zur Gründung des Vereins für Sozialpolitik führte, auch das Engelsche Referat über „die Wohnungsnot"; aber einesteils waren, wie Adolf Wagner, einer der führenden Kathedersozialisten, später ausführte (vgl. Anm. 20), selbst die Geiſter der Kathederſozialiſten damals noch ſo ſehr von dem Wunſche befangen, nicht dem Privateigentumsprinzip zu nahe zu treten, teils wurde die Wohnungsfrage auf den Tagungen des Vereins und in der Tagespolitik ſo ſehr durch das Intereſſe für Arbeitseinſtellungen, Gewerkvereine und Fabrikgeſetzgebung in Anſpruch genommen, daß die im Prinzip durchaus anerkannte Bedeutung der Wohnungsfrage erſt ſehr viel ſpäter praktiſch bearbeitet werden konnte.

Bei den denkwürdigen Auseinanderſetzungen zwiſchen Guſtav Schmoller und Heinrich von Treitſchke, die den Kampf für Sozialpolitik ſozuſagen einleiteten, kam es übrigens zu einem bezeichnenden Zwiſchenfall, der die dringende Reformbedürftigkeit in grelles Licht ſetzte, unter der die öffentliche Meinung über die Wohnfrage damals genau ſo litt wie heute. Treitſchke hat ſich nämlich in ſeiner Schrift: „Der Sozialismus und ſeine Gönner“[92]), die von Schmoller ſo glänzend widerlegt worden iſt, auch mit der Wohnungsnot der Großſtädte und gerade auch mit dem Werke von Arminius auseinanderzuſetzen verſucht. Beide glaubte er durchaus leichthin behandeln zu dürfen, und die Arminiusſchen Vorſchläge erſchienen ihm ebenſo wie die kathederſozialiſtiſchen Beſtrebungen überſpannt und gefährlich. In dieſer Schrift iſt nun Treitſchke das bedenkliche Wort entſchlüpft: „Jeder Menſch iſt zuerſt ſelbſt verantwortlich für ſein Tun; ſo elend iſt keiner, daß er im engen Kämmerlein die Stimme ſeines Gottes nicht vernehmen könnte.“ Schmoller iſt hierauf die Antwort nicht ſchuldig geblieben. Er antwortet nämlich: „Sittlich und geiſtig verwahrloſten Proletariermaſſen von den Gütern des inneren Lebens vorzureden, iſt ebenſo müßig, als einem Blinden die erhabene Schönheit des Sternenhimmels zu demonſtrieren“ uſw. Der Ausſpruch Treitſchkes verdient aber auch vom wohnungspolitiſchen Standpunkte aus näher beleuchtet zu werden. Er nimmt augenſcheinlich Bezug auf die Worte Chriſti im Evangelium Matthäi, Kapitel 6, Vers 6: „Wenn du aber beteſt, ſo gehe in dein Kämmerlein und ſchließe die Tür zu und bete zu deinem Vater im Verborgenen; und dein Vater, der in das Verborgene ſiehet, wird dir's vergelten öffentlich.“ Dieſe Worte zeigen, daß Chriſtus es für ſelbſtverſtändlich hielt, daß jeder Menſch ein Kämmerlein für ſich hat, in dem er ſich abſchließen kann. Die Berliner Wohnungsſtatiſtik aus dem Jahre 1871 aber, die Treitſchke vorlag, und die er ſo leichthin abtun zu dürfen glaubte, wies 162000 Menſchen nach, die in ſogenannten „übervölkerten“ Kleinwohnungen lebten, Wohnungen, meiſtens aus einem Zimmer mit Küche beſtehend, von denen jede im Durchſchnitt mit 7,2 Menſchen beſetzt war. Dieſe Statiſtik ergab insgeſamt eine Bevölkerung von 585000 Menſchen in ſogenannten kleinen Wohnungen (d. h. Wohnungen ohne heizbares Zimmer oder mit einem oder zwei heizbaren Zimmern), die durchſchnittlich mit 4,2 Menſchen belegt waren. Dies entſprach nicht der von Treitſchke herangezogenen Äußerung Chriſti zur Wohnungsfrage. Konnten unter ſolchen Verhältniſſen die Klaſſen, die Treitſchke die niederen nennt, noch ihre Pflicht tun und den hiſtoriſchen Beruf erfüllen, den Treitſchke ihnen zuerkennt, wenn er ſagt: „Dieſe heiligen Empfindungen dem Menſchengeſchlechte zu bewahren, war allezeit der hiſtoriſche Beruf der niederen Klaſſen; durch ſolchen Dienſt nehmen ſie unmittelbar Anteil an der idealen Kulturarbeit der Geſchichte.“? In der Tat, — da Treitſchke der Wohnungsnot von der religiöſen Seite beikommen zu wollen ſcheint, — was kann der Stadtmiſſionar von der Andacht im ſtillen Kämmerlein erhoffen, wenn er, wie Stadtmiſſionar Bokelmann[93]), in ſeinem Bezirke Häuſer findet, die von 250 Familien bewohnt ſind, und wo 36 Wohnungen auf einen Korridor münden? Darf Treitſchke

Vielmehr bewahrt gerade in der bescheidenen Enge des kleinen Lebens das Gemüt eine frische, kernhafte, unmittelbare Kraft, welche den Gebildeten oft beschämt. Darum sind die niederen Klassen der Jungbrunnen der Gesellschaft. Aus den unberührten Tiefen ihrer derben Sinnlichkeit, ihres wahrhaftigen Gefühls steigen immer neue Kräfte empor in die Reihen der rascher dahinwelkenden höheren Stände. Die Helden der Religion, welche das Gemütsleben der Völker in seinen Grundvesten umgestalteten, waren zumeist Söhne der Armut; wer kann sich Jesus oder Luther anders vorstellen, denn als kleiner Leute Kinder? Dies hatte Fichte im Auge, wenn er mit seiner schroffen Härte sagte, die Schlechtigkeit sei immer am größten in den höheren Ständen. Dies meinte Goethe, wenn er mit seiner liebevollen Milde so oft wiederholte: „Die wir die niederste Klasse nennen, sind für Gott gewiß die höchste Menschenklasse." H. v. Treitschke (in „Der Socialismus und seine Gönner" 1874).

sagen: „Diese Ordnung ist gerecht; denn das wahre Glück des Lebens, den Frieden der Seele und die Freuden der Liebe, verschließt sie keinem", wenn Stadtmissionar Bockelmann weiter mitteilt, daß im selben Hause 17 Frauen in wilder Ehe, 22 Dirnen, 17 ungetraute Paare und vier von ihren Männern geschiedene Frauen zu finden waren? Und was wird aus den Kindern? Die großstädtischen Wohnungsverhältnisse sind in der Tat derart, daß nicht selten gebildete Menschen, die nie ein Bedürfnis nach Religion empfanden, beim Anblick des unsagbar Schrecklichen plötzlich alle innere Fassung verlieren, und sich unwillkürlich an den von Religion gebotenen Halt klammern. Solche Religiosität kann nur tauglicher machen zum Kampfe, doch was folgerichtig aus ihr erwächst, muß der heilige Zorn der Tat sein, wie ihn Arminius viel schöner verkörpert als Treitschke.

War es möglich gewesen, daß die Wohnungsfrage durch andere nicht etwa wichtigere, aber leichter zu bewältigende Probleme vorübergehend in den Hintergrund gedrängt wurde, so mußte sie doch schließlich zu ihrem Rechte kommen. Es dauerte zehn Jahre, bis der Verein für Sozialpolitik endlich Zeit fand, sich der brennenden Frage mit ganzer Kraft zu widmen. Im Jahre 1886 veröffentlichte er auf Antrag seines Mitgliedes, Dr. Miquel (damals Oberbürgermeister von Frankfurt a. M. und später Finanzminister von Preußen), seine schwerwiegenden Gutachten und Berichte über „die Wohnungsnot der ärmeren Klassen in deutschen Großstädten und Vorschläge zu deren Abhilfe". Dieses Gutachten war begleitet von neuen Zusammenstellungen der erschreckenden Wohnungsstatistiken deutscher Großstädte. Miquel faßte die Ergebnisse seines Studiums dieses Materials in die Worte zusammen: „Es hat sich herausgestellt, daß auch in Zeiten wirtschaftlicher Ruhe fast überall in den größeren Städten eine Art Wohnungsnot besteht." Gustav Schmoller präzisierte in seinem gleichzeitigen „Mahnruf in der Wohnungsfrage" diese Wohnungsnot folgendermaßen: „Es ist das Eigentümliche der Lage, daß es weder an Häusern noch an reger Baulust fehlt, sondern nur an Wohnungen für die kleinen Leute und noch mehr an Wohnungen, welche ihnen in einem Zustand und unter Bedingungen angeboten werden, welche ihr körperliches und sittliches Wohl zu fördern geeignet sind." „Die Zustände," sagt Gustav Schmoller, „sind so entsetzlich, daß man sich nur wundern muß, daß die Folgen nicht noch schlimmere geworden sind. Nur weil ein großer Teil dieser Armen bis jetzt einen Schatz guter Sitte, kirchlicher Überlieferung, anständiger Empfindungen aus früherer Zeit mit in diese Höhlen gebracht hat, ist das Äußerste noch nicht geschehen. Das Geschlecht von Kindern und jungen Leuten aber, das jetzt in diesen Löchern aufwächst, das muß mit Notwendigkeit alle Tugenden der Wirtschaftlichkeit, der Häuslichkeit, des Familienlebens, alle Achtung vor Recht und Eigentum, Anstand und Sitte verlieren. Wer keine

Abb. 57. Aussteller: Statistisches Amt der Stadt Schöneberg. (Direktor Dr. Kuczynski).

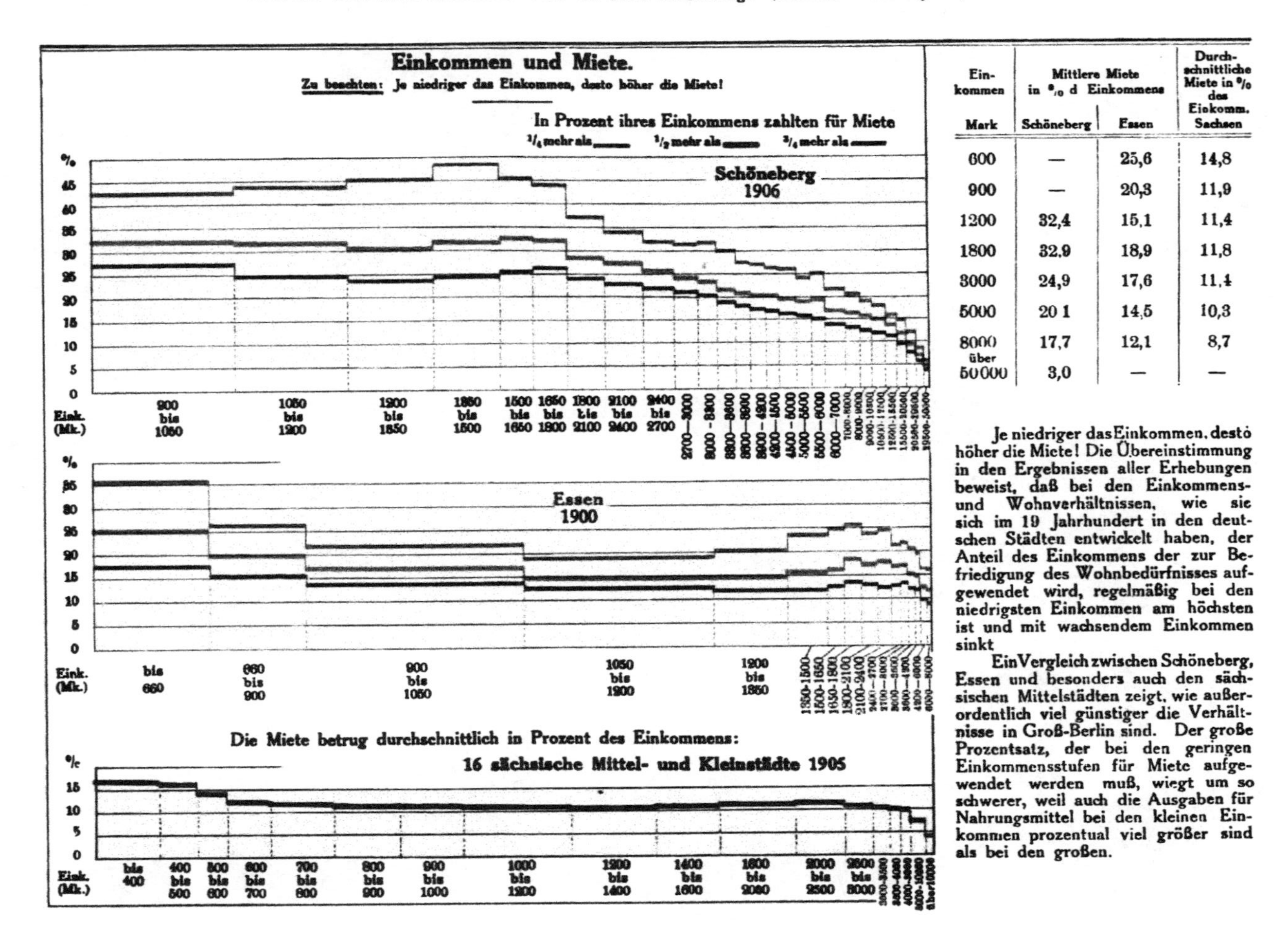

Einkommen Mark	Mittlere Miete in % d Einkommens Schöneberg	Mittlere Miete in % d Einkommens Essen	Durchschnittliche Miete in % des Einkomm. Sachsen
600	—	25,6	14,8
900	—	20,3	11,9
1200	32,4	15,1	11,4
1800	32,9	18,9	11,8
3000	24,9	17,6	11,4
5000	20 1	14,5	10,3
8000	17,7	12,1	8,7
über 50000	3,0	—	—

Je niedriger das Einkommen, destò höher die Miete! Die Übereinstimmung in den Ergebnissen aller Erhebungen beweist, daß bei den Einkommens- und Wohnverhältnissen, wie sie sich im 19 Jahrhundert in den deutschen Städten entwickelt haben, der Anteil des Einkommens der zur Befriedigung des Wohnbedürfnisses aufgewendet wird, regelmäßig bei den niedrigsten Einkommen am höchsten ist und mit wachsendem Einkommen sinkt

Ein Vergleich zwischen Schöneberg, Essen und besonders auch den sächsischen Mittelstädten zeigt, wie außerordentlich viel günstiger die Verhältnisse in Groß-Berlin sind. Der große Prozentsatz, der bei den geringen Einkommensstufen für Miete aufgewendet werden muß, wiegt um so schwerer, weil auch die Ausgaben für Nahrungsmittel bei den kleinen Einkommen prozentual viel größer sind als bei den großen.

ordentliche Wohnung hat, wer nur in der Schlafſtelle ſchläft, der muß der Kneipe, dem Schnaps verfallen, er kann ſchon ſeine animaliſche Wärme nicht anders herſtellen." „Die heutige Geſellſchaft nötigt die unteren Schichten des großſtädtiſchen Fabrikproletariats durch die Wohnverhältniſſe mit abſoluter Notwendigkeit zum Zurückſinken auf ein Niveau der Barbarei und Beſtialität, der Roheit und des Rowdytums, das unſere Vorfahren ſchon Jahrhunderte hinter ſich hatten. *Ich möchte behaupten, die größte Gefahr für unſere Kultur droht von hier aus.*" „Wir müſſen große Aktiengeſellſchaften ins Leben rufen, die in den Vorſtädten Einzelhäuſer für die Elite der Arbeiter, der kleinen Beamten, der Werkmeiſter bauen, aber nicht in erſter Linie den Verkauf ins Auge faſſen, die aber noch mehr beginnen, die eigentlichen Arbeiter- und Armenquartiere im Zentrum der Städte aufzukaufen, ſie, ſoweit es nötig iſt, umzubauen nach den engliſchen Vorbildern, ſoweit es aber geht, ſie nur zu renovieren und in muſterhafter Weiſe zu vermieten." „Es gibt wenige gleich dringliche Aufgaben; um der Verrohung unſerer unteren Klaſſen, dem ſchnöden Wohnungswucher, den ungeſunden Mietsverhältniſſen unſerer großen Städte entgegenzuwirken, iſt die Gründung großer humanitärer Vereine und Geſellſchaften das einfachſte und das am ſicherſten wirkende Mittel", und Schmoller hofft, daß „im Verlauf von ein bis zwei Menſchenaltern wenigſtens 10 % der Gebäude unſerer Groß- und Fabrikſtädte in ſolchen Beſitz und in ſolche Verwaltung übergehen, und damit ein Vorbild geſchaffen wird, das auch auf die privaten Vermieter notwendig zurückwirkt. *Die beſitzenden Klaſſen müſſen aus ihrem Schlummer aufgerüttelt werden*; ſie müſſen endlich einſehen, daß, *ſelbſt wenn ſie große Opfer bringen*, dies nur eine mäßige, beſcheidene Verſicherungsſumme iſt, mit der ſie ſich ſchützen gegen die Epidemien und *gegen die ſozialen Revolutionen, die kommen müſſen, wenn wir nicht aufhören, die unteren Klaſſen in unſeren Großſtädten durch ihre Wohnungsverhältniſſe zu Barbaren, zu tieriſchem Daſein herabzudrücken*". Noch gründlicher vielleicht zeigt ſich der Umſchwung in den Anſchauungen der leitenden Männer und das Aufgeben des in den 60er und 70er Jahren eingenommenen Standpunktes, daß die Rettung im weſentlichen von der privaten Selbſthilfe zu erwarten ſei, in der Einleitung, die Miquel den Veröffentlichungen des Vereins für ſoziale Politik vorausgeſchickt hat. Der gewiß vorſichtige Staatsmann betont da ſeine „Überzeugung, daß die ſogenannte natürliche Entwicklung, d. h. die auf ſich ſelbſt angewieſene Privattätigkeit zur Abſtellung der herrſchenden Wohnungsnot *nicht* genügt", daß eine Neuregelung des „ungenügenden öffentlichen und Privatrechtes" in vielen Richtungen erforderlich iſt.

Auf dieſe Weiſe wurde durch die Arbeit des Vereins für Sozialpolitik der Anfang gemacht mit der Verbreitung eines beſſeren Verſtändniſſes des gewaltigen Wohnungsproblems, einer Verbreitung in weitere Kreiſe und beſonders auch in Kreiſe, die in der Lage waren, unmittelbaren Einfluß auf die Verwaltung und Geſetzgebung zu nehmen. Allerdings werden die Veröffentlichungen des Vereins aus dem Jahre 1886 der vielverzweigten Kompliziertheit des Problems noch nicht gerecht.

Was Miquel fordert, iſt im weſentlichen ein Reichsgeſetz zur Bekämpfung des „empörenden Wohnungswuchers" und der Überfüllung der Wohnungen und die Schaffung von Sanitätskommiſſionen und Wohnungsinſpektoren, und Schmoller ſetzte ſeine Hoffnung hauptſächlich auf eine großartige Tätigkeit gemeinnütziger Gesellschaften. Es bedurfte einer Entwicklung und Arbeit von weiteren 15 Jahren, bis derselbe Verein für Sozialpolitik mit seinen Veröffentlichungen aus dem Jahre 1901 unter der Leitung der Professoren Albrecht, Fuchs und Sombart das Problem ungleich weiter fassen und damit einen neuen Schritt tun konnte zur Förderung der Erkenntnis des modernen Städtebauproblems in seiner unabsehbaren Tragweite. Neben den Befürwortern der gemeinnützigen Wohnungsfürsorge, der behördlichen Wohnungsaufsicht und der Neuregelung des Mietrechtes kamen praktische Städtebauer, wie Geh. Baurat J. Stübben, zum Worte und legten die Abhängigkeit der Wohnungsreform vom Stadterweiterungsplan und seiner Durchführung sowie von der Bauordnung dar; ganz besondere Aufmerksamkeit wurde auch der Untersuchung großstädtischer Bodenbesitzverhältnisse und der Entwicklung der städtischen Grundrenten gewidmet, für Berlin namentlich in Anlehnung an die vortrefflichen Schriften des unseligerweise so jung dahingerafften Berliner Privatdozenten Paul Voigt, dessen Arbeiten so außerordentliches für die Aufklärung des Problems hoffen ließen, und dem in erster Linie die Klarstellung der hervorragenden städtebaulichen Verdienste der Hohenzollern vom Großen Kurfürsten bis in die Zeit nach dem Tode Friedrichs des Großen zu verdanken ist. Auch fand auf der Generalversammlung des Vereins für Sozialpolitik, leider nur in der Diskussion, bereits Professor Eberstadt, einer der später im Wettbewerb Groß-Berlin Preisgekrönten, Gelegenheit zur Entwicklung seines bedeutenden städtebaulichen Systems. Unter den für die Versammlung angestellten Untersuchungen fehlten dagegen noch besondere Bearbeitungen des Einflusses des Baukredits, namentlich auch der Verkehrs- und Steuerpolitik mit ihren tiefeinschneidenden Wirkungen auf den Städtebau, sowie eine Behandlung der das Wohnwesen notwendig ergänzenden großstädtischen Parkpolitik. Zum richtigen Verständnis für die Bedeutung auch dieser Faktoren im Städtebau und zur Abrundung dessen, was heute unter Städtebau verstanden wird, bedurfte es noch weiter der Arbeit von Männern wie Goecke, Eberstadt, von großstädtischen Verkehrspolitikern wie Kemmann, Petersen, Blum; es bedurfte ferner der praktischen Leistungen städtischer Sozialpolitiker, wie Oberbürgermeister Adickes-Frankfurt a. M. und v. Wagner-Ulm, der Beigeordneten Schmidt-Essen und Rehorst-Köln, es bedurfte weiter der theoretischen Arbeiten eines v. Mangold, des Einflusses der Bodenreformer, der englischen und deutschen Gartenstadt-Gesellschaften, des Groß-Berliner Ansiedlungsvereines, des Waldschutzvereines, der aus Wien und besonders aus Amerika neu belebten Parkbewegung; es bedurfte ferner ganz besonders des gewaltigen Impulses, den die Kunst, neubelebt durch Camillo Sitte, dem Städtebau gegeben hat, ein Impuls, der gerade in Berlin mächtigen Ausdruck in dem ausschlaggebenden Vorgehen der Königlichen Akademie des Bauwesens und der Berliner Architektenvereine gefunden hat, und von dessen Wirkungen noch ausführlicher zu sprechen ist. Es mußten schließlich Männer kommen, die das Vielfache und beinahe Unübersehbare in einer Person zu verkörpern vermochten wie Otto March, Männer, aus deren Zusammenwirken große kristallisierende Ereignisse wie der Groß-Berliner Wettbewerb und die Berliner Städtebau-Ausstellung herauswachsen konnten, Ereignisse, die dann wieder unmittelbaren Einfluß auf die Arbeit von Männern wie Freund, der Schöpfer des Groß-Berliner Zweckverbandgesetzes, auf die gesetzgebenden Körperschaften und auf die große öffentliche Meinung nahmen, ohne die der Gesetzgeber nicht arbeiten kann.

Der langſame aber gewaltige Umſchwung der öffentlichen Meinung, das erwachende und ſtärker werdende Verſtändnis für die Bedeutung ſtädtebaulicher Fragen in ihrer vielfachen Verzweigtheit iſt ſeit den 80er Jahren in verſchiedenen Ereigniſſen, gerade auch in Berlin, in Erſcheinung getreten. Konnte noch im Jahre 1887, alſo ein Jahr nach den ausführlichen Veröffentlichungen des Vereins für Sozialpolitik zur Wohnungsfrage, für Berlin und ſeine Vororte eine Bauordnung erlaſſen werden, in der die Regierung, man muß wohl ſagen, ohne zu ahnen, was ſie tat, den Berliner Vororten „das Maſſenhaus von obrigkeitswegen direkt aufoktroyierte“, ſo hat die Regierung durch die Bauordnung von 1892 in beachtenswerter Weiſe verſucht, die 1887 begangenen Fehler wieder gut zu machen, ohne allerdings in der Folgezeit (1894, 1897, 1903) imſtande zu ſein, ihre moderneren Anſchauungen gegen den Anſturm des organiſierten Grundbeſitzes ganz durchzuſetzen. Ein ſolcher einſeitiger Reformverſuch auf dem Gebiete der Bauordnung ohne gleichzeitiges Vorgehen in der Wohnungsgeſetzgebung ſowie auf dem Gebiete der Verkehrs- und Steuerpolitik uſw. mußte notwendigerweiſe erfolglos bleiben. Aber gerade auf dem Gebiet des Steuerweſens ſind von Miquel, der ſeinerzeit die erſte Unterſuchung des Vereins für Sozialpolitik veranlaßt hat, durch ſeine Reform der Kommunalabgaben Möglichkeiten auch für wohnungspolitiſch bedeutſame Maßnahmen geſchaffen worden. Der von der „Begründung“ des Kommunalabgabengeſetzes ſowie von der „Denkſchrift zu dem dem Landtage vorgelegten Entwurf der Steuerreform-Geſetze“ vertretene Standpunkt entſpricht in vielen Beziehungen den von Faucher in den 60er und von Adolf Wagner ſeit den 70er Jahren aufgeſtellten Forderungen. In der „Begründung“ heißt es: „Die Bauplätze in Gemeinden mit raſcher baulicher Entwicklung werden zu Spekulationsobjekten, welche von einzelnen Privatperſonen oder von Bau-, Terrain- uſw. Geſellſchaften aufgekauft, vorteilhaft weiter veräußert oder in Erwartung höherer Wertſteigerung zurückbehalten werden. Infolgedeſſen findet häufig eine ſich überſtürzende, ungeſunde Preisſteigerung von Baugrundſtücken ſtatt, welcher durch eine angemeſſene höhere Beſteuerung wenigſtens einigermaßen vorgebeugt werden kann. Eine beſondere Beſteuerung der Baugrundſtücke wird der ſpekulativen Verteuerung derſelben entgegenwirken, da in dieſem Falle die Beſitzer nicht bloß mit den Zinſen des Ankaufskapitals, ſondern auch mit der Steuer zu rechnen haben, daher ſich früher zum Wiederverkauf entſchließen werden“. Die Miquelſche Steuerreform hat durch die Aufhebung der ſtaatlichen Realſteuern und ihre Überweiſung an die Gemeinden den Weg geöffnet zu einer für den Städtebau dringend notwendigen Kommunalſteuerpolitik, welche nicht länger duldet, daß (nach den Worten der Denkſchrift) „die großen Wertſteigerungen namentlich des ſtädtiſchen Grundbeſitzes, welche lediglich durch die fortſchreitende Entwicklung der Gemeinden hervorgerufen ſind, in der Beſteuerung faſt unberückſichtigt bleiben“. Sie hat „damit den Gemeinden eine bedeutende, gerade mit dem Wachſen der Aufgaben naturgemäß ſteigende Steuerquelle“ eröffnet, die wiederum unabſehbare ſtädtebauliche Leiſtungen wohnungs- und parkpolitiſcher und hoffentlich wohl auch einmal künſtleriſcher Natur ermöglicht. Die ſtark unter dem Einfluß der Grundbeſitzintereſſen ſtehenden kommunalen Parlamente haben bis jetzt von dem ihnen zuſtehenden Rechte nur ſehr zaghaft Gebrauch gemacht. Noch betragen die Sätze der zur Erhebung kommenden Steuern vom gemeinen Wert nur wenige Promille mehr, als in amerikaniſchen Städten Prozente erhoben werden. Aber jedenfalls iſt die Möglichkeit geſchaffen, ähnliche Quellen zu erſchließen, wie ſie den amerikaniſchen

Die notwendige Folge der deutſchen Kommunalbeſteuerung iſt die Wohnungsnot.
Prof. Ely von der Univerſität des Staates Wisconſin
(auf der Generalverſammlung des Vereins für Sozialpolitik, Nürnberg 1911).

Städten zufließen, und dieſe Quellen werden auch bei uns eines Tages fließen müſſen.

Unter den Ereigniſſen der neueſten Zeit ſchließlich, die geradenwegs als vorbereitend für den Groß-Berliner Wettbewerb und die daraus erwachſende Städtebau-Ausſtellung zu gelten haben, muß das ſchon kurz erwähnte Vorgehen der Architekten Berlins an dieſer Stelle noch einmal rühmend hervorgehoben und eingehender beſprochen werden. Schon ſeit Anfang der 90er Jahre hat der Berliner Architektenverein zuerſt aus eigener Initiative, dann nach Aufforderung der Miniſterien des Inneren, der öffentlichen Arbeiten und der geiſtigen Angelegenheiten Vorſchläge für die Neugeſtaltung der Berliner Bauordnung gemacht. Im Jahre 1892 wurde dann vom Berliner Architektenverein ein Wettbewerb für den Lageplan einer Weltausſtellung ausgeſchrieben. Gelegentlich dieſes Preisausſchreibens, bei dem bezeichnenderweiſe die Entwürfe „Verlorene Liebesmüh'", „Fromme Wünſche", „Behüt' Dich Gott, es wär ſo ſchön geweſen" und „Traum" preisgekrönt wurden, gelangte der Verein zur Anſicht, „daß es ſich dringend empfehle, tunlichſt bald unter den Architekten und Ingenieuren Deutſchlands eine allgemeine Preisbewerbung um Entwürfe für die Ausgeſtaltung des Bebauungsplanes von Berlin in ſeinen Hauptgrundzügen auszuſchreiben. Die Gelegenheit ſchien damals günſtig, da gerade wieder einmal die politiſche Verwirklichung des Gedankens „Groß-Berlin" durch Eingemeindung der Vororte in greifbare Nähe gerückt ſchien. Der Archiktenverein beſchloß in einer Sitzung unter dem Vorſitz des damaligen Regierungs- und Baurates Hinckeldeyn, mit einem entſprechenden Geſuch bei den zuſtändigen Behörden vorſtellig zu werden[94]). Die Durchführung dieſer Abſicht ſcheiterte jedoch an dem ſich dagegen geltend machenden Einfluß von Stadtbaurat Hobrecht, des Schöpfers des alten Berliner Bebauungsplanes von 1858—62, der in einer weiteren Sitzung des Vereins „die Sache für gänzlich überflüſſig" erklärte.

Im Jahre 1897 kam eine neue ſtädtebauliche Anregung verwandter Art aus dem Miniſterium der öffentlichen Arbeiten, wo Hinckeldeyn, als Oberbaudirektor, den logiſchen und dringend Verwirklichung erfordernden Gedanken einer gemeinſamen Aktion der verſchiedenen Inſtanzen aufzunehmen empfahl. Der Miniſter v. Thielen übergab den Antrag der Kgl. Akademie des Bauweſens zur Erſtattung eines Gutachtens, und dieſe Körperſchaft wählte zur Erfüllung der ihr geſtellten Aufgabe einen Ausſchuß, in dem außer Hinckeldeyn die Architekten Kayſer, Eggert, Raſchdorf, Emmerich, Schmieden und die Ingenieure Wiebe, Siegert und Lange tätig waren. Dem von dieſem Ausſchuß nach eingehenden Beratungen ausgearbeiteten Gutachten (vgl. S. 57) trat die Akademie in ihrer Geſamtheit bei. In dieſem Gutachten wird feſtgeſtellt, daß in Groß-Berlin „in den letzten Jahrzehnten in bezug auf die Geſtaltung des Bebauungsplanes, auf die Anlage von Straßen und Plätzen ſowie auf die Anlage von öffentlichen Bauten und Denkmälern allgemeine künſtleriſche und techniſche Geſichtspunkte nicht überall die gebührende Berückſichtigung gefunden haben. Die Tatſache, daß mannigfache Mißgriffe gemacht worden ſind, muß zugegeben werden". Die Akademie bekannte ſich dann damals ſchon in weſentlichen Punkten, in der Befriedigung der

Verkehrsbedürfniſſe und der geſundheitlichen Bedingungen, in der Wechſelbeziehung zwiſchen Bebauungsplan und Bauordnung zu denſelben Anſchauungen, die 10 Jahre ſpäter ihren beſtimmten Ausdruck in dem Programm gefunden haben, welches dem von den nächſtbeteiligten Stadtgemeinden und Kreiſen ausgeſchriebenen Groß-Berliner Wettbewerb zugrunde gelegt worden iſt Dem Gutachten der Akademie war eine kurze Zuſammenfaſſung „Allgemeiner Grundſätze für Städtebau" beigegeben. Durch einen Erlaß (13. Juni 1898) wies das Miniſterium der öffentlichen Arbeiten ſämtliche Regierungspräſidenten Preußens auf die Ausführungen des Gutachtens hin mit dem Erſuchen, die größeren Städte auf die Anregungen aufmerkſam zu machen und die ausgeſprochenen Grundſätze tunlichſt zur Anwendung zu bringen. Weiter legte der Miniſter das Gutachten im Oktober 1899 ſämtlichen Staatsminiſtern und dem Miniſter des Kgl. Hauſes zur Kenntnisnahme vor, namentlich wegen des Vorſchlages der Akademie: Vertreter der beteiligten Intereſſenten zu gemeinſchaftlichen Beratungen zu berufen. Es waren danach kommiſſariſche Beratungen zwiſchen den einzelnen Reſſorts in Ausſicht genommen. Dieſe ſind aber nicht zuſtande gekommen, *weil befürchtet wurde, daß die entgegenſtehenden Schwierigkeiten unüberwindlich ſein würden.* (Vgl. auch Abb. 42.) Es dauerte weitere 10 Jahre, bis durch die Ausführung der ſogenannten Althoffſchen Pläne wenigſtens ein teilweiſer Erſatz für das Scheitern des 1899 ins Auge gefaßten Ausſchuſſes für öffentliche Monumentalgebäude geſchaffen worden iſt. Auf Anregung Althoffs wird auf dem Gebiete der Kgl. Domäne Dahlem im Südweſten Berlins eine Stadt der Wiſſenſchaft entſtehen, die ſich wohl mit ähnlichen Schöpfungen in Amerika (Univerſitätsſtädte) wird vergleichen können. Durch eine weitſichtiges Einverſtändnis zwiſchen dem Miniſterium für Landwirtſchaft, Domänen und Forſten und dem Finanz-, Kultus- und Kriegsminiſterium, dem Miniſterum der öffentlichen Arbeiten und dem Reichsamte des Innern werden auf dem 500 ha großen Gebiete, von dem bereits 1909 57 ha von preußiſchen Staatsinſtituten und 15 ha von Reichsinſtituten beſetzt waren (wobei allein 21 ha von Univerſitätsinſtituten eingenommen wurden) weitere 50 ha für neue Univerſitätsanſtalten, für das Muſeum für Völkerkunde, das orientaliſche Seminar, Bibliothek, Dubletten-Bibliothek, Zeitungsmuſeum, Schulmuſeum, Reichs-Kolonialmuſeum uſw., reſerviert werden. Da das Intereſſe der glücklichen Gruppierung dieſer zahlreichen öffentlichen Bauten nach künſtleriſchen Grundſätzen rechtzeitig berückſichtigt und in den Vordergrund geſchoben worden iſt, und da einem bedeutenden Städtebauer, einem erſten Preisträger im Groß-Berliner Wettbewerb, Hermann Janſen, wenn auch nicht freie Hand, ſo doch beratender Einfluß auf die Plangeſtaltung gewährt wurde (Abb. 91), iſt zu erwarten, daß in Dahlem eine ganz einzigartige, der deutſchen Wiſſenſchaft würdige Anlage entſtehen wird.

Auch in der Frage des Groß-Berliner Bebauungsplanes bedurfte es nach dem Gutachten der Akademie von 1898 noch der Arbeit weiterer 10 Jahre, bis die Entwicklung der öffentlichen Meinung endlich eine Neugeſtaltung der Groß-Berliner Verhältniſſe erzwang. Das Verdienſt, die Anregung gegeben zu haben für die Ereigniſſe, die ſeit 1906 geradenwegs zum Ausſchreiben eines Wettbewerbes um einen Grundplan für die ſtädtebauliche Entwicklung Groß-Berlins geführt haben, gebührt dem ſeitdem verſtorbenen Regierungsbaumeiſter Emanuel Heimann, deſſen in der Vereinigung der Berliner Architekten gehaltener Vortrag: „Berlins Wachstum und bauliche Zukunft" den Anſtoß zur Wahl neuer Ausſchüſſe für die Bearbeitung der Frage in beiden Architektenvereinen gegeben hat. Im

Zusammenhang mit Heimanns Vortrag müssen der gleichzeitig gehaltene Vortrag Theodor Goeckes „Wald- und Parkgürtel, eine Anregung für Groß-Berlin“ und Albert Hofmanns „Groß-Berlin als wirtschaftspolitischer, verkehrstechnischer und baukünstlerischer Organismus“ hervorgehoben werden.

Wenn man einen Rückblick auf die Entwicklung des Kampfes um die städtebauliche Gestaltung Groß-Berlins wirft, wie er seit den vierziger Jahren unermüdlich gekämpft wurde und von dem hier einige Phasen geschildert worden sind, dann entrollt sich eine unabsehbare Reihe von Niederlagen der Gedanken, für die jeweils die Vorkämpfer gesunden Städtebaues eingetreten sind, der Gedanken, deren Nichtbeachtung diese Vorkämpfer eine schwere Gefahr nannten, und die heute zu den anerkannten, geradezu selbstverständlichen Forderungen des Städtbaues gehören. Was sind die Folgen einer solchen Vernachlässigung dessen, was heute als Forderung des gesunden Menschenverstandes anerkannt wird? Was sind die Folgen dieser jahrzehntelangen Verschleppung dringend notwendiger Maßregeln? Was bedeutet es für Berlin, daß es sich 50 Jahre lang unter der Herrschaft eines Bebauungsplanes entwickelte, den einst ein unreifer, die Probleme nicht ahnender junger Techniker auf sein Reißbrett liniierte und der zu scheußlicher Wirklichkeit erweckt wurde durch den bürokratisch-verrufensten, mit manchesterlicher Gleichgültigkeit und mit Resten absolutistischer Machtvollkommenheit ausgestatteten Verwaltungsapparat jener Zeit? Was ist die Folge davon, daß im großen und ganzen genommen — abgesehen von der hoffnungsvollen Entwicklung der allerletzten Zeit — die städtebauliche Politik, die grundlegende Frage des städtischen Ansiedlungswesens, noch mitten in der Routine und den Folgen der traurigsten Reaktionsperiode der preußischen Geschichte stecken, in jener unseligen mit dem Worte Olmütz gebrandmarkten Depression, aus der die Entwicklung des deutschen Reichsgedankens und die äußere Politik durch Bismarck befreit wurde? Was ist die Folge davon, daß die sozialpolitischen Pflichten des Staates und der Gemeinde dank der Pionierarbeit der deutschen Wissenschaft seit den 70er Jahren auf den mannigfaltigsten Gebieten erfüllt werden, während sie im Städtebau, diesem sozialpolitischen Wirkungsfelde par exellence, erst in den letzten Jahren anfangen erkannt zu werden, so daß bis heute das verhängnisvollste laissez-faire geherrscht hat? Was sind die Folgen von alledem?

Es wurde geschildert, wie die Wohnungsnot in den 60er und 70er Jahren eine Höhe erreicht hat, die die Volksleidenschaft und die Gewissen der edelsten Männer tief erschütterte. Wie vergleichen sich die Verhältnisse von heute mit jener Zeit? Ist es gelungen, die furchtbare Kalamität zu beseitigen, die damals herrschte, und die unter den Folgen des großen Krachs der 70er Jahre vorübergehend gedämpft oder wenigstens in den Hintergrund des öffentlichen Bewußtseins gerückt wurde, oder ist diese Kalamität infolge ihrer langen Dauer nachgerade zu einer als selbstverständlich geltenden Institution geworden? „Nötigt die heutige Gesellschaft“, wie einer der zuverlässigsten und anerkanntesten Beurteiler unserer Volkswirtschaft es ausdrückte (vgl. S. 73), noch immer „die unteren Schichten des großstädtischen Fabrikproletariats durch die Wohnungsverhältnisse mit absoluter Notwendigkeit zum Zurücksinken auf ein Niveau der Barbarei und Bestialität, der Roheit und des Rowdytums, das unsere Vorfahren schon Jahrhunderte hinter sich hatten?“ „Ist die größte Gefahr, die unserer Kultur von hier aus droht“, beseitigt? Kann ein gewissenhafter Mann die gegenwärtigen Verhältnisse irgendwie wieder beruhigter betrachten? Ein Vergleich

> Sehr wenige Ehepaare können in einer Einzimmerwohnung leben, ohne ziemlich häufig Prügel auszutauſchen. Bernhard Shaw.

zwiſchen 1875 und heute ſoll auf dieſe Frage die Antwort geben. Ein ſolcher Vergleich, der wegen der dabei notwendig werdenden Schätzungen nicht einfach iſt, liegt uns aus der zuverläſſigen Hand des Direktors des Statiſtiſchen Amtes der Stadt Schöneberg, Dr. Kuczynski, vor[95]; dieſer Vergleich ergibt unter anderem folgendes: Aus dem Berlin von 1875 mit ſeinen 967000 Einwohnern und 200000 Wohnungen iſt ein Groß-Berlin mit nahezu 4 Millionen Einwohnern und faſt einer Million Wohnungen geworden. Mit dieſem ungeheuren Wachstum der Stadt iſt ein ungeheures Wachſen der 1875 vorhandenen Übelſtände verbunden geweſen, und es iſt ein ſchlechter Troſt, daß die Übelſtände nicht immer auch relativ, ſondern vielfach nur abſolut gewachſen ſind. Aus den 20164 Wohnungen im vierten bis fünften Stockwerk, über die man ſich im Jahre 1875 entſetzte, ſind heute etwa 200000 ſolcher Wohnungen geworden, im Jahre 1875 waren 37 vom Hundert aller Wohnungen Hinterwohnungen; heute ſind es rund 45 vom Hundert. „Was die Kleinheit der Wohnungen angeht, ſo gab es 1875 in Berlin 112354 Wohnungen, die nicht mehr als ein heizbares Zimmer hatten, 53689, die zwei heizbare Zimmer hatten und 46511 Wohnungen mit mehr als zwei Zimmern. Heute gibt es in Groß-Berlin reichlich 400000 Wohnungen mit nicht mehr als einem heizbaren Zimmer, etwa 300000 Wohnungen mit zwei heizbaren Zimmern und annähernd 250000 mit mehr als zwei Zimmern. Der Anteil der Wohnungen mit nicht mehr als einem Zimmer iſt von 53 v. H. auf etwa 44 v. H. gefallen, der Anteil der Zweizimmerwohnungen iſt von 25 v. H. auf etwa 31 v. H., der der größeren Wohnungen von 22 v. H. auf etwa 25 v. H. geſtiegen. Eine nennenswerte Verſchiebung hat alſo die Verteilung der Wohnungen nach der Zahl der Zimmer nicht erfahren, und die Beſſerung, die ſich darin äußert, daß die Zweizimmerwohnungen ſtärker zugenommen haben als die Einzimmerwohnungen, wird vermutlich dadurch aufgewogen, daß die Zimmer im Laufe der Zeit kleiner geworden ſind, und daß die Nebenräume, die früher in der Berliner Arbeiterwohnung eine große Rolle ſpielten, auf dem Ausſterbeetat ſtehen. In dieſer Beziehung ſei nur erwähnt, daß im Jahre 1875 noch mehr als ein Drittel der Einzimmerwohnungen einen nichtheizbaren Wohnraum, eine Kammer, hatten, während heute in Groß-Berlin nicht mehr ein Zehntel der Einzimmerwohnungen ein ſolches Nebengelaß haben. Und gerade in dieſer Frage, der Enge der Wohnungen, kommt auch der abſoluten Zahl der Bewohner eine beſondere Bedeutung zu. Im Jahre 1875 wohnten in Berlin 435479 Menſchen in Wohnungen mit höchſtens einem heizbaren Zimmer, heute ſind es in Groß-Berlin kaum weniger als 1½ Millionen. Rechnet man jede Wohnung als überfüllt, in der mehr als 4 Perſonen auf ein heizbares Zimmer treffen, ſo gab es im Jahre 1875 in Berlin 28238 überfüllte Wohnungen mit 184230 Bewohnern, hingegen **heute in Groſs-Berlin rund 100000 derartig überfüllte Wohnungen mit rund 600000 Menschen**". „Für die Mietpreiſe iſt ein exakter Vergleich mangels der erforderlichen ſtatiſtiſchen Unterlagen nicht möglich. Immerhin deutet das vorhandene Material darauf hin, daß die Arbeiterfamilie bei einem Einkommen, das vielleicht doppelt ſo hoch iſt wie vor einem Menſchenalter, trotzdem heute einen mindeſtens ebenſo großen Anteil davon für Miete aufwenden muß wie damals" (vgl. Abb. 57). Die Beſſerungen, die in dem

Unsere Bestrebung ist ja klar. Diese Massenquartiere wollen wir in neuen Stadtteilen überhaupt nicht mehr haben. J. Stübben.

Rückgang der Dachwohnungen und dem relativen Rückgang der Kellerwohnungen (1875 gab es 21 639, heute in Groß-Berlin mehr als 30 000 Kellerwohnungen) sowie in der Verbesserung der Wasserklosetts gefunden werden können, werden mehr als aufgewogen durch die ungeheuren Vergrößerungen der Steinwüste, in deren Mitte die Wohnungen sich befinden, und die eine täglich unüberwindlicher werdende Kluft zwischen dem Großstädter und der freien Natur befestigt.

Angesichts solcher Zahlen, die also für den heutigen Tag noch eine Steigerung der Not von 1875 dartun, genügt es nicht, sich zu entsetzen und bedauernd den Kopf zu schütteln. Man muß versuchen, sich die Bedeutung dieser Zahlen klar zu machen. Man kann sich wohl vorstellen, daß ein gesunder Mensch für kurze Zeit, für einige Wochen, das Zusammenwohnen mit 4—12 Personen in einem Raum ohne dauernde Schädigung überwindet. Ein Mensch jedoch, der dauernd so lebt oder sich gar an diesen Zustand gewöhnt, und sich in ihm wohl befindet, schlägt den selbstverständlichen Forderungen der Hygiene ins Gesicht, er ist krank oder muß es werden; da er dadurch seine schon ohnedies geringen Erwerbskräfte noch weiter herabdrückt, ist keine Möglichkeit vorhanden, daß er für die Kosten seiner Krankheit selber aufkommt. Er ist oder wird also, schon rein materiell, eine Bürde, ein Schädling für seine Mitmenschen. Kinder, die in solchen Verhältnissen geboren und groß werden, sind von vornherein der öffentlichen Fürsorge in irgendeiner Form geweiht. Aber in einem noch ganz anderen Sinne sind die Opfer schlechter Wohnungsverhältnisse im höchsten Grade gemeingefährlich. Da ihnen nichts genommen werden kann, sondern da im Gegenteil selbst das Zuchthaus kein unkomfortableres, im Gegenteil ein gesundheitlich weit vorzuziehendes Unterkommen verglichen mit ihrer jetzigen Wohnlage bedeuten muß[96]), bilden sie eine Armee von Desperados, einen sozialen Sprengstoff, dessen Gefahren mit seiner Anhäufung wachsen. Die körperlich und geistig demoralisierenden Folgen der heillosen Wohnungsverhältnisse wachsen aber nicht im selben Verhältnis wie etwa die Zahl der überfüllten Wohnungen, sondern, man möchte sagen, in quadratischer Steigerung, genau wie etwa die Sprenggewalt einer Dynamitbombe schneller wächst als ihre Größe. Es ist in — angesichts der eben gegebenen Zahlen — geradezu bigotter Weise, unter Hinweis auf die zeitweise höhere Prozentsätze erreichenden leerstehenden Wohnungen behauptet worden, es gäbe keine Wohnungsnot in Berlin (vgl. hierzu Schmollers Ausspruch, S. 72). Darauf ist zu antworten, daß bei 600 000 Menschen in überfüllten Wohnungen, in Wohnungen mit 5—13 Personen auf ein heizbares Zimmer (nur ein Zehntel der Groß-Berliner Einzimmerwohnungen hat ein unheizbares Nebengelaß) das Wort Wohnungsnot zu gelinde ist. 600 000 aufeinandergepferchte Menschen bedeutet Pest, bedeutet eine skandalöse Menschenanhäufung, wie sie in gleichem Umfange und auf gleichem Raum die Weltgeschichte nicht gesehen hat. Sie bedeutet einen Schandfleck auf der Ehre der Nation. Die Rechtfertigung, daß es auch in anderen Großstädten schlechte Wohnungsverhältnisse, slums, gebe, ist zu billig, um nicht nichtig zu sein; obendrein liegen höchstwahrscheinlich die Verhältnisse so, daß in allen den Großstädten, die nach Größe und nach dem Kulturstande der betreffenden Nation mit Berlin verglichen werden dürfen, der slum eine wenige Prozente der Be-

Abb. 58. Aussteller: Stadt Rixdorf (Stadtbaurat Kiehl).

Die bauliche Entwicklung Rixdorfs von 1875–1908.

Rixdorf hatte im Jahre 1875 13 375, im Jahre 1910 237 289 Einwohner.

> Es weckt eigentümliche Empfindungen, wenn wir hören, daß in den bayrischen Zuchthäusern auf den Zellengefangenen 22 cbm Luftraum kommen, dagegen auf den freien Münchener im Ostend in 12,1 % der Wohnungen nicht 10, in 34,3 % nicht 15 cbm.
> Lujo Brentano (in „Die Arbeiterwohnungsfrage in den Städten mit besonderer Berücksichtigung Münchens" 1909).

völkerung ergreifende Ausnahme bildet, während man in Berlin mit Schaudern feststellen muß, daß der slum die Regel darstellt, daß die ganze Stadt verschlammt ist, nach dem Grundsatz Hobrechts, daß die Hefe der Großstadt mittels der Mietkaserne gleichmäßig über die ganze Stadt verteilt wird.

Von den Städten, die sich mit Berlin vergleichen lassen, könnte höchstens Paris ähnlich schlechte Wohnungsverhältnisse aufweisen (vgl. Abb. 56). Bei der Beurteilung der Pariser Verhältnisse ist jedoch die Tatsache wichtig, daß Paris in viel höherem Maße als Berlin die Zentrale eines landwirtschafttreibenden Landes ist und bleiben wird, während in Deutschland die Entwicklung zum Industriestaat unaufhaltsam fortschreitet (vgl. Abb. 4). Da Paris seinen Bevölkerungszuwachs also nach wie vor aus landwirtschaftlichen Bezirken beziehen wird, trifft dort zu, was Gustav von Schmoller zur Erklärung des Umstandes gibt, daß die Folgen der großstädtischen Wohnungsverhältnisse bis jetzt nicht noch schlimmere geworden sind: „Nur weil ein großer Teil dieser Armen bis jetzt einen Schatz guter Sitte, kirchlicher Überlieferung, anständiger Empfindungen mit in diese Höhlen aus früherer Zeit gebracht hat, ist das Äußerste noch nicht geschehen. Das Geschlecht von Kindern und jungen Leuten aber, das jetzt in diesen Löchern aufwächst, das muß mit Notwendigkeit alle Tugenden der Wirtschaftlichkeit, der Häuslichkeit, des Familienlebens, alle Achtung vor Recht und Eigentum, Anstand und Sitte verlieren." In Deutschland dagegen ist von 1871 bis 1905 die Bevölkerung des platten Landes von 26,2 auf 25,8 Millionen gesunken[97]), aber die Bevölkerung der Großstädte mit mehr als 100000 Einwohnern von 1,9 auf 11,5 Millionen gestiegen. Es wohnt heute etwa ein Fünftel der Gesamtbevölkerung des Reiches in städtischen Agglomerationen mit über 100000 Einwohnern. Während nun die ungeheure Kaufkraft dieser Städte, da ihr die ausländischen Quellen durch die Agrarzölle verstopft sind, die Produkte der deutschen Landwirtschaft in so umfangreicher Weise an sich zieht, daß die Ernährung der landwirtschaftlichen Bevölkerung und ihr Wert als Jungbrunnen der Volkskraft nachweislich schwer darunter gelitten hat[98]), entwickeln sich die schrecklichen Berliner Wohnungsverhältnisse ganz ähnlich in anderen deutschen Großstädten. Die Zusammenstellung Professor Thirrings (Abb. 56) gibt Aufschlüsse darüber, wie namentlich in München, Dresden und Breslau die Verhältnisse relativ beinahe noch ungünstiger liegen. Wenn ihre Gefahren mit den in Berlin drohenden nicht zu vergleichen sind, so ist es, weil man bei der, absolut betrachtet, geringeren Anhäufung des gefährlichen Sprengstoffes seine baldige Explosion weniger fürchten muß. Auf jeden Fall aber muß baldigst ein Ersatz für „den Schatz guter Sitte, kirchlicher Überlieferung und anständiger Empfindungen aus früherer Zeit" geschaffen werden, der vorläufig nach Schmoller das Äußerste in den großen Städten bisher noch verhütet hat und der ersetzt werden muß durch die jetzt fehlende Möglichkeit, gute Sitten auch in allen Schichten der gewaltig wachsenden Großstadtbevölkerungen zu entwickeln und zu bewahren. Als auf der Berliner Städtebauausstellung vor der großen statistischen Tabelle von Professor Silbergleit (Abb. 5) die Berliner Wohnungsverhältnisse von einer amerikanischen Kom-

> Wenn vier, sechs, acht Menschen, und zwar erwachsene Menschen verschiedenen Geschlechts, in demselben Raume zusammen wohnen, so ist das eine Brutstätte von Lastern und Gemeinheiten schlimmster Art. Die Übelstände, die da entstehen, liegen nicht an den Personen, sondern an den Lebensbedingungen, in die wir sie hineingesetzt haben, und solche Lebensbedingungen müssen aus dem bestehenden Monopolverhältnisse hervorgehen.
>
> Adolf Wagner (in „Wohnungsnot und städtische Bodenfrage").

mission besprochen wurden, warf einer der Mitglieder die Frage auf, wie es wohl zu erklären sei, daß derartige Übelstände in solch massenhafter Anhäufung auf die Dauer von der Bevölkerung ertragen würden; es gäbe ja auch in amerikanischen Städten slums, unter denen aber doch nur die europäischen Einwanderer zu leiden hätten, und auch diese meist nur für eine kurze Übergangsperiode, bevor sie sich dem neuen amerikanischen Niveau angepaßt hätten; es sei dagegen undenkbar, daß, wie in Berlin, die große Masse der amerikanischen Stadtbevölkerung sich dauernd solch ungünstigen Wohnungsverhältnissen unterwerfe. Ein anderes Mitglied der amerikanischen Kommission schlug folgende Antwort auf die Frage seines Kollegen vor: „Die Ursache, daß die große Masse der amerikanischen Arbeiter ähnlich schlechte Wohnungsverhältnisse nicht dulden würde, liegt darin, daß es in Amerika keine Kgl. preußische Sozialdemokratie gibt, die den einflußreichsten Teil der Arbeiterschaft von unten her poliziert und mit Hoffnungen auf einen Zukunftsstaat abspeist." Wenn diese Auffassung, die die Sozialdemokratie als letztes staatserhaltendes Mittel hinstellt — die man im Auslande übrigens öfter findet —, einem Deutschen auch paradox erscheint, so mag vielleicht doch etwas wahres daran sein. Sicherer wäre es jedenfalls, noch andere Mittel zur Sicherung des Staates, nämlich eine Reform der Übelstände, zu finden; man erwäge nur, wie gering zuletzt auch der mäßigende Einfluß selbst bewährter Volksführer Werden muß, wenn die Masse derer, die in so jämmerlichen Verhältnissen leben, daß sie nichts zu verlieren haben, so groß ist wie in Berlin mit seinen 600000 Menschen, von denen jeder mit 4 bis 12 Personen in einen Raum gepreßt ist. Man vergegenwärtige sich die Machtlosigkeit selbst großer militärischer Aufgebote derartigen Massen gegenüber. Man denke auch, welchen verhängnisvollen Gärungsstoff eine derartig ausgedehnte physisch verkommende Unterschicht etwa gelegentlich einer größeren wirtschaftlichen Depression, die für längere Zeit Hunderttausende brotlos macht, selbst dem solidesten Teil der Arbeiterschaft mitteilen muß. Gelegentlich der Mieterrevolten von 1863 konnte ein verhältnismäßig geringes Aufgebot bewaffneter Macht der Lage Herr werden; in den folgenden Jahren ist dann die Phantasie der Massen durch die großen kriegerischen Ereignisse von ihrer Not abgelenkt worden. Sollte es heute zur Wiederholung solcher Revolten kommen, wo die bewaffnete Macht einer nach Hunderttausenden zählenden „auf ein Niveau der Barbarei und Bestialität, der Roheit und des Rowdytums zurückgesunkenen" Masse gegenübersteht, dann würden sich unter den Opfern ganz unvermeidlich auch zahlreiche ganz Unschuldige befinden, was ungeheure Erregung auslösen müßte. Wäre dann noch irgendwelche berechtigte Hoffnung, daß nicht auch die Elite der Arbeiterschaft mit in den Strudel gezogen würde? Gesetzt, es fielen auch einige angesehene bürgerliche Persönlichkeiten — wie es ja bei umfangreichen Räumungen gar nicht zu vermeiden wäre — etwa unter tragischen Nebenumständen der Erhaltung der öffentlichen Ruhe zum Opfer, würde nicht die Gefahr einer ernsten Krisis in der öffentlichen Meinung

> „Der Argumentation, daß der Verein (die Berliner Gemeinnützige Baugeſellſchaft) erſt durch eine ausgedehntere Beteiligung des Publikums in den ihm zufließenden Beiträgen ſeiner Mitglieder die Mittel erlange, um ſich eine nachhaltige Wirkung auf die Zweigvereine zu ſichern, kann ich durchaus nicht beiſtimmen, da nach Meiner Anſicht erſt durch eine Mitwirkung ſeitens der Regierung eine ausgedehntere Beteiligung des Publikums angeregt wird und deshalb die Regierung darauf bedacht ſein muß, durch ihre Hilfe die Teilnahme des Publikums für den Verein zu erwecken.
>
> Der Prinz von Preußen (ſpäterer Kaiſer Wilhelm I.)
>
> (An den Vorſtand der Berliner Gemeinnützigen Baugeſellſchaft, 29. März 1851.)

heraufbeſchworen ſein, der vielleicht dann Opfer gebracht werden müßten, die viel weiter gehen, als bei ruhiger Überlegung wünſchenswert erſcheint? Würden bei der allgemeinen Erregung, der ſich dann auch die bürgerliche Preſſe kaum verſchließen könnte, nicht vielleicht auch angeſehene, ſonſt konſervativ denkende Leiter der öffentlichen Meinung zu folgenſchweren Äußerungen hingeriſſen werden? Heute wird in Deutſchland von der äußerſten Rechten bis zur äußerſten Linken ziemlich einmütig die Auffaſſung geteilt, daß öffentliche Unruhen unter allen Umſtänden ſchädlich und zu vermeiden ſind. Dieſe Auffaſſung ſtützt ſich auf die ſchweren revolutionären Erfahrungen der romaniſchen Länder. Würde nicht bei einer allgemeinen Kriſis im Empfinden der verſchiedenen Volksſchichten die Erregung ſelbſt einſichtige Männer für die mehr anglo-germaniſche Auffaſſung von der Revolution Stellung nehmen laſſen, nach der Holland und Amerika, und beſonders England mit ſeiner glorreichen Revolution, keine ſchlechten Erfahrungen mit gewaltſamen Änderungen im Staatsleben gemacht haben? Tatſache iſt ja, daß für jedes lebendig wachſende Volk durchgreifende Umgeſtaltungen des wirtſchaftlichen und politiſchen Zuſtandes von Zeit zu Zeit unausbleiblich ſind; Deutſchlands Größe hat bis heute darin beſtanden, daß die notwendigen Revolutionen durch einſichtige Regierungen von oben her mit den geringſten wirtſchaftlichen und moraliſchen Einbußen gemacht worden ſind. Was eine gewaltſame Revolution gegen die Regierung in Deutſchland bedeuten würde, iſt in größerem Maßſtabe wenigſtens noch nicht erprobt worden[99]). Die Exploſionskraft, die in den verwahrloſten Großſtadtbevölkerungen der Jetztzeit ſtecken kann, iſt noch durch kein Experiment der Weltgeſchichte dargeſtellt. Nirgends aber iſt die Gefahr größer als in dem durch die Berliner Wohnungsverhältniſſe geſchaffenen Milieu. Möchte auch hier die rechtzeitige Erkenntnis und Durchführung des Notwendigen, d. h. alſo eine durchgreifende Wohnungsreform, uns vor weiteren Einbußen an ſittlichen und materiellen Werten beſchirmen.

Wie konnte es entſtehen, dieſes gräßliche, höchſt gefährliche Berliner Mietkaſernenmilieu (der Poet ſeiner in Ulk gepanzerten Verkommenheit iſt Hermann Zille; möchte dieſer Künſtler ein Publikum finden, das in ſeinen Zeichnungen nicht nur den Ulk ſieht, ſondern das seine „Kinder der Straße“ Seite für Seite neben Otto Rühles Monographie über „das proletariſche Kind“ lieſt!)? Nach dem Rückblick, der in dieſer Einleitung verſucht wurde, darf die Antwort auf dieſe Frage nicht ſchwer fallen: ein halbes Jahrhundert lang haben, wie es in der Sprache der Kgl. Akademie lautet, „allgemein künſtleriſche und techniſche Geſichtspunkte nicht überall die gebührende Berückſichtigung gefunden“; ein halbes Jahrhundert lang ſind „mannigfaltige Mißgriffe gemacht worden“; das heißt, in eine lebendigere Sprache überſetzt, daß man es an den leitenden Stellen während eines halben Jahrhunderts verſtanden hat, ſich gegen die von berufenſten

Das wahre Glück des Lebens darf nur gesucht werden in dem, was allen Menschen erreichbar und gemeinsam ist. H. v. Treitschke (in „Der Sozialismus und seine Gönner").

Seiten klar dargelegten Forderungen des gesunden Menschenverstandes die Ohren zu verstopfen, daß man immer aufs neue die Hindernisse, die sich der Erfüllung dieser Forderungen entgegensetzten, als „unüberwindlich" gelten zu lassen bereit war. Wer aber sind diese geheimnisvollen „leitenden Stellen"? Wir leben nicht in einem despotisch regierten Lande; die verschiedenen öffentlichen Behörden sind im großen und ganzen — das gilt in diesem Zusammenhang ganz besonders — willige Organe der öffentlichen Meinung, man muß hier geradezu sagen: der Moral der sogenannt gebildeten Klassen. Auf den Stand der allgemeinen Bildung, der öffentlichen Moral fällt hier vielleicht mehr als irgendwo anders der ganze Vorwurf. Von den tierisch zusammengepferchten Opfern der Wohnungsverhältnisse darf gerade in der Wohnungsfrage nur in allerletzter Linie ein Umschwung, eine Wohnungsreform erwartet werden. Das berühmte Wort nämlich, daß man einen Menschen mit einer schlechten Wohnung genau so gut töten kann wie mit einer Axt, ist grundfalsch. Eine Axt ist eine zum Widerstande aufreizende oder eine plötzlich erlösende Waffe; eine schlechte Wohnung dagegen ist ein schleichendes, verruchtes Gift, das, bevor es tötet, seine Opfer langsam betäubt, aus Menschen zu Tieren und aus Tieren zu bleich vegetierenden, schädlichen Schattenpflanzen herabdrückt. Der Schrei der Empörung, der Warnungsschrei gegen dieses den unseligen Brüdern gereichte schleichende Gift muß von den Lippen der Menschen kommen, die noch nicht infiziert sind. Daraus erwächst den wohlhabenden Klassen die heilige Mission, selber schätzen zu können, was gute, bekömmliche Wohnungsverhältnisse bedeuten, und dann nicht zu dulden, daß anderen Gift verabreicht wird. Aber gerade hier trifft die wohlhabenden Schichten der meisten deutschen Großstädte und ganz besonders Berlins der schwere Vorwurf verwerflichster Rückständigkeit. Zur Erfüllung ihrer Pflichten als bahnbrechende Elite wäre eine genügende Durchkultivierung der Bedürfnisse, eine ästhetische und ganz selbstverständlich auch hygienische Entwicklung der persönlichen Ansprüche erforderlich, eine Güte und Gediegenheit der Lebenshaltung, deren der Deutsche im höchsten Maße fähig ist, die sich aber die besitzenden Klassen der deutschen Großstädte nach dem großen „Kultursturz" der zweiten Hälfte des 19. Jahrhunderts erst in allerletzter Zeit und nur ganz allmählich zurückgewinnen. Es ist tief beschämend, aber es muß gesagt werden, daß wir uns erst ganz langsam, dank der unermüdlichen Arbeit einer kleinen, aber wachsenden Zahl von Pionieren, die unentbehrlichen Ausrüstungsstücke der oberen Klassen, ohne die eine Aristokratie im Kampfe gegen das großstädtische Elend wertlos ist, aus dem Ausland, namentlich aus England holen. Man höre die Worte eines Hermann Muthesius, der zusammen mit Otto March zu den vornehmsten Bahnbrechern englischer Hauskultur in Deutschland gehört. Noch im Jahre 1907 muß er folgendes ausführen[100]: „Wenn wir heute auch eine gewisse äußere Kultur in unserer Kleidung erlangt haben, so steht unsere heutige Stadtwohnung in desto größerem Widerspruch dazu. Ihr Inhalt birgt eine Summe von Unkultur, wie sie in den Wohnungsverhältnissen der Menschheit noch nicht dagewesen ist. Überall ist der billigste Surrogatschwindel mit Behagen entfaltet, und es herrscht allein das Bestreben, dem Urteilslosen durch Prunk der Ausstattung zu imponieren. Die Etagen-

„Ich selbst bin immer für das Eigenhaus (Kleinhaus) eingetreten und werde dafür eintreten als das Ideal der Wohnung.

Justizrat Dr. Baumert, Spandau, Vorsitzender des Zentralverbandes deutscher Hausbesitzervereine (in den „Preußischen Jahrbüchern" 1911).

wohnung wird von den ungebildetsten Elementen des Volkes geliefert und von den gebildetsten hingenommen. Wäre nicht der deutsche Geschmack auf einen kaum zu unterbietenden Tiefstand gesunken, wäre nicht das Gefühl für die einfachsten Forderungen der Gediegenheit, für ruhigen Anstand und vornehme Zurückhaltung gänzlich untergraben, so müßte es für den Gebildeten ebenso unmöglich sein, in diesen Etagen zu wohnen, als er es abweisen würde, schlechtsitzende Kleider aus schäbigen Stoffen zu tragen, die äußerlich prätentiös aufgemacht sind. Die Forderung der Gediegenheit und geschmackvollen Zurückhaltung auch an die Wohnung und den Hausrat zu stellen, versagt der heutige Deutsche noch vollständig." Selbst der Teil der Bevölkerung, dessen inneres Bedürfnis und äußere finanzielle Lage bereits, trotz der in Deutschland so unerhörten Hindernisse in dieser Richtung, ein eigenes Heim anstrebt, erhebt sich im allgemeinen nicht über die in der Mietkaserne wohnende Masse; auch bei ihm „ist es richtig, daß die künstlerischen Anforderungen des Publikums heute die ungeklärtesten, ja unkultiviertesten und rohesten sind". Die ganze Misere der Mietkaserne ist in die ‚deutsche Villa', diese „Ausgeburt der Lächerlichkeit", übernommen worden. „Die vielfachen Unzuträglichkeiten der städtischen Etage sind gewohnheitsmäßig mit in das Landhaus geschleppt worden. Die viel zu kleine Küche, die wir im deutschen Landhaus vorfinden, die verkrüppelten Vorrats- und Wirtschaftsräume, die stumpfsinnig rechteckig zugeschnittenen Zimmer, die dunklen Korridore, die Oberlichter, sie alle leiten ihren Ursprung aus der Etage her, die im Sinne der Wohnungsherstellung ein Fabrikerzeugnis und außerdem darauf angelegt ist, durch Äußerlichkeiten zu imponieren. Zu diesen Äußerlichkeiten gehört vor allem die oft übertriebene Größe und Höhe der Wohnräume, das heißt derjenigen Räume, in denen der Mieter persönlich lebt, und vor allem die, in denen er Besuche empfängt und die heute üblichen Monstregastmähler gibt. Diese Weiträumigkeit der Vorderzimmer ist aber durch einen Raub an den Wirtschafts-, Neben- und Schlafräumen erreicht." „Daß im Landhause die Gesichtspunkte des Miethausbesitzers fallen können, ist im deutschen Villenbau noch keineswegs klar zum Ausdruck gekommen. Man hat noch nicht eingesehen, daß das Landhaus ein freies ungebundenes Wesen ist, das man anlegen und gestalten kann, wie man will, daß hier den Einzelwünschen des Bewohners in der weitgehendsten Weise Rechnung getragen werden kann." „Die Stellung des Hauses auf dem Grundstück ist von vornherein dadurch gegeben, daß das Haus an der Straße liegt, so weit von dieser abgerückt als die amtlich vorgeschriebene Vorgartenbreite beträgt; und selbstverständlich werden die Wohnräume an die Straßenfront gelegt. Liegt diese Straßenfront nach Norden, so wohnt man eben nach Norden, liegt sie westlich, so wohnt man westlich. An die Himmelsrichtung wird bei der ganzen Anlage überhaupt nicht gedacht." Diese dummdreiste Bedürfnislosigkeit findet in der Bauordnung nur ihren schematischen Ausdruck, denn die Bauordnung wurde ja von Männern gemacht, die entweder selbst in einer Mietkaserne wohnen oder, in seltenen Fällen, sich auch nur zur „Ausgeburt der Lächerlichkeit einer deutschen Villa" aufgeschwungen haben.

Man darf ruhig ſagen, daß alle unſere Polizeiverordnungen in bezug auf die Merkmale baufertiger Straßen, alle unſere Ortsſtatute über die Bebauung und faſt alle unſere bisherigen Gepflogenheiten im ſtädtiſchen Straßenbau eine dem Kleinwohnungsbau entgegengeſetzte Richtung verfolgen. J. Stübben.

Hermann Mutheſius äußert ſich darüber folgendermaßen: „Die Vorſchriften, die die Baupolizei zur Sicherung von Leben und Geſundheit gibt, haben nicht immer zur Förderung der Architektur beigetragen und vielfach ſelbſt ihren engeren Zweck, die geſundheitlichen Anforderungen zu erhöhen, nicht erreicht. In letzterer Beziehung ſei nur beiläufig an die vielfach vorhandene Bedingung erinnert, in landhausmäßig bebauten Diſtrikten das zum Teil bewohnbare Kellergeſchoß ‚mindeſtens' 50 cm unter der Terrainoberfläche zu halten, eine Bedingung, die, allerdings aus anderen Rückſichten gegeben, direkt ungeſunde Wohnungen züchtet. Man kann nachweiſen, daß infolge dieſer Beſtimmung z. B. in den landhausmäßig bebauten Bezirken um Berlin mindeſtens ein Viertel aller Wohnräume Kellerräume ſind[101]). Denn Kellerräume muß man auch ſchon ſolche Räume nennen, die 50 cm in die Erde verſenkt ſind; es iſt eine bekannte Tatſache, daß der eigentümliche muffige Geruch — der beſte Anzeiger für die ungeſunde Luft — auch ſchon aus ſolchen Räumen nicht zu bannen iſt. Kann man ſich nun aber auch eine unſinnigere Beſtimmung denken als eine ſolche, die auf Ungeſundmachung der menſchlichen Wohnräume ausgeht? Gibt es etwas Verſchrobeneres, als durch eine behördliche Maßregel die Kellerwohnungen der Stadt auf das Land zu übertragen, wo man vollauf Raum hat, ſich über, ſtatt unter der Erde anſäſſig zu machen? Man könnte einwenden, daß ſolche Räume ja nur geſtattet, nicht zu bauen befohlen würden. Demgegenüber muß aber darauf aufmerkſam gemacht werden, daß das, was polizeilich erlaubt iſt, auch gebaut wird. Trifft die Baupolizei überhaupt Beſtimmungen über die Höhenlage der Räume, ſo hätte die erſte die zu ſein, daß in landhausmäßiger Bebauung Wohnräume, die mit ihrer Sohle unter der Erde liegen, nicht geſtattet ſind. Das wäre eine natürliche Vorſchrift, die zur geſundheitlichen Förderung der Bewohner beitragen würde, nicht, wie die jetzige, zur geſundheitlichen Benachteiligung. Die Züchtung von Kellerwohnungen im Landhaus iſt der Gipfel bureaukratiſcher Unſinnigkeit." „Zugeſchnitten auf die Bautätigkeit eines in Großſtädten aufgeſchoſſenen Unternehmertums, dem das Bauen gewiſſenloſer Gelderwerb iſt, das ſo billig und ſchlecht konſtruiert, als es nur eben möglich iſt, und das für ſeine Handlungen infolge der eigentümlichen Praxis des Bauſtrohmanns nicht haftbar zu machen iſt, bevormunden und kommandieren unſere Bugeſetze auch im Einzelhausbau den Bauherrn in einer Weiſe, als wäre er ein rückfälliger Bauſchwindler." „Die für die Villenvororte von Berlin erlaſſene Vorſchrift, daß die Bauten an den Fronten (alſo hauptſächlich Giebel) nicht mehr als ein Drittel der Frontlänge des Hauſes einnehmen dürfen, züchtet jene erbärmlichen kleinen Giebelchen auf den viereckigen Mauerkäſten, die zu den alltäglichſten, aber traurigſten Eigentümlichkeiten des deutſchen Vororthauſes geworden ſind. Für das Bild unſerer Villenvororte wirkt auch höchſt verhängnisvoll die Vorſchrift der Bauwiche. Unter gewiſſen Verhältniſſen, das heißt, für größere Häuſer wird man gewiß nichts dagegen einzuwenden haben, daß jedes Haus einen eigenen Baublock bilden ſoll. Wenn es ſich aber um kleinbürgerliche Häuschen handelt, die auf winzigen Bauplätzen von 18—20 m Straßenſeite ſtehen, ſo wird die Vorſchrift des Bauwiches zu einer Lächerlichkeit." „In konſtruktiver Beziehung iſt die 38 cm ſtarke balkentragende Wand eine anerkannte Materialverſchwendung, die niemand Nutzen bringt." „Mit der Entlaſtung von Mauerbögen durch eiſerne Träger wird ein wahrer Unfug getrieben." „Während aber auf dieſen Gebieten eine ganz unbegreifliche Ängſtlichkeit vorwaltet, ſind die Anforderungen auf dem Gebiete, auf dem ſie wirklich ſtreng ſein ſollten, die laxeſten, nämlich auf dem hygieniſchen. In Entwäſſerungsfragen, Kloſetttypen, Grubenanlagen uſw. werden die größten Mißſtände von der Baupolizei friedlich geduldet. Man drückt ein Auge zu, wenn Gruben ihren Inhalt verſickern und dadurch den ganzen Boden, auf dem das Haus ſteht, verſeuchen, und erlaubt ruhig, daß man Kloſettraum und Speiſekammer, durch eine dünne Drahtputzwand getrennt, zu einem Raum vereinigt (in Berlin und den Vororten — ſo ſchauderhaft es auszudenken iſt — die typiſche Anordnung)." „Und hier ſind es nicht die beſitzenden Klaſſen, die Bewohner der „deutſchen Villa" allein, die zu leiden haben, ſondern, wie Mutheſius an anderer Stelle [102]) ausführt, bleiben durch die übertriebenen hygieniſchen Vorſchriften „Tauſende von Minderbemittelten, die ſonſt ein geſundes Eigenhaus erwerben könnten, weiter darauf angewieſen, ſich mit gemieteten Zimmern zu behelfen, deren geſundheitliche Verhältniſſe oft die traurigſten ſind. In dieſer Beziehung ſind zu hoch geſpannte hygieniſche Anforderungen direkt volksfeindlich".

Mit den ſo geäußerten Anſchauungen ſteht Hermann Mutheſius durchaus nicht etwa vereinzelt da, ſondern ſeine Äußerungen dürften wohl ohne weiteres von allen den angeſehenen Vorkämpfern der ſeit den neunziger Jahren mit neuer Kraft einſetzenden jungen Bewegung für die Hebung der Wohnkultur unterſchrieben werden. Dem traurigen Zuſtande der deutſchen Wohnkultur entſpricht die Lage der Stadtbaukunſt und des Parkweſens. Mit der größten Gleichgültigkeit hat man die Verwüſtung der alten Bauſchätze und der Freiflächen geduldet, die unveräußerlich hätten ſein ſollen. Die Stadt beſaß keine wirklichen Bürger mit Einfluß und Geſchmack, ſondern litt unter einem wegen ſeiner Folgen geradezu ſträflichen Abſentismus. Wer Kunſtbedürfniſſe verſpürte, ging nach Italien oder ſchwärmte von Nürnberg und ließ unterdeſſen den Gendarmenmarkt und den Opernplatz verkommen. Wer Natur brauchte, ging nach Tirol und überließ den Grunewald und das Tempelhofer Feld der Bebauung. Wer ſchon teil hatte an den Segnungen einer ſyſtematiſchen Körperkultur, war bereit, Sport zwiſchen den Brandgiebeln einer vom Lückenbau noch verſchonten Bauſtelle zu treiben.

Solche Ausführungen wie die von Hermann Mutheſius über die Wohnkultur der wohlhabenden Klaſſen und deren Rückwirkung auf die Wohnverhältniſſe der minderbemittelten Schichten muß man ſich vergegenwärtigen, wenn man die Vorwürfe würdigen will, mit denen die Schuld an den furchtbaren Wohnungsverhältniſſen Groß-Berlins oft auf die minderbemittelten Klaſſen, auf die Opfer dieſer Wohnungsverhältniſſe, abgewälzt werden ſoll. Der Vorwurf, die Maſſen, die in Berlin ſo ſchlecht wohnen, ſeien ſelber an dieſen Verhältniſſen ſchuld, weil ſie die Enge und den damit verbundenen phyſiſchen und moraliſchen Schmutz wünſchten, ſtammt nicht aus einem von der Erfahrung gezeitigten Peſſimismus, ſondern iſt eine Behauptung, die an den edlen Inſtinkten unſeres Volkes ohne nachweisliche Berechtigung zweifelt [103]). Um dieſer Behauptung zu begegnen, ſei auf das hocherfreuliche Intereſſe hingewieſen, das die Städtebau-Ausſtellung und die dazu gehörigen Veranſtaltungen,

Abb. 59. Verteilung der Bewohner von Berlin, Charlottenburg und Rixdorf auf die nach Zahl der heizbaren Zimmer unterſchiedenen Wohnungen gemäß der Volkszählung vom 1. Dezember 1905. Dieſe Abbildung bedeutet für Berlin eine Neugruppierung des in Abb. 5 gegebenen Materials, zuſammengeſtellt mit demſelben Material für Charlottenburg und Rixdorf. Dieſe Darſtellung wurde unter der Leitung von Oberingenieur R. Peterſen gefertigt und iſt ſeiner Schrift „Die Verkehrsaufgaben des Verbandes Groß-Berlin“[104]) entnommen.

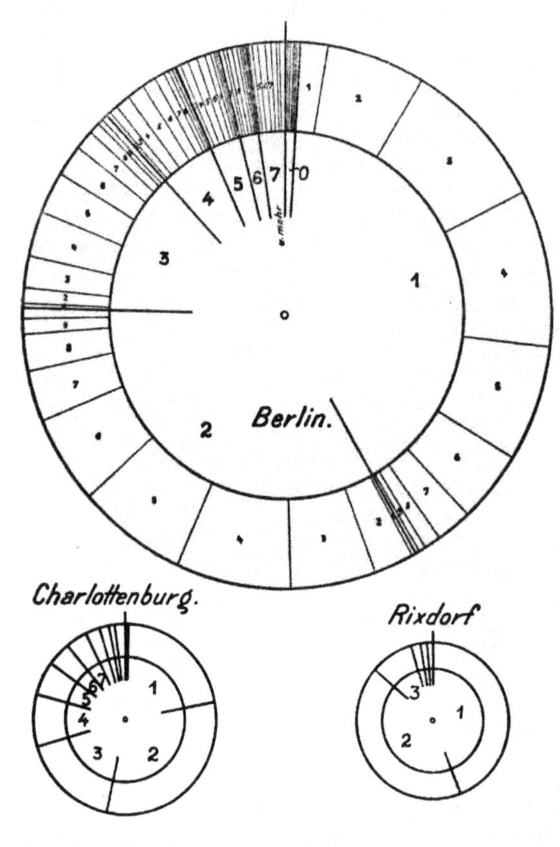

Vgl. den Unterſchied in der Wohnungsgruppierung von Berlin und Rixdorf auf der einen Seite, wo beinahe die Hälfte der Bevölkerung in Einzimmerwohnungen wohnt, gegenüber Charlottenburg, wo weniger als $^{1}/_{4}$ der Bevölkerung in Einzimmerwohnungen und beinahe $^{1}/_{4}$ der Bevölkerung in Wohnungen mit mehr als 4 Zimmern wohnt. Die Kreisringe ſtellen die Geſamtzahl der Bewohner dar und ſind durch die ſtarken Linien nach den Wohnungen mit 0—7 oder mehr heizbaren Zimmern (mit oder ohne Küche) untergeteilt. Die Zimmerzahl iſt im inneren Kreiſe eingetragen, während die Ringſektoren mit den kleinen Ziffern angeben, wieviel von den Bewohnern in den einzelnen Wohnungen zu 1—13 Perſonen zuſammenwohnen.

wie Führungen und Vorträge, gerade in Arbeiterkreiſen gefunden haben. Von den 65000 Beſuchern der Städtebau-Ausſtellung gehörten 13500 den freien Gewerkſchaften an. Die Veranſtaltung von Führungen der verſchiedenen Gewerkſchaften haben zu den beinahe täglich wiederkehrenden Aufgaben der Ausſtellungsleitung gehört. Der Beſuch der Ausſtellung durch 2000 Mitglieder der Zentralkommiſſion der Krankenkaſſen Berlins und der Vororte brachte einen der frequentierteſten Tage. Für noch bedeutungsvoller jedoch muß der Erfolg bezeichnet werden, den die Städtebau-Ausſtellung bei der Leitung der zu $^{3}/_{4}$ aus Arbeitern aller Berufe gebildeten Baugenoſſenſchaft „Ideal“ in Rixdorf gehabt hat. Dieſe iſt die erſte geweſen, die das von Kuczynski-Lehweß ausgeſtellte Projekt „Einfamilienhäuſer für Großſtädte“ (Abb. 28), das zu den bedeutungsvollſten Anregungen der Ausſtellung gehörte, ernſthaft gewürdigt und ſeine Ausführung in Angriff genommen hat. Die im Frühjahr von der Baugenoſſenſchaft „Ideal“ veranſtaltete Ausſtellung zur Propaganda für ihr Einfamilienhausprojekt hatte 28000 Beſucher aufzuweiſen, und die Stimmung, die in der Ausſtellung und während der Vorträge herrſchte, muß ſehr verheißungsvoll genannt wer-

Abb. 60. Ausſteller: Statiſtiſches Amt der Stadt Berlin (Direktor Prof. Dr. Silbergleit).

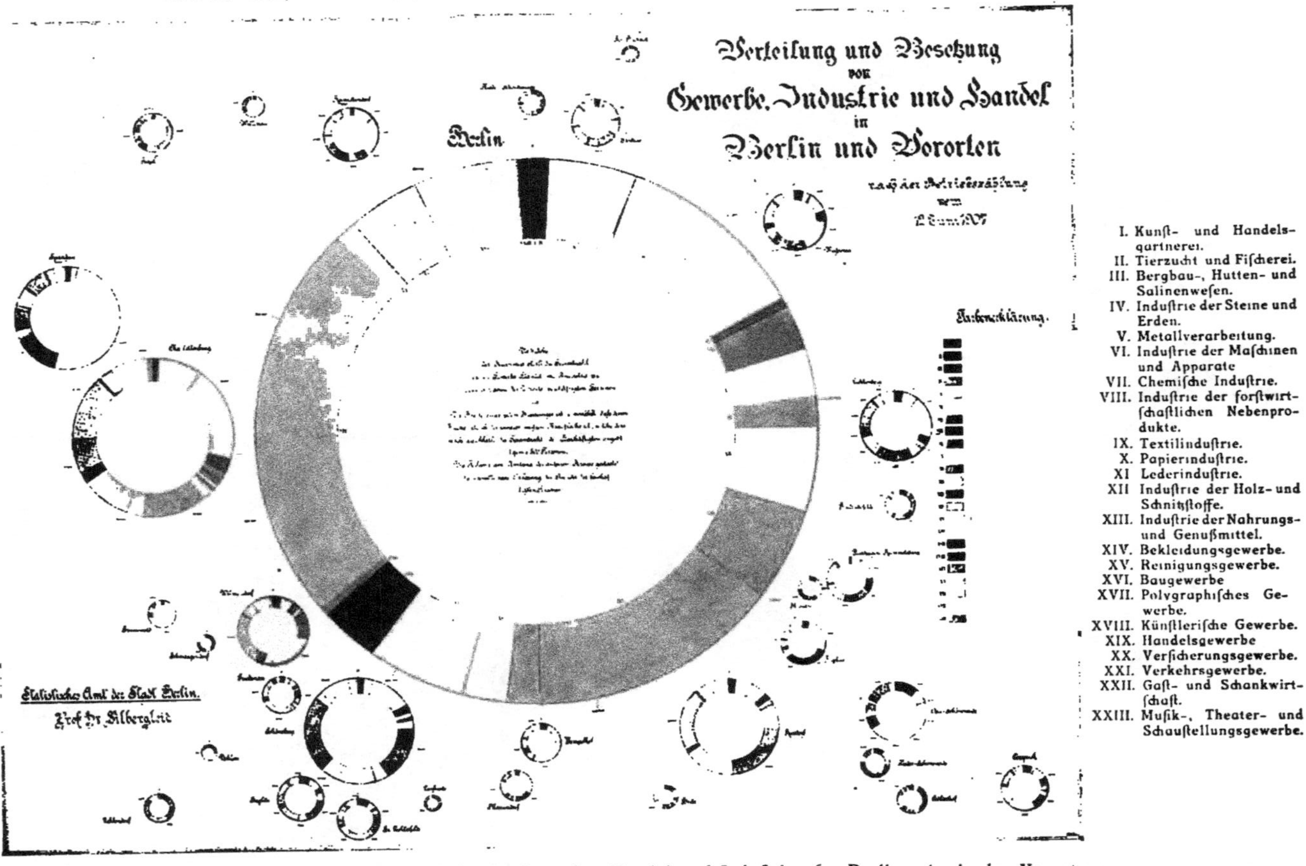

Die Fläche der Kreisringe ſtellt die Geſamtzahl der in Gewerbe, Handel und Induſtrie uſw. Berlins, ſowie der Vororte beſchäftigten Perſonen dar. Die Breite eines jeden Kreisringes iſt ſo gewählt, daß deſſen Fläche gleich der inneren hellblauen Kreisfläche iſt, welched emnach gleichfalls die Geſamtzahl der Beſchäftigten angibt. Die Teilung am Umfang des äußeren Kreiſes (von 1 bis 855C00) geſtattet die unmittelbare Ableſung der Anzahl der beſchäftigten Perſonen.

den. Bei der furchtbaren Lethargie der oberen Klassen, die sich seit den Bemühungen unseres ersten Kaisers in den 40er Jahren für lange Zeit als solch großes Hindernis für die Wohnungsreform bewiesen hat, muß die heute festzustellende lebhafte Teilnahme in der Elite der Arbeiterschaft und überhaupt im Mittelstande für die Verbesserungen der furchtbaren Wohnungsverhältnisse als das Hoffnungsvollste für die städtebauliche Zukunft Berlins bezeichnet werden. Es möge deswegen an den Schluß dieses historischen Rückblickes das Ergebnis zweier baugenossenschaftlicher Enqueten gestellt werden, die neues Licht auf die viel umstrittene Frage werfen, ob die Berliner Bevölkerung freiwillig oder gezwungen die Mietkaserne dem Einfamilienhause vorzieht. Vor der endgültigen Feststellung des großen Einfamilienhausprojektes der Baugenossenschaft „Ideal" in Britz versandte der Vorstand Fragebogen, um sich von den Mitgliedern über die Art der von ihnen in der neuen Siedlung gewünschten Wohnungen aufklären zu lassen. Die Antworten lauteten wie folgt: ein Einfamilienhaus mit Garten wünschen 452, ohne Garten 6 Mitglieder; eine Wohnung im Etagenhaus mit Garten wünschen 135, ohne Garten 27 Mitglieder. Die Beantwortung der Frage, welchen Betrag die Mitglieder für die künftige Genossenschaftswohnung auszugeben gewillt sind, zeigte das interessante Ergebnis, daß ein größerer Teil der Mitglieder bis zu 10 Mark im Monat mehr ausgeben will für die Wohnung im Kleinhaus als für die jetzige Wohnung in der Mietkaserne. Die „Mitteilungen der Baugenossenschaft ‚Ideal'" führen dazu sehr drastisch aus: „Das dokumentiert wiederum die große Sehnsucht der Massen nach einem schönen gesunden Heim in gartenstadtartiger Bebauung und zeigt, daß die Massen der Großstadtbevölkerung nur gezwungen in der Mietkaserne hausen und eine wirklich gesunde und ideale Wohnung mit einem wenn auch nur kleinen Gärtchen auch finanziell höher einschätzen als die ‚feinste' Etagenwohnung in der ‚modernsten' Mietkaserne." [105])

Ähnlich hat der „Beamten-Wohnungsverein zu Berlin", dessen mustergültige Wohnanlagen auf der Städtebauausstellung vorgeführt wurden (Abb. 33—36), ein größeres Einfamilienhausprojekt in Reihenhausform ins Auge gefaßt und damit lebhafte Zustimmung innerhalb und außerhalb des Kreises seiner Mitglieder gefunden: eine Umfrage unter den Mitgliedern zeitigte das Ergebnis, daß etwa 1200 Mitglieder die Mietung solcher Kleinhäuser mit drei bis sechs Zimmern sofort oder in kürzester Zeit wünschten.

So scheint der bedeutsamen baugenossenschaftlichen Reformarbeit, der schon vor 60 Jahren Viktor Aimé Huber eine ausschlaggebende Rolle prophezeit hat, auch das Gebiet des Einfamilienhauses erschlossen zu werden, auf dem sie in England und Amerika ihre größten Triumphe feierte, und das ihr bisher in Berlin verschlossen war.

Wenn nach den Worten Exzellenz v. Schmollers, dessen Ruf als Beurteiler volkswirtschaftlicher Zusammenhänge auf der Welt einzig dasteht, aus dem durch die großstädtischen Wohnungsverhältnisse geschaffenen „Niveau der Barbarei und Bestialität unserer Kultur die Gefahr droht", die er als „die größte" bezeichnet, dann ist die größte, die vornehmste Aufgabe der gesamten inneren Politik der nächsten Jahrzehnte, die größte Gefahr zu bekämpfen, d. h. Parlamente zu erzielen, deren Mehrheit fähig und gewillt ist, diese größte Gefahr für unsere Kultur zu würdigen und mit durchgreifenden, unerbittlichen Maßregeln zu beseitigen. Zu diesem Zwecke bedarf es der ernsten Mitarbeit aus allen Kreisen, aus allen Parteien; zur Erreichung dieses Zieles bedarf es einer unermüdlichen Aufklärungsarbeit über die Größe der Gefahr und über

Die Wohnungsfrage ist für die arbeitenden Klassen von noch größerer Bedeutung, als die Frage der Handelspolitik. Denn die Wohnungsfrage besteht bei guter wie bei schlechter Konjunktur. Ist doch gerade in der letzten Periode des Aufschwunges die Wohnungsfrage so brennend geworden, die Wohnungsnot überall hervorgetreten. In der Zeit des Niederganges, der sinkenden Konjunktur, mögen vielleicht auch die Mieten etwas zurückgehen, aber sicher nicht in dem Maße, um den Arbeitern die Lohnherabsetzungen und Entlassungen weniger fühlbar zu machen. Was also eine denkbar günstigste Handelspolitik an industriellem Aufschwunge bringen kann, wem kommt es in erster Linie zugute? Nicht dem Arbeiter und nicht dem Unternehmer, auch nicht immer dem Hausbesitzer, sondern vor allem dem im städtischen Grund und Boden investierten Kapital, den Aktionären der betreffenden Terraingesellschaften und Hypothekenbanken. Prof. Dr. C. J. Fuchs

(in seinem Referat über die Wohnungsfrage bei den Verhandlungen des Vereins für Sozialpolitik, 1901).

die Mittel, sie zu bekämpfen. Dazu bedarf es einer energischen Agitation in Wort und Schrift, in Presse und Flugblatt, in wissenschaftlichen und populären Vorträgen und Versammlungen, in Vortragszyklen an den Volkshochschulen mit Besichtigungen und Wanderungen in Groß-Berlin, lokalen und internationalen Ausstellungen und Kongressen, kleinen und großen Wettbewerben.

An dieser Aufklärungsarbeit mitzuwirken, war die Aufgabe der Städtebau-Ausstellung; sie ist hervorgegangen aus dem Wettbewerb zur Erlangung eines Grundplanes für die Bebauung von Groß-Berlin, dessen Ergebnisse ein großartiges Programm für die Neugestaltung der von Grund auf reformbedürftigen städtebaulichen Verhältnisse Groß-Berlins bedeuten. Die vier preisgekrönten Meisterentwürfe des Wettbewerbes sind soeben (November 1911) veröffentlicht worden[106]. Die Fülle von klaren, weitsichtigen und wirklich großartigen Vorschlägen, die diese Entwürfe enthalten, zeigen deutlich, daß es an Mitteln, der städtebaulichen Not Berlins abzuhelfen, nicht fehlt. Woran es fehlt, ist eine von dem feierlichen, unabänderlichen Willen, abzuhelfen, beseelte und mit der nötigen Machtvollkommenheit ausgerüstete Organisation, ein durch das Vertrauen der Mitbürger und der Staatsregierung allmächtiger erstklassiger Stab von Politikern, Künstlern und Ingenieuren, der fähig ist, die weittragenden Maßnahmen nicht nur zu planen, sondern auch siegreich durchzuführen.

Der überaus schwierige Anfang wird den nächstliegenden Zielen zu gelten haben; was der Architekt Hermann Jansen, der im Wettbewerb an erster Stelle Preisgekrönte, den als Architekt niemand des mangelnden Verständnisses für die großen, mehr monumentalen Aufgaben des Städtebaues zeihen wird, der Denkschrift zu seinem Entwurf vorangestellt hat, das muß auch als die wichtigste Lehre der Städtebau-Ausstellung gelten und verdient die Devise für die in Berlin und ganz ähnlich in den anderen Großstädten zu leistende Arbeit der nächsten Jahrzehnte zu werden: „Die Hauptsache bleibt eine ideale Ansiedlung der Bewohner Groß-Berlins und geeignete Schnellbahnverbindungen." Wenn es dem Städtebau gelingt, dieses Hauptziel der „idealen Ansiedlung" zu erreichen, wird auch die Kunst im Städtebau wieder zu ihrem Rechte kommen.

Eine durch ideale Ansiedlungsverhältnisse gesunde Millionenstadt mit ihren tausendfach verzweigten Möglichkeiten zum Guten wird für die Nation ein Instrument zur geistigen und wirtschaftlichen Weltmacht darstellen, dessen Wirkungen unabsehbar sind.

Abb. 61. Ausſteller: Märkiſches Muſeum der Stadt Berlin.

Wachstum der Stadt Berlin von etwa 1230 bis etwa 1890 (nach den ortsgeſchichtlichen Quellen gez. von R. Borrmann).

Erstes Kapitel[107]. Berliner Pläne.

Die großen brandenburgisch-preußischen Städtebauer.

Also keine dummen sentimentalen Klagen über die Natur des Geldes, über die großen Städte, die Maschinen, den Fabrikbetrieb im großen; aber schroffe Verteidigung des Satzes, daß die Übelstände, die wir heute im Gefolge dieser Tatsachen erblicken, Folge einer unvollkommenen wirtschaftlichen Lebensordnung, nicht etwas an sich Notwendiges, durch die Natur Gegebenes sind.
Gustav von Schmoller
(in dem „Offenen Sendschreiben an Herrn Prof. Dr. Heinrich v. Treitschke").

Die geschilderten schweren Mißstände, die in Berlins städtebaulicher Verfassung herrschen und die im Berliner Wohnwesen ihren krassesten Ausdruck finden, sind durchaus nichts Notwendiges, durch die Natur Gegebenes, sondern — das muß aufs schroffste betont werden — nur höchst überflüssige Folgen einer mangelhaften Organisation des Städtebaues, vor allem einer Zersplitterung, ja geradezu Verflüchtigung der städtebaulichen Verantwortlichkeit. Die Städtebau-Ausstellung hat eine vorzügliche Sammlung alter Berliner Pläne vorgeführt, und einige Bemerkungen zu diesem Material werden zeigen, daß es eine ganz andere städtebauliche Verfassung gewesen ist, unter der sich die kleine märkische Landstadt mit 8—10000 Köpfen, die der Große Kurfürst vorfand, zur preußischen Residenz entwickelte. Diese Betrachtung der Berliner Pläne wird zeigen, daß trotz des zeitweilig überaus schnellen Anwachsens der Bevölkerung, unter einer besseren städtebaulichen Verfassung mit zentralisierter Verantwortlichkeit Wohnungsnot oder ungesunde Steigerung der Mieten selbst unter wirtschaftlich viel beschränkteren Verhältnissen als heute vermieden werden konnten. Erst dem 19. Jahrhundert blieb es vorbehalten, die städtebaulichen Machtvollkommenheiten, deren Bedeutung mit dem Wachstum Berlins zur Viermillionenstadt ins ungeheure gewachsen ist, zu zersplittern zwischen die staatliche Baupolizei, die Magistrate, Stadtverordnetenversammlungen und Tiefbauämter zahlreicher Gemeinden, und über ihnen wieder die Königl. Regierung, zwischen das Ministerium für Landwirtschaft, die Staatseisenbahnverwaltung, den Verkehrsdezernenten des Polizeipräsidiums, den preußischen Landtag (Steuern; Zweckverband), das Kriegsministerium, den deutschen Reichstag (Tempelhofer Feld) und manch andere Instanz, die sich alle wechselseitig vorwurfsvolle Blicke zuwerfen, deren berechtigter Vorwurf aber nichts daran ändern kann, daß die Schaffung der Existenzgrundlage der ganzen Bevölkerung der privaten, durch die Gemeindeverfassung gestärkten Spekulation überantwortet ist, über die in letzter Linie keine Instanz mit wirklicher städtebaulicher

Verantwortung und Pflichtgefühl wacht. Für den geſunden und ſchönen Ausbau der Hauptſtadt ſchlägt kein heißes Herz und den ſelbſtſüchtigen Feinden der hauptſtädtiſchen Entwicklung droht kein Krückſtock mehr.

Die beiden Städte Berlin und Köln, aus denen die Hauptſtadt des Deutſchen Reiches erwachſen iſt, ſind Anfang des 13. Jahrhunderts gegründet worden. Sie waren angelegt nach dem Normaltypus der oſtdeutſchen Koloniſationsſtadt, deren regelmäßige runde oder ovale Form mit den ſich rechtwinklig ſchneidenden Straßen und dem von allen Seiten bequem zugänglichen Marktplatz — im Gegenſatz zum Straßengewirr der allmählich gewachſenen weſtdeutſchen Städte — die mit der Meßkette arbeitende planmäßige Gründung deutlich dokumentiert. Dank ſeiner günſtigen Lage und dank der günſtigen Bedingungen, die die Stadt den Anſiedlern gewährte, blühte die neue Doppelſtadt ſchnell empor. Der Kaufmann, der von Magdeburg, Wittenberg, Leipzig oder Dresden nach Frankfurt a. O., nach Stettin oder darüber hinaus wollte, mußte ſeinen Weg zwiſchen den Havelſeen und den Sümpfen des Spreewaldes über Berlin-Köln nehmen. Der Anſiedler fand dort freies Ackerland und freie Bauſtelle, und der „reiche Wald“ lieferte den Koloniſten das Bauholz für ihre Holzhäuſer umſonſt. Auch die ſpäter zu entrichtenden grundherrlichen und landesherrlichen Abgaben waren nicht drückend, ſo daß das erſtaunlich ſchnelle Aufblühen des ganzen Landes, das an die moderne amerikaniſche Entwicklung erinnert, begreiflich wird. Bereits zu Ende des 14. Jahrhunderts hatte die Stadt 10000 Einwohner und gehörte zu den bedeutenderen Städten des mittelalterlichen Deutſchlands. Mit glücklicher Hand und in faſt unbeſchränkter Machtvollkommenheit regierte der „immerwährende Rat“ die Stadt. Die Stadtgemeinde war Obereigentümer des geſamten ſtädtiſchen Grund und Bodens und handhabte als ſolcher auch die Baupolizei; jeder Neubau war an die Genehmigung des Rates gebunden. Außer dem Bauholz der Stadtheide hatte die Stadtgemeinde einen Anteil an den Rüdersdorfer Kalkbergen, von wo die Steine auf einem ſtädtiſchen Pram nach Berlin geſchafft wurden. Da auch der Ziegelofen und die Kalkbrennerei der Stadt gehörten, ſo hatte ſie faktiſch ein vollſtändiges Monopol für die Lieferung aller Baumaterialien. Außerhalb der Stadtmauern beſaß die Stadt ein großes Gemeindeland, deſſen Grenzen ſich mit erſtaunlicher Zähigkeit bis in die Gegenwart erhalten haben. Das heutige Weichbild von Berlin fällt, nachdem es durch die Städteordnung von 1808 ſtark beſchnitten wurde, in der Hauptſache wieder mit der Feldmark des 13. Jahrhunderts zuſammen. Auch außerhalb erwarb die Stadt Berlin im 14. Jahrhundert eine führende Stellung. Die Kreiſe Barnim und Teltow waren ihr großenteils wirtſchaftlich und politiſch unterworfen und ihre Stellung erinnert an die der großen ſüddeutſchen Reichsſtädte und der das umliegende platte Land beherrſchenden italieniſchen Kommunen.

Dieſem Aufſchwung machten die Hohenzollern im 15. Jahrhundert ein Ende. In dem Kampfe zwiſchen der neuen Dynaſtie und den Städten wurde den meiſten Berliner Bürgern ihr reicher Landbeſitz abgenommen. Berlin mußte aufhören, ſelbſtändige Politik zu treiben. 1469 beſchickte die Stadt zum letztenmal einen Hanſatag in Lübeck, 1518 wird ſie unter die „abgedankten Städte“ gerechnet. Der Verluſt der Unabhängigkeit wurde für die nächſten zwei Jahrhunderte auch von einem wirtſchaftlichen Niedergang begleitet. Die Kämpfe zwiſchen den brandenburgiſchen Kurfürſten und den pommerſchen Herzögen ruinierten den Berliner Handel. Selbſt der Vorzug, den Berlin vor den anderen brandenburgiſchen

Abb. 62. Ausſteller: Märkiſches Muſeum der Stadt Berlin.

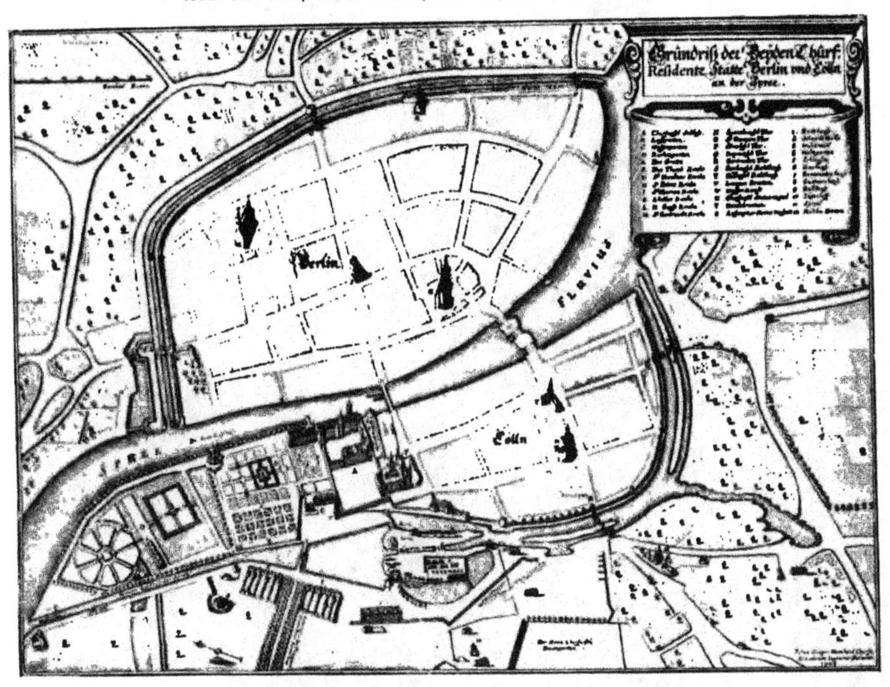

„Grundriß der Beyden Churf. Reſidentʒ Stätte Berlin vnd Cölln an der Spree", gezeichnet im Jahre 1648 von „Johann Gregor Memhard, Churfl. Brandenbr. Ingenieur" (und ſpäterem Bürgermeiſter von Berlin-Werder) für die Topographia des Kurfürſtentums Brandenburg, die Martin Zeiller in Frankfurt a. M. im Jahre 1652 mit „churfürſtlicher Hülff und Vorſchub" herausgegeben hat.

A. Churfurſtl. Schloß.
B. Luſtgarten.
C. Waſſergarten.
D. Küchengarten.
E. Die Grotta.
F. Die Thumb Kirche.
G. St. Nicolaus Kirche.
H. St. Peters Kirche.
I. St. Marienkirche.
K. Kloſter Kirche.
L. H. Geiſt Kirche.
M. St. Gertraudn Kirche.

N. Spandauiſch Thor
O. St Georgen Thor.
P. Straliſch Thor
Q. Kepnikſch Thor.
R. Gertruden Thor.
S. Berliniſch Rahthauß.
T. Collniſch Rahthauß.
V. Langen Brucken.
W. Waſſer Kunſt.
X. Churfurſtl. Statua im gart.
Y. Hundsbrucken.
Z. Anfang zur Newen Vorſtatt.

1. Reitthauß.
2. Schneidt Mühle.
3. Waldmühl.
4. Holtʒgarten.
5. Schleuſe.
6. Gieshauß.
7. Bomerankn Hauß
8. Gärtnerhauß.
9. Ballhauß.
10. Jägerhoff.
11. Spital.
12. Mühlen Damm.

Bemerkung zu den Linden Gehet bis in den Thiergarten iſt 250 Reinl. Ruthen lang.

Rechts der Linden: Der Newe Churfürſtl. Baumgarten.

Abb. 63 u. 64. Ausſteller: Märkiſches Muſeum der Stadt Berlin.
Anſicht Berlins aus Merians Topographie, aufgenommen in den 1640er Jahren. Blick von der Gegend des heutigen Kaſtanienwäldchens auf das Schloß (A), rechts davon die große Dominikaner-Kirche (Dom), im Vordergrund die Linden.

Stark verkleinerte Wiedergabe der großen perſpektiviſchen Anſicht von Berlin, die der kurfürſtliche Architekt und Stempelſchneider Johann Bernhard Schultʒ im Jahre 1688 zum Regierungsantritt Friedrichs III. gezeichnet hat. Die Perſpektive gibt ein genaues Bild der vom Großen Kurfürſten angelegten Feſtungswerke und der gleichzeitig entſtandenen Stadterweiterungen. Links die „Dorotheen-Stadt“ mit den Linden, nördlich davon (im Bild darüber) „die neue Auslage“, in der Mitte vorn der „Friedrichswerder“, rechts daran anſchließend „Neu-Kölln“, ganz im Hintergrunde die Anfänge der nördlichen Vorſtädte.

Städten dadurch genoß, daß es der Sitz der namentlich unter Joachim II. üppigen Hofhaltung der Kurfürſten wurde, konnte nicht verhindern, daß die Stadt zum Range einer kümmerlichen Ackerbürgerſtadt mit wenig entwickeltem Handwerk und Gewerbe zurückſank. Während bereits 1280, wenige Jahrzehnte nach der Gründung, eine anſehnliche Stadterweiterung (das Gebiet nördlich der Königsſtraße, vgl. Abb. 61, um den „neuen“ Markt und die Marienkirche, vgl. Abb. 71) erforderlich geworden war, entſtanden unter den Hohenzollern bis zum Dreißigjährigen Kriege nur unweſentliche Vorſtädte ohne Erweiterung der Stadtmauer. Was an aufſtrebendem Leben in dieſer Zeit der Stagnation noch vorhanden war, vernichtete der ſteigende und ungerecht verteilte Druck der Steuern, die die Regelung der koloſſalen Schulden Joachims II. dem Lande auferlegte. Die Steuern waren im weſentlichen Grundſteuern und entſprachen etwa den Abgaben, die heute der Pächter eines in Erbpacht übernommenen Grundſtückes an den Beſitzer zahlt. Dieſe bei richtiger Einſchätzung leicht zu tragenden Steuern wurden jedoch in ungerechteſter Weiſe durch kopfſteuerartige Zuſchläge ergänzt, durch die die Grundſteuer nach unten progreſſiv wurde und den Reichen mit 1½ % (ein Satz alſo, deſſen Höhe den heute in amerikaniſchen Kommunen erhobenen Steuern nach dem gemeinen Wert entſpricht), die ärmeren dagegen mit 3 bis 5 % ihres taxierten Immobiliarvermögens jährlich traf. Dieſe Ungerechtigkeit der Beſteuerung des Immobiliarvermögens wurde noch verſtärkt durch den Mangel regelmäßiger Einſchätzungen; eine dieſer ſeltenen Einſchätzungen iſt 1557 und 1572 handſchriftlich feſtgelegt worden; ſie entſprach bei dem Niedergang der Stadt, namentlich ſpäter im Elend des Dreißigjährigen Krieges, durchaus nicht mehr den tatſächlichen Verhältniſſen. Im Dreißigjährigen Kriege wurden die Steuerſätze durch die hohen landesherrlichen Kriegsſteuern, die ſogenannte Kontribution, die ebenfalls in derſelben ungerechten Weiſe auf das Immobiliarvermögen umgelegt wurde, noch weſentlich verſtärkt. Es war ſelbſtverſtändlich, daß unter ſolchen Verhältniſſen die Steuern nicht bezahlt werden konnten; die Steuerrückſtände nahmen ſtändig zu und veranlaßten neue Steuern auf Mehl, Wein und Wolle und führten ſchließlich nicht zu einer gerechten Reform, ſondern zum gänzlichen Aufgeben der Grundſteuer und zu dem in vieler Beziehung ſo verhängnisvollen Übergang zur Verbrauchsſteuer (vgl. S. 23) in Form der Akziſe und ihrer Nachfolgerinnen.

Das eigentliche moderne Berlin iſt erſt nach dem Dreißigjährigen Kriege gegründet worden. Es iſt politiſch und ſtädtebaulich die Schöpfung der brandenburgiſch-preußiſchen Fürſten, die es verſtanden, aus den Ruinen des durch den Dreißigjährigen Krieg erſchütterten römiſchen Reiches in Berlin die politiſchen und wirtſchaftlichen Kräfte der deutſchen Nation neu zu konzentrieren, und die durch ihre ſyſtematiſche Bau- und Stadterweiterungspolitik aus einer daniederliegenden Ackerbürgerſtadt eine der Zentralen des Kontinentes ſchufen.

Obwohl der Dreißigjährige Krieg nur in der Zeit von 1627—43 in der Mark gewütet hat, und obgleich es dabei niemals zu einer eigentlichen Beſetzung oder Zerſtörung Berlins gekommen iſt, waren doch ſeine Folgen auch für Berlin furchtbar. Die Vorſtädte, die der Verteidigung der Feſtung im Wege ſtanden, wurden von den eigenen kurfürſtlichen Truppen niedergebrannt. In der Stadt, deren Bevölkerung auf 6—8000 Köpfe geſunken war, lag ein Viertel der mit Steuerrückſtänden überlaſteten Häuſer unbewohnt, halb verfallen, „wüſt“, wie die Sprache der Zeit es nannte. Ein wohl etwas retouchiertes Bild Berlins gegen Ende des Dreißigjährigen Krieges gibt eine Anſicht aus Merians Topographie (Abb. 63) und der älteste Berliner Plan, gezeichnet vom kurfürstlichen Ingenieur Memhardt (Abb. 62). Memhardts Plan zeigt die mittelalterliche Befestigung, deren Ersatz durch eine neue, moderne Festungsanlage der Große Kurfürst nach den Erfahrungen des Dreißigjährigen Krieges als eine der dringendsten Notwendigkeiten erkannte. Der Anlage der neuen Festung mußte die Umwandlung Berlins in eine Garnisonstadt vorangehen, was in jener Zeit, die keine Kasernen kannte, eine ungeheure Einquartierungslast für die Bürgerschaft bedeutete; die Unterbringung der zuerst etwa 2000 Mann (nebst 600 Weibern und Kindern) starken Garnison, die also mehr als ein Viertel der damaligen Bevölkerung ausmachte, und deren baldige Verstärkung vorauszusehen war, lenkte die Aufmerksamkeit des Kurfürsten geradenwegs auf die städtische Wohnungsfrage und Baupolitik. Außer den militärischen Rücksichten machte auch die Erkenntnis, daß eine kraftvolle äußere Politik nur auf der Basis einer umsichtigen Wirtschafts- und Sozialpolitik im Inneren möglich ist, und daß eine blühende Hauptstadt eines der wirksamsten Instrumente der inneren und äußeren Politik darstellt, den Großen Kurfürsten zu dem großen Initiator des Berliner Städtebaues. Das 25 Jahre in Anspruch nehmende Riesenwerk der neuen Befestigung (1658—83) wurde verbunden mit einer großartigen Stadterweiterung, die an das alte Köln im Süden Neu-Köln und im Westen Werder (Friedrichs-Werder) angliederte. Die neue Befestigung ist vorzüglich dargestellt auf dem großen, perspektivischen Plane von J. B. Schultz aus dem Jahre 1688 (Abb. 64) und auf dem Seutterschen Plane (Abb. 68). Aus Werder wurde (1662) die neue Stadt Friedrichswerder mit eigener Verwaltung und auf geradezu bodenreformerischer Grundlage gemacht. Straßen wurden abgesteckt, Baustellen vermessen und an Baulustige gegen den niedrigen jährlichen Grundzins von 3 Silbergroschen für die Quadratrute in Erbpacht vergeben. Dieser Grundzins war die einzige direkte Abgabe der neuen Ansiedler, die mit allen Mitteln herbeigezogen und zum Bauen angehalten wurden. 1675 befahl der Kurfürst die Subhastation aller unbenutzten Baustellen und 1680 war die neue Stadt bereits vollständig bebaut. Ähnlich wurden in Neu-Köln die Baustellen „um ein billiges" an die Baulustigen ausgeteilt, die einen mäßigen Grundzins an die Kölner Stadtkasse zu zahlen hatten. Wer mit dem Bauen zögerte, ging seiner Baustelle innerhalb von 4 Wochen wieder verlustig. Die Anlegung der neuen Festungsgräben hatten den Wasserstand und die Breite der Spree verringert, das stets sumpfige Terrain entwässert und so brauchbareren Baugrund geschaffen. Ein großer Teil des vor und hinter den Wällen liegenden Terrains kam teils durch Kauf, teils durch Okkupation in kurfürstlichen Besitz und konnte so ohne weiteres zur Beförderung des Ausbaues der Stadt benutzt werden. Über das Gelände, das dem Landesherrn nicht gehörte, übte er unbedingtes Enteignungsrecht zu Bauzwecken aus. Die Enteignung fand in einem sehr formlosen und abgekürzten Verfahren auf der Basis obrigkeitlich festgestellten Ackerwertes statt. Es ist wohl am richtigsten, sie einfach als staatlichen Zwangskauf zu bezeichnen. Nicht nur die Aufstellung eines Bebauungsplanes und die Anlage der Straßen, auch die Bereitstellung des ganzen erforderlichen Baulandes, die Ausmessung und Zuteilung der einzelnen Baustellen, die entweder sehr billig oder vollständig unentgeltlich abgegeben wurden, galt als Aufgabe der städtischen Baupolizei, über deren Erfüllung ein kurfürstlicher Kommissarius unermüdlich wachte. Hier ist die Quelle, aus der schließlich 200 Jahre später das Recht zur Aufstellung des Berliner Bebauungsplanes von 1858 floß, das, losgelöst von der Aufgabe, die

Abb. 65 u. 66. Ausſteller: Intendantur- und Baurat Adolph Doebber, Berlin.

Schloßplatz in Berlin um 1695, vor dem Schlüterſchen Umbau des Schloſſes. Blick von der Königſtraße aus. Schloßbau von Kaspar Theiß (1538); Portal von Memhard (1659); Bogenhallen von Nering (1680); die „Glocke", der Dom (alte Dominikanerkirche).

Die ſchraffierten Grundriſſe ſind die der heute ſtehenden Gebäude.

Abb. 67. Ausſteller: Märkiſches Museum der Stadt Berlin.

Schlüters Entwurf zur Umgeſtaltung der Umgebung des Schloſſes. Blick von der Kurfürſten-Brücke auf den geplanten Dom, rechts das Schloß, links, zurückgeſchoben, der Marſtall, im Hintergrunde rechts der geplante Münzturm und das Zeughaus. Nach dem Kupferstich des niederländiſchen Profeſſors an der Berliner Akademie, Jean Baptiſte Broebes, etwa aus dem Jahre 1705. (Aus dem Sammelwerke des Augsburger Verlegers Merz: „Vues des Palais et Maisons de Plaisans de S. M. le Roy de Prusse", Berlin 1735.)

projektierten, weil als notwendig erkannten Straßen auch anzulegen, und die Baustellen daran bereitzustellen und billig und schnellstens zu vergeben, so verhängnisvoll für Berlin gewirkt hat (vgl. S. 14/15). Die Mittel der Baupolitik zur Beförderung schnellen und billigen Hausbaues beschränkten sich jedoch nicht auf die billige Bereitstellung von Bauland, sondern wurden ergänzt durch Gewährung von Bauholz, durch langjährige Freiheit von allen Lasten (Kontribution, Schoß, Einquartierung usw.), durch all das, was in der Sprache des Großen Kurfürsten „empfindliche Ergötzlichkeit" hieß. Ebenso wie in den neuen Stadterweiterungsgebieten wurde im Inneren der Stadt mit dem verlassenen Grundbesitz vorgegangen; „die wüsten Stellen" wurden „frei, umsonst und ohne einiges Entgelt" an die Baulustigen vergeben. Ebenso wurde in der Altstadt in den 80er und 90er Jahren das Terrain an der alten Stadtmauer in Berlin und Köln vom Kurfürsten als Bauland an Baulustige verschenkt, wobei die Stadtmauer teils niedergerissen, teils als Rückwand für die neuen Häuser benutzt wurde. Der Erfolg dieser kurfürstlichen Maßregeln war so außerordentlich, daß schon während seiner Regierung die bei der Anlage der neuen Befestigung vorgesehenen Stadterweiterungen Neu-Köln und Friedrichswerder nicht genügten, und daß zu einer neuen Stadterweiterung außerhalb der Festung geschritten werden mußte. Diese neue, Dorotheenstadt genannte Vorstadt wurde längs der vom Kurfürsten angelegten Allee Unter den Linden angelegt, die schon der Memhardsche Plan (Abb. 62) zeigt und von der er meldet: „geht bis in den Tiergarten, ist 250 Reinl. Ruthen lang". Für die Dorotheenstadt (Abb. 64) ließ die Kurfürstin Dorothea, der der Grund und Boden vom Kurfürsten geschenkt war, einen Bebauungsplan aufstellen, die Grundstücke abmessen und an Baulustige gegen einen Grundzins von 1 1/2 Silbergroschen für die Quadratrute, also um die Hälfte billiger als auf dem Friedrichswerder, austeilen. Dazu gab es eine besondere, über die übliche zehnjährige Baufreiheit hinaus dauernde Befreiung von Einquartierung, Service, Wachdienst usw. und unentgeltliche Überweisung von Bauholz. Die neue Vorstadt wurde mit einem neuen Walle und Graben im Zuge der Behren- und Schadowstraße umgeben; im Norden war sie durch die Spree geschützt. Die Einwanderer strömten herbei. Zuerst waren es hauptsächlich Holländer; 1671 fand eine Reihe österreichischer Judenfamilien Aufnahme. In demselben Jahre beginnt die französische Einwanderung. 1677 hatte die französische Gemeinde schon fast 600, zwanzig Jahre später 4292 Angehörige. Dazu kamen die zahlreichen Franzosen in der Armee, so daß fast ein Sechstel der Gesamtbevölkerung Berlins damals Franzosen waren. Die vornehmeren Franzosen wandten sich mit Vorliebe der neuen Dorotheenstadt zu, die schon damals anfing den vornehmen Charakter zu erhalten, den die Linden heute noch bewahrt haben, und die mit dem Namen „le quartier des nobles" bezeichnet wurde. Der Kurfürst drang darauf, daß die Misthaufen vor den Häusern auf beiden Seiten der Linden fortgeschafft und die Schweine nicht länger geduldet wurden, die den Mittelgang der Allee aufwühlten. Weder Neu-Köln noch die Dorotheenstadt waren beim Tode des Großen Kurfürsten vollständig ausgebaut; trotzdem entschloß sich sein Nachfolger, Friedrich III., sofort beim Regierungsantritt zu einer neuen Stadterweiterung, die nach ihrem Gründer Friedrichstadt genannt wurde. Zur Aufstellung des Bebauungsplanes berief er im August 1688 eine Kommission, in der der spätere Erbauer des Zeughauses, Architekt und Ingenieur Nehring, Hofbaumeister Schmidt und die Geheimräte von Danckelmann und Grumbkow, also die tüchtigsten Sachverständigen und die höchsten Beamten, saßen. Während die südliche Hälfte des Gemeindelandes der Stadt Köln (die Luisenstadt) bis in die 40er und 50er Jahre des 19. Jahrhunderts unter Agrarverfassung stand und sich somit der städtischen Expansion Berlins verschloß (vgl. S. 108), wurde die westliche Hälfte für die Anlage der Friedrichstadt damals vom Kurfürsten mit durchgreifender Schnelligkeit separiert und aus ihrer früheren landwirtschaftlichen Bestimmung und Verfassung ihren vom Standpunkte der Gesamtheit höheren städtischen Zwecken zugeführt. Um die Baulust noch weiter zu ermutigen, wurde der Grundzins, der für die Baustellen in den bisherigen Stadterweiterungen jährlich zu zahlen war, nicht nur für zehn Jahre, sondern für immer erlassen; die Baustelle wurde gänzlich umsonst und zu freiem Eigentum an Baulustige abgegeben; außerdem wurde den Ansiedlern Holz, Kalk und Steine geschenkt und ihnen überdies 15 % der aufgewandten Baukosten von der Akzisekasse bar ausgezahlt. Obgleich sich die Häuser streng an die vom Baumeister Nehring gefertigten oder gebilligten Zeichnungen (Bauberatungsstelle!) halten mußten, waren schon 1695 etwa 300 Häuser vorhanden; 1701 war der Anbau von der Dorotheenstadt (Behrenstraße) bis zur Leipziger Straße vorgedrungen. Die Behrenstraße trat an Stelle des früheren Grabens, nach Westen wurde eine Mauer im Zuge der Mauerstraße gebaut.

Gleichzeitig trat in der Altstadt eine Art Citybildung ein. Mit zunehmender Strenge wurden alle Scheunen aus den Ringmauern, die Schweinekofen von der Straße verbannt und in der Stadt überhaupt das Halten von Schweinen verboten. Dies veranlaßte viele in der Landwirtschaft Tätige zum Verkauf ihrer Häuser in der Stadt und zur Übersiedlung in die vom 30jährigen Krieg her noch wüst liegenden Vorstädte, die dadurch und durch den Zuzug französischer Gärtner wieder ausgebaut wurden, soweit es die agrarische Verfassung des Gemeindelandes gestattete, d. h. an den Hauptverbindungsstraßen mit den Nachbarorten wurden Baustellen vergeben (vgl. Abb. 68, namentlich die Köpenicksche und Strahlauer Vorstadt), der Rest des Landes blieb bis zur Mitte des 19. Jahrhunderts unter dem Pflug. Die Entwicklung der Berlinischen Vorstädte (namentlich Spandauer- und Königsvorstadt) gingen dabei schneller vorwärts als die der Kölnischen und Köpenickschen Vorstadt, weil das Berliner Gemeindeland im Gegensatz zum Kölnischen, schon im 16. Jahrhundert auf nicht recht aufgeklärte Weise größtenteils in den Besitz des Kurfürsten übergegangen war, so daß es ohne weiteres als Bauland verschenkt werden konnte. Diese verschiedenen Vorstädte treten mit ihrem planlosen, d. h. natürlich gewachsenen Gewirr der Straßen in Gegensatz zu den planmäßigen Stadterweiterungen Friedrichswerder, Dorotheenstadt und Friedrichstadt. Die Regulierung der gewachsenen Vorstädte hat Ende des 19. Jahrhunderts große Kosten verursacht.

Durch dieses umsichtige städtebauliche Vorgehen in den verschiedenen Richtungen gelang es, nicht nur die Lücken, die der große Krieg in Berlin gerissen hatte, wieder zu füllen, sondern auch die Hauptstadt wesentlich zu vergrößern. Während Berlin und Köln vor dem großen Kriege etwa 13—1400, nach dem Kriege etwa 1000 bewohnte Häuser gehabt hatte, war die Gesamtzahl der Wohnhäuser in der Residenz bis zum Jahre 1711 auf 4100 gestiegen, von denen etwa 2500 aus der Zeit nach 1685 stammten. Die Bevölkerung war von 1654 bis 1685 von 9—10000 auf 17—18000 Personen gestiegen; von 1685 bis 1709 erhöhte sie sich auf 55000 Köpfe, von denen 50000 auf die Zivilbevölkerung, 5000 auf die Garnison entfielen; besonders groß scheint die Zunahme der Bevölkerung im Dezennium von 1695 bis 1705 gewesen zu sein. In den 24 Jahren

Abb. 68. Ausſteller: Märkiſches Muſeum der Stadt Berlin.

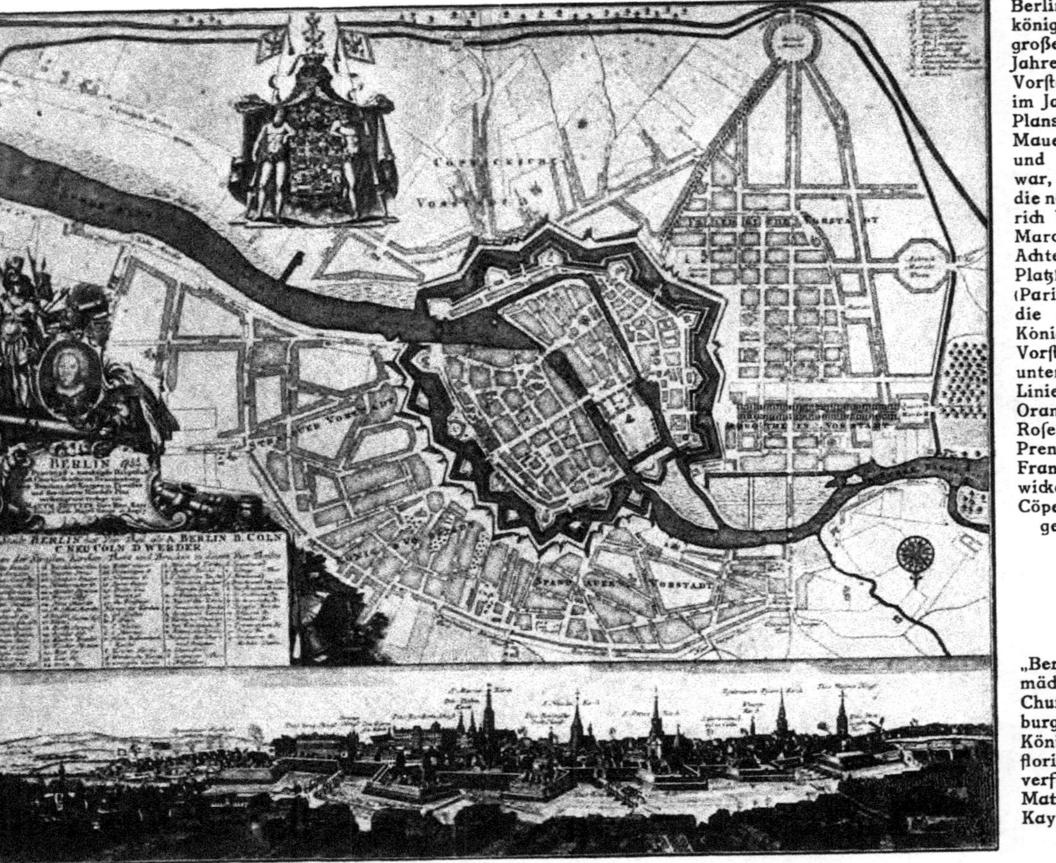

Berlin unter dem Soldatenkönig: Der Plan zeigt die große Stadterweiterung des Jahres 1688, die „Friedriche Vorſtadt" (rechts oben), die im Jahre 1733 (Datum des Plans) bereits bis zur Mauer-, Behren-, Linden- und Kochſtraße ausgebaut war, und der ſich ſeit 1721 die neue Erweiterung Friedrich Wilhelms I. bis Rondel Marckt (Belle Alliance Platz), Achteck Marckt (Leipziger Platz), und Quarré Marckt (Pariſer Platz) anſchloß. Auch die nördlichen (Stralauer, Königs- und Spandauer) Vorſtädte (auf dem Plane unten) waren bis an die Linien (Linienſtraße) mit den Oranienburger, Hamburger, Roſenthaler, Schönhauſer, Prenzlauer, Landsberger u. Frankfurter Toren entwickelt. Der Anbau in der Cöpenicker Vorſtadt war gerade erſt begonnen.

„Berlin die Prächtigſt und mächtigſte Hauptſtatt deß Churfürſtenthums Brandenburg auch Reſidenz deß Königes in Preußen und floriſſanter Handels-Plaz, verfertigt und verlegt von Matth. Seutter, Ihro Röm. Kayſ. u. Königl. Cath. Majeſt. Geogr. in Augsp."

Abb. 69. Aussteller: Märkisches Museum der Stadt Berlin.

Berlin im Jahre 1748, gezeichnet unter der Leitung des Feldmarschalls Grafen v. Schmettau, von Hildner und gestochen von G. F. Schmidt. Unten Ansicht Berlins vom Kreuzberg; darunter links: „Prospekt des großen Platzes vom Opernhause"; in der Mitte: die neue Schloß- und Domkirche, rechts: das neue Prinz Heinrich Palais. Die südlichen Festungswerke (oben) sind aufgegeben u. bebaut.

von 1685 bis 1709 hatte ſich alſo die Bevölkerung mehr als verdreifacht, die Zahl der Wohnhäuſer um mehr als 150 % erhöht; in jedem Jahre mußten durchſchnittlich mindeſtens 1600 Perſonen untergebracht, mehr als 100 Wohnhäuſer neu errichtet werden; etwa ein Zehntel der Einwohner-, ein Fünftel der Häuſerzahl von 1685 kamen in jedem Jahre neu hinzu. Sicherlich hat es in dieſer Zeit Jahre gegeben, in denen für 2—3000 Einwanderer oder für noch mehr Raum geſchafft, 2—300 Häuſer errichtet werden mußten. Mißt man dieſe Entwicklung an der damaligen Größe der Stadt, dem geringen Kapitalreichtum und der beſcheidenen Entfaltung des Baugewerbes, ſo ſieht man, daß die Zunahme der Bevölkerung und die Steigerung der Bautätigkeit in Berlin verhältnismäßig in keiner Weiſe hinter den Jahren des glänzendſten Aufſchwungs im 19. Jahrhundert zurückſteht; und dann lernt man erſt die Leiſtungen der damaligen Verwaltung vollauf würdigen, die durch eine planmäßige und umſichtige Baupolitik einen ſo bedeutenden Bevölkerungszuwachs zum großen Teil in eigenen Häuſern unterbrachte und jeder Wohnungsnot und jedem Mietwucher vorzubeugen verſtand. Im Jahre 1709 kamen innerhalb der Feſtung (befeſtigt war damals Berlin-Köln, Friedrichswerder, Dorotheenſtadt, Friedrichſtadt) auf jedes Haus 16,2 Perſonen, in den Vorſtädten dagegen, wo faſt ein Fünftel der Bevölkerung wohnte, kamen nur 7,8 Perſonen auf jedes Haus. In dieſen Durchſchnittszahlen iſt die militäriſche Einquartierung mitgerechnet: in jedem Haus lagen durchſchnittlich gegen 1,3 Soldaten.

Im Jahre 1709 wurde dann aus den vier Städten Berlin, Köln, Neu-Köln und Friedrichswerder durch die „Combinierung derer Rathäuslichen Collegien“ eine einheitliche Gemeinde geſchaffen, ein Ereignis, deſſen Bedeutung mit der 200 Jahre ſpäter erfolgenden Schaffung des Groß-Berliner Zweckverbandes wohl zu vergleichen iſt. An die Stelle der bisherigen 17 Bürgermeiſter und 48 Ratsherren traten 4 Bürgermeiſter, 2 Syndicii, 3 Kämmerer und 10 Ratsherren, die die Verwaltung der Geſamtſtadt wie bisher unter Aufſicht eines Gouverneurs und des Steuerkommiſſars führten.

Die einzige wirklich fühlbare direkte Beſteuerung der Berliner Bevölkerung war der ungefähr nach der Rentabilität der Häuſer abgeſtufte Servis, d. h. die von der Bevölkerung zu zahlenden Einquartierungsgelder, für die Unterbringung der Truppen. Die Serviseinnahmen ſtiegen von 32000 Talern im Jahre 1724 auf etwa das Doppelte gegen Ende des Jahrhunderts. Die Grundſteuern waren mehr und mehr durch die Akziſe erſetzt worden. Die Akziſe wurde die große Einnahmequelle des Staates. Die Berliner Akziſeerträge beliefen ſich im letzten Viertel des 17. Jahrhunderts auf etwa 60000 Taler. Zu Anfang des 18. Jahrhunderts (1694—1707) ſtiegen ſie im ſchnellen Tempo auf 185000 Taler. Der Soldatenkönig wurde gleich bei ſeinem Regierungsantritt 1713 in einem ausführlichen Schreiben des „wurkl. geheimb. Kriegs- und Etatsminiſtris“ Herrn von Grumbkow über die Bedeutung der Berliner Akziſeeinnahmen und die pflegliche Behandlung, die die Städte, namentlich Berlin, dieſer Einnahme zuliebe verdienten, eingehend aufgeklärt. Grumbkow ſchreibt: „Die hieſigen Reſidenztien (d. i. Berlin) haben an die Zweymal Hundert Tauſend Rthlr. der Acciſe-Gefällen bisher beygetragen, welches faſt das dritte theil iſt, ſo die gantze Chur-Mark kan aufbringen, und eben ſo viel, wie das gantze Königreich Preußen“ (das iſt Oſtpreußen).

Grumbkow ſchildert dann die wirtſchaftliche Abhängigkeit der Landwirtſchaft von den Städten in einer Weiſe, die noch heute Wort für Wort zutrifft, nur

Die Conſervation der Städte verdient umb ſo viel mehr Attention, weile der Städte Nahrung, Wohlſtand, Handel und Wandel diejenigen Quellen ſeynd, woraus die Acciſe und folglich die Conſervation Ew. Königl. Mayſt. Militair-Etats herfließt.

v. Grumbkow an den König 1713.

daß ſie heute bei den hohen Agrarzöllen noch in viel höherem und in überraſchend neuem Sinne Gültigkeit hat. „Die zunehmende Conſumtion in den Städten gereicht auch zum Gedeyen und Aufnehmen des umliegenden Landes, indem der Landmann ſein Getreyde und Victualien mit guten Nutzen zu Gelde machen können." „Je mehr Handwerker, je mehr Verkehrung; je größere Verkehrung, je mehr Consumtion; je größere Conſumtion, je mehr Acciſe genießet davon die Herrſchaft und je mehr Nutzen davon der Bauersmann, welcher, wann Er keine Abnahme in den Städten hat, auch ſeine Contribution nicht abtragen kann." Heute würde man ſagen können, daß der Großgrundbeſitzer ohne „Abnahme" in den deutſchen Städten überhaupt nicht mehr exiſtieren kann, denn außerhalb der deutſchen Städte gibt es keine hinreichenden Abnehmer auf der Welt, die gütig genug wären, für die Produkte der deutſchen Landwirtſchaft die Preiſe zu zahlen, auf deren Höhe die deutſche Landwirtſchaft ſich zurzeit eingerichtet hat. Wie Grumbkow ausführt, hat namentlich „die Conſumtion und Nahrung dieſer Reſidenzien (alſo Berlin) mit dem Wohl- und Übelſtande unſerer Städte, auch des platten Landes eine ſehr genaue Connexion", und man hat „daher wahrgenommen, daß der Provinz die Sperrung des Getreidehandels mehr als die Peſt ſchadet." „Es klagen noch itzo die Pommern und Preußen über den wohlfeilen Preiß ihrer Waren und wünſchen, das ſolche durch die Menge der Einwohner und Conſumenten ſteigen möge". „Wenn es in Berlin wohlfeil wäre, würde ſolches ein gewiſſes Merkmal ſeyn, daß die Anzahl der Familien und Konſumenten zu Ew. Königl. Mayſt., der Stadt und des Landes größeſten Schaden merklich abgenommen, welches der Höchſte abwenden wolle." Aus ſolchen Erwägungen kam Friedrich Wilhelm I. zu dem Grundſatze, den er in einem Briefe (17. Auguſt 1723) an ſeinen Freund Leopold von Deſſau, äußert: „Menſchen halte vor den größten Reichtum"; eine Lebensweisheit, die ſpäter Voltaire im Geiſte der Wirtſchaftslehre ſeiner Zeit in die Worte faßte: „Der Reichtum eines Staates beruht auf der Zahl ſeiner Einwohner und ihrer Arbeit ..... der Zweck jeder vernünftigen Regierung iſt: Bevölkerung und Tätigkeit," eine Weisheit die nach einem Schreiben Friedrichs des Großen an Voltaire „eine Heldentat darin ſah, eine Einöde bewohnbar und glücklich zu machen", und die aus dem als „Soldatenkönig" berühmten Friedrich Wilhelm I. den „größten inneren König" Preußens und einen der größten Städtebauer gemacht hat.

Der Verkehr und die Konſumtion ſeiner Reſidenzien zu heben, war das große Beſtreben Friedrich Wilhelms, I. und alle Maßnahmen, die nicht nur vorübergehenden trügeriſchen Erfolg verſprachen, wie etwa die üppige, die verfügbaren Mittel überschreitende Hofhaltung ſeines Vaters, ſondern die einen nachhaltigen Aufſchwung der Stadt ſicherſtellten, wurden getroffen. Hauptſächlich um die Konſumtion und Steuerkraft Berlins zu ſtärken, wurde die Garniſon bis zum Jahr 1721 auf 7600, bis 1735 auf 18200 (Soldaten, Weiber und Kinder) geſteigert. Aus demſelben Grunde wurden die Akademie der Wiſſenſchaften und die Akademie der Künſte nicht abgeſchafft und die Ritterakademie nicht als eine „verwerfliche Sache" behandelt. Aus demſelben Grunde wurde des Vaters

Bei einem Gesamtvermögen von 85[1/2] Milliarden entfallen auf das Kapitalvermögen 38, auf das Grundvermögen einschließlich des Betriebskapitals 35 Milliarden, davon aber 21[3/4] auf die Städte und nur 13[1/4] aufs flache Land. Der Wert des Anlage- und Betriebskapitals in Handel, Gewerbe und Bergbau wird auf 12 Milliarden geschätzt. Das mobile Kapital beträgt also im ganzen 50 Milliarden.

Nach der Veranlagung zur preußischen Ergänzungssteuer, zitiert von Staatssekretär von Sydow in der Sitzung des Reichstages vom 16. Juni 1909.

„Inklination zum Bauen" kontinuiert und „der Mut und die Hoffnung der Handwerker, ihr Stückchen Brot weiter zu verdienen, rassuriert". Gleichzeitig wurde aber energisch an einer Umwandlung des Berliner Gewerbes gearbeitet und die für den Hof arbeitenden Luxusgewerbe mußten in den Hintergrund treten vor den staatlich geförderten Gewerben des Massenkonsums, namentlich der Wollweberei und Tuchfabrikation. Sogar bei der Anwerbung für das Heer wurde Berlin geschont, um nicht die Manufacturiers und Handwerksgesellen zu vertreiben. Die systematische Stadterweiterungspolitik, die für einige Jahre geruht hatte, wurde mit neuer Kraft aufgenommen. Am 29. April 1721 ernannte der König eine Kommission, die aus dem Obersten von Derschau und zwei geheimen Räten bestand, die in Gemeinschaft mit dem Magistrat ein genaues Verzeichnis der noch vorhandenen Bauplätze aufstellen und Bericht über die zur Förderung des Ausbaues der Friedrichstadt nötigen Maßregeln erstatten sollte. Der Bericht wurde schon acht Tage später erstattet, und bereits am 23. Mai erging ein öffentliches Edikt, das die Besitzer in der Friedrichstadt aufforderte, sich vom 5. bis 7. Juni im Rathause zu melden, und sich zum Bau bereit zu erklären, widrigenfalls sie ihrer Stellen verlustig gehen würden; wer jedoch bauen wolle, solle alles notwendige Bauholz, Steine und Kalk, „an den gelegensten Orten ohnentgeltlich" angewiesen erhalten; außerdem sollten 10000 Taler unter die Baulustigen bar verteilt werden, und endlich genüge es dem Könige auch schon, wenn einstöckige Häuser errichtet würden. Aus dieser letzten Bestimmung läßt sich der hochinteressante Schluß ziehen, daß vorher, wohl des repräsentativen Aussehens halber, in der Friedrichstadt nur mehrstöckige Häuser erlaubt waren, und daß diese Bestimmung sich als ein Hemmnis erwiesen hatte, was ja nur selbstverständlich ist, da es zum Bau von mehrstöckigen Häusern viel größerer Kapitalauslagen bedarf, während die mit dem Kleinhaus arbeitende Stadterweiterung auf billigem Bauland schnell und leicht vonstatten geht. 1722 wurde dem Berliner Magistrat die möglichste Beförderung der Bautätigkeit in den übrigen Stadtteilen anbefohlen; jeder Baulustige sollte anstatt der Baumaterialien 10% des Hauswertes bar erstattet bekommen; 200 Häuser sollten jährlich in Berlin neu errichtet und über den Fortgang der Bautätigkeit dem König regelmäßig Bericht erstattet werden. 1725 wurden alle Baumaterialien — mochten sie zu Neubauten oder Reparaturen verwendet werden — für zoll- und schleusenfrei erklärt.

In der Friedrichstadt, wo dem Obersten von Derschau die Oberleitung des Anbaues übertragen wurde, ging der König über diese Benefizien noch weit hinaus. Im Februar 1725 setzte er wiederum 10000 Taler bare Unterstützung aus; jeder Baulustige erhielt auf je 3 Ruten Frontlänge 42 Taler bar sowie „ein Schock Mittelbauholtz, 4 Stück Sägeblöcke, 4 Landprahmen Kalcksteine und 30 Wispel Kalck"; der Bau mußte bis Ostern beginnen, widrigenfalls „ihnen die Stellen genommen und à 2 Taler die Quadratrute denen, so solche zu bebauen

Der Regierungsantritt Friedrichs des Großen brachte wegen der unmittelbar folgenden, sich überstürzenden Kriegsereignisse naturgemäß ein Erlahmen des städtebaulichen Feuereifers Friedrich Wilhelms I. mit sich. Selbst damals aber ging die Baupolitik der drei Vorgänger insofern weiter, als Baustellen gewöhnlich unentgeltlich abgegeben und Bauprämien teils in natura, teils in baren Geldern gewährt wurden. Schon seit Friedrich I. war man entschlossen an die Niederlegung der damals gerade nach 25 jähriger Arbeit fertiggestellten riesigen Festungswerke des Großen Kurfürsten gegangen, weil sie der Vorstellung von der künftigen Größe Berlins nicht mehr entfernt entsprachen, und weil man in der preußischen Armee einen besseren Schutz gewann, als die Befestigung der Hauptstadt gewähren konnte. Unter Friedrich II. wurde mit der Niederlegung energisch fortgefahren und dadurch einiges neue Bauland gewonnen. Außerhalb der Stadt wurde in Rixdorf die von Friedrich Wilhelm I. begonnene Ansiedelung böhmischer Kolonisten fortgesetzt, und in Neu-Schöneberg wurden für vierzig böhmisch-protestantische Familien 20 Doppelhäuser auf Staatskosten errichtet. 1752—55 wurde außerhalb der nördlichen Stadtmauer der Bau der Gartenstadt „Voigtland" (vgl. Abb. 72) mit dem Bau von 60 Häusern für je zwei Familien begonnen. Zu einer umfangreichen systematischen Stadterweiterung jedoch fand Friedrich der Große während der schlesischen Kriege keine Zeit. Auf diese Weise übten zum ersten Male seit dem Dreißigjährigen Kriege wieder kriegerische Ereignisse unmittelbar ihren schädlichen Einfluß auf die bauliche Entwicklung Berlins aus; und in der Tat lassen die vorhandenen Quellen darauf schließen, daß schon nach dem zweiten Schlesischen Kriege jene Steigerung der Mieten eingetreten ist, die mit den auf dem Fuße folgenden Steigerungen der Häuserwerte bald zu der wilden Häuserspekulation führte, welche, wie die zeitgenössische Literatur zeigt, einen so ungeheuren Eindruck auf das damalige Berlin gemacht hat.

In diesem Zusammenhang ist festzustellen, daß der Einfluß der kriegerischen Ereignisse auf das Berliner Wohnwesen sich nicht auf die Zeit ihres unmittebaren Geschehens beschränkt, sondern von lange dauernder, beinahe unauslöschlicher Nachwirkung bleibt. Die Tatsache, daß im Dreißigjährigen Krieg die alten berlinischen und kölnischen Vorstädte, die der Verteidigung der Festung Berlin im Wege standen, von den kurfürstlichen Truppen niedergebrannt worden waren, mußte ebenso wie die Umwandlung Berlins in eine moderne Festung mit starker Garnison einen nachhaltigen Einfluß auf die Berliner Wohnungsverhältnisse im Sinne einer engeren Zusammendrängung der Bevölkerung ausüben. Durch die Garnison wurde das Einquartierungswesen — Kasernen wurden erst nach dem Siebenjährigen Krieg erbaut — d. h. also die Vermietung eines Teiles jeden oder beinahe jeden Hauses an Militärs, zur obrigkeitlich erzwungenen Institution. Wenn auf der einen Seite die landesherrliche Politik mit aller Energie die schädlichen Folgen bekämpfte, mit der die Garnison das Wohnwesen bedrohte, so konnte auf der anderen Seite bei dem gewaltigen Wachstum der Bevölkerung, auf das die kurfürstliche Politik bewußt und erfolgreich abzielte, trotz der ganz außerordentlichen wohnungspolitischen Leistungen des Landesherrn ein verhältnismäßiges Zurückbleiben im Wachstum der Häuser nicht ausbleiben. In der Tat hat sich in den 24 Jahren von 1685 bis 1709 die Bevölkerung mehr als verdreifacht, die Zahl der Wohnhäuser jedoch nur um 150% erhöht. Ähnlich blieb in der Zeit von 1709 bis 1740 die Vermehrung der Häuser hinter dem Wachstum der Bevölkerung zurück (vgl. S. 97 und 100). Wohl wesentlich infolge der Beeinträchtigung der Stadterweiterungspolitik durch die Schlesischen Kriege und die auswärtige Politik war die durchschnittliche Behausungsziffer, die in den dreißig Jahren von 1709 bis 1740 nur von 14 auf 17, also um 3, gestiegen war, in den folgenden 16 Jahren auf 21, also um 4 gestiegen. Während des Siebenjährigen Krieges war dann die Bautätigkeit begreiflicherweise erst recht erlahmt, was namentlich gegen Ende des siegreichen Krieges eine weitere Steigerung der Mieten ermöglichte und den Boden für die damals einsetzende wilde Spekulation schuf. Die damaligen Vorgänge erinnern stark an die Ereignisse auf dem Berliner Häusermarkt während und nach dem Kriege von 1870/71: schnelle Steigerung der Mietpreise, rascher spekulativer Besitzwechsel der Grundstücke und Hereinbrechen einer schweren Wohnungsnot. Während aber der gemeinschädlichen Häuserspekulation nach dem Kriege von 1870/71 durch die wirtschaftliche und rechtliche Verfassung und die Anschauungen der Zeit völlige Freiheit gewährleistet war, fanden die Spekulanten nach dem Siebenjährigen Kriege in Friedrich dem Großen ihren Meister. Der König hatte sich damals der wohnungspolitischen Machtbefugnisse seiner Vorgänger noch keineswegs begeben; im Gegenteil, er nahm den Kampf „für gute Polizei" und gegen „lokale Lotter- und Gevatterwirtschaft" mit der Vehemenz auf, die ihm eigen war, und die seine kriegerischen Erfolge gesichert hatte. Wie ein Edikt von 1765 proklamierte, das von allen Kanzeln verlesen wurde — ein für das damalige Berlin ganz ungewöhnlicher Vorgang — war der König „nicht gemeinet eine längere, den sich von ihren Häusern einen übertriebenen Wert einbildenden Eigentümern am Ende selbst nachteilige Nachsicht zu gestatten". Durch eine Verordnung an das Kammergericht schützte er die rechtliche Stellung der Mieter gegen die Vermieter. Er bekämpfte ferner die Steigerung der Mieten durch eine ganz neue Maßregel, er baute nämlich Kasernen (von 1763–67 allein 8 Kasernen), wodurch ein großer Teil der Garnison aus den Privathäusern zurückgezogen werden konnte, wo er bisher eingemietet war, sodaß plötzlich viele Wohnungen frei wurden. Von dieser Abhilfe der Wohnungsnot durch Kasernierung machte der König dann in gewissem Sinne auch für die Unterbringung der Zivilbevölkerung Gebrauch; statt nämlich, wie seine Vorgänger, für eine Stadterweiterung Sorge zu tragen, baute er auf eigene Kosten in den alten Stadtteilen ungefähr 300 drei- bis vierstöckige Häuser, die sog. „Immediatbauten". Diese Erweiterung der Stadt nach oben, in die Luft, statt in die Ebene, durch Massenquartiere statt durch Erschließung neuen Baulandes, war wohl nicht nur durch die Analogie mit den gleichzeitigen militärischen Kasernenbauten, sondern vielleicht auch durch den regen Pariser Einfluß am Hofe des Königs und wohl nicht zum wenigsten durch gefährliche Steigerung der Bodenpreise über den landwirtschaftlichen Wert angeregt, die die lange Verzögerung der Stadterweiterung erzeugt hatte. Bei derartig gestiegenen Bodenpreisen mußte der obrigkeitliche Zwangskauf zu Stadterweiterungszwecken — namentlich bei der starken Entwicklung, die der Begriff des unbeschränkten Eigentumsrechtes im absolutistischen Preußen damals schon genommen hatte — schwieriger sein wie früher, und der König unternahm es, diese Schwierigkeit auf eine ganz eigene, recht kaustische Art zu umgehen. Er verschaffte sich nämlich den für seine drei- und vierstöckigen Miethäuser erforderlichen Grund und Boden zwangsweise und kostenlos, indem er vorhandene ein- und zweistöckige Privathäuser, mit oder ohne Einstimmung ihrer Besitzer, niederreißen und umbauen ließ; der Widerspruch der Besitzer besänftigte sich dann meist durch das Geschenk des neuen Hauses. Je mehr Geschosse der König auf derartig kostenlosem Boden errichtete, um so billiger mußten die Wohnungen

Abb. 72. Ausſteller: Märkiſches Muſeum der Stadt Berlin.

Berlin 1772, gezeichnet vom Geographen der Akademie J. C. Rhoden. Fortgeſchrittener Ausbau des Gebietes innerhalb der Linien und verſtärkte Anfänge des Anbaus außerhalb der Linien, ſo namentlich das Voigtland im Norden. Von den alten Feſtungswerken nur noch Reſte am Königsgraben.

Abb. 73. Ausſteller: Archiv der Stadt Berlin (Stadtarchivar Dr. Clauswitz).

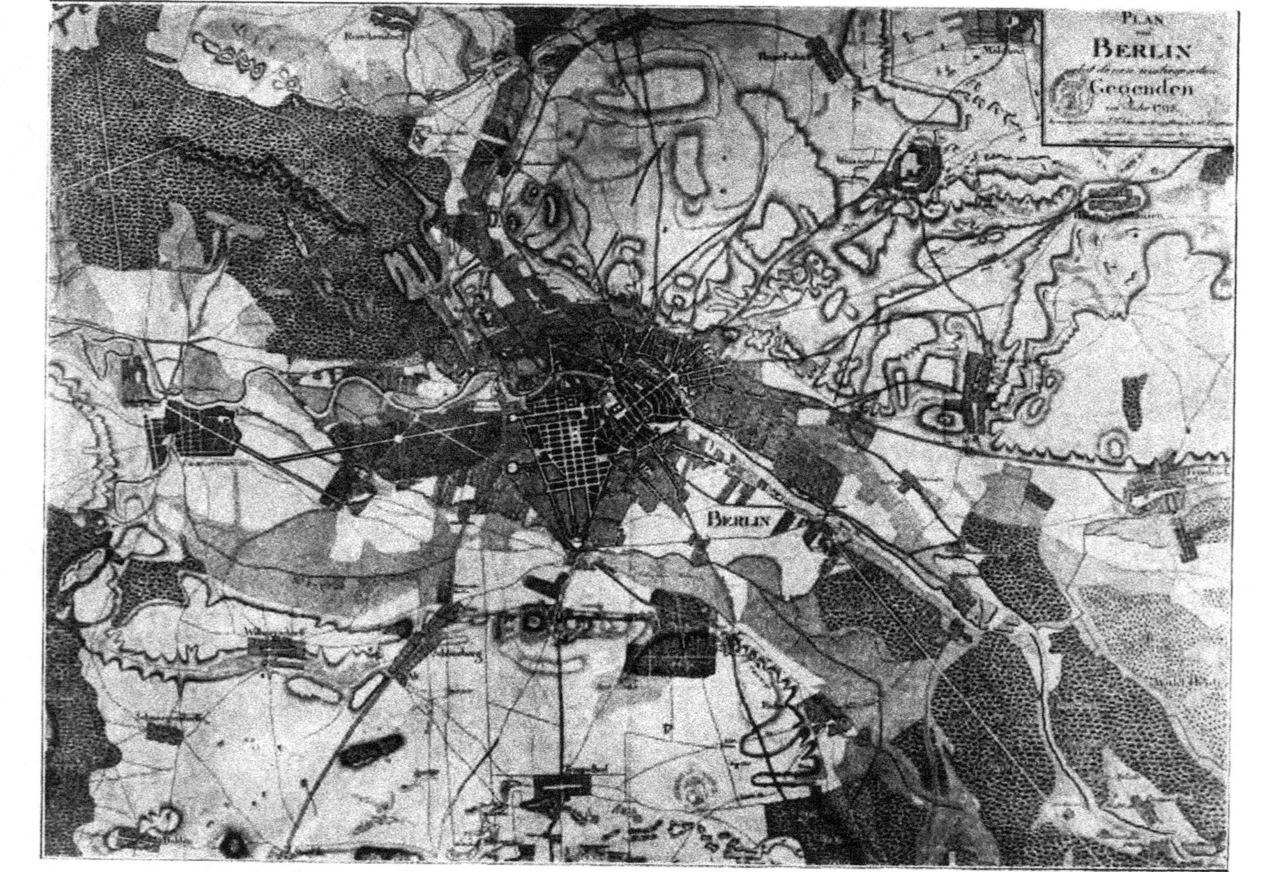

Berlin nebſt denen umliegenden Gegenden 1798 herausg. von J. F. Schneider, Kgl. Preuß. Artil. Lieutenant. — Dieſer Plan war für 30 Jahre (bis 1829) der offizielle Plan von Groß-Berlin, namentlich bei den Verhandlungen über die Weichbildgrenzen Berlins.

werden, da von einem Ausgleich der Ersparnis an Grundfläche durch gesteigerten Bodenpreis eben wegen der Kostenlosigkeit des Bodens nicht die Rede sein konnte. Da der König obendrein die auf seine Kosten erbauten Häuser bedingungslos verschenkte, und somit Wohnungen plötzlich, massenhaft und gratis auf den Wohnungsmarkt warf, bedeutete sein Vorgehen in der Tat eine momentan wirksame Bekämpfung der Wohnungsnot. Diese Übertragung des Kasernierungsgedankens von der Garnison auf die Zivilbevölkerung konnte erst dann anfangen ungünstig auf die Wohnungsverhältnisse einzuwirken, wenn nach Aufhören der obrigkeitlich forcierten Bautätigkeit das plötzliche Wohnungsangebot absorbiert war, ohne daß gleichzeitig der anwachsenden Bevölkerung durch eine neue Stadterweiterung neuer, billiger Boden erschlossen wurde. Wenn dann von privater Seite, wie es garnicht anders zu erwarten war, Bauland nur zu Preisen auf den Markt kam, welche die durch die Immediatbauten gebräuchlich gewordene Geschoßhäufung wirtschaftlich erzwangen, dann war der leichte, schnelle und dem Aufstreben der Minderbemittelten so günstige Gang der kleinhausmäßigen Stadterweiterung unterbunden, deren hygienische Vorzüge anerkannt sind und deren wirtschaftliche Tüchtigkeit sich gerade bei den verschiedenen Berliner Stadterweiterungen bewährt hatte (vgl. S. 99). Wenn dann auch kein Friedrich II. mehr da war, der die großen Kapitalien, die zum Bau vielgeschossiger Häuser nötig sind, aus eigener Schatulle flüssig machte, dann mußte die anwachsende Bevölkerung warten, bis die private Spekulation auf anderen Betätigungsgebieten, z. B. in der Terrainspekulation, keine vorteilhafteren Kapitalsanlagen mehr fand und sich auch einmal dem Häuserbau zuzuwenden beschloß; dazu müssen allerdings die Mieten sehr viel höher steigen, als es Friedrich der Große geduldet hätte. Doch das alles lag noch in weiter Ferne. Vorläufig gelang es der fredericianischen Baupolitik, den allerdings verhältnismäßig geringen Bevölkerungszuwachs in der Zeit nach dem Siebenjährigen Krieg (von 1763 bis 1786 stieg die Zivilbevölkerung nur von 100000 auf 114000, während die Militärbevölkerung von 19500 auf 33600 wuchs) in würdiger Weise unterzubringen, sogar ohne dabei die Behausungsziffer wesentlich zu steigern (1784 war sie 21,8 mit, 16,8 ohne Militär), woraus ersichtlich ist, welche große Wirkung die Zurückziehung der Garnison aus den Kasernen gehabt hat. Trotz des Verdrusses, den Friedrich II. durch den Unwillen der nichtbeschenkten, aber durch das Sinken der Mieten geschädigten Hausbesitzer erleben mußte, wurde nach seinem Tode die königliche Bautätigkeit von Friedrich Wilhelm II. anfangs sogar noch gesteigert. Hatte Friedrich II. in der Zeit von 1769 bis 1786 rund 300 große Wohnhäuser auf Staatskosten erbaut, so ließ sein Nachfolger in den zwei Jahren 1787 und 1788 allein 100 errichten und verschenken. Diese Bautätigkeit kam ebenso wie die Friedrichs des Großen hauptsächlich den Linden und der Friedrichstadt zugute. Allein in der Leipziger Straße, am Dönhoffplatz und am Spittelmarkt sind mindestens 75 königliche Bauten entstanden, sodaß die Leipziger Straße und die Linden die schönsten Straßen der Residenz wurden. Die politischen Unruhen der 90er Jahre, die Organisation der neuerworbenen polnischen Provinzen sowie die zur Herrschaft gelangenden neuen volkswirtschaftlichen Ideen ließen dann die königliche Bautätigkeit schwächer werden und allmählich für immer einschlafen.

Auch der königlichen Bautätigkeit in Potsdam muß hier kurz gedacht werden. Hier hatte schon Friedrich Wilhelm I. in großem Umfange auf Staatskosten für die riesenhaften „blauen Kinder" seines Leibregiments, auch aber für viele bürgerliche Ansiedler eigene Wohnhäuser erbauen, ja sie sogar teilweise möblieren lassen, um sie dann bedingungslos zu verschenken und alle Baurechnungen zu verbrennen. Friedrich der Große nahm mit der Vergrößerung der Garnison und dem Anwachsen der Zivilbevölkerung diese Politik 1748, nach Vollendung von Sanssouci, wieder auf. Schon bis zum Siebenjährigen Kriege ließ er 90 Bürgerhäuser auf Staatskosten errichten, denen dann nach dem Kriege bis 1786 nicht weniger als 530 Neubauten folgten, so daß im ganzen während seiner Regierungszeit 620 Bürgerhäuser mit einem Gesamtaufwand von 3151271 Talern errichtet und verschenkt wurden; es waren — wovon man sich ja noch heute in Potsdam überzeugen kann — durchweg sehr stattliche, vielfach vom König selbst entworfene Gebäude, von denen jedes im Durchschnitt ca. 5100 Taler kostete. Außerdem wurden bei Potsdam — 39 vor dem Teltower Tor und 61 in Nowawes — noch 100 Kolonistenhäuser gebaut, die zusammen 31637 Taler erforderten. 216000 Taler wurden für Fabriken, 444652 Taler für 119 Militärgebäude und 1123532 Taler für öffentliche Gebäude (Kirchen, Waisenhäuser, Stadtmauern, Tore usw.) ausgegeben. Der Gesamtaufwand für die Bauten in Potsdam stellte sich von 1740—86 auf 10537039 Taler, von denen auf die königlichen Privatbauten, Schlösser, Gartenanlagen usw. nur die Hälfte (5322912 Taler) entfällt. Sanssouci kostete nur 307000 Taler.

Beim Tode Friedrichs des Großen war Berlin mit 147400 Einwohnern innerhalb der Ringmauer und 2—3000 Personen außerhalb der Ringmauer (Voigtland, Gesundbrunnen usw.) eine der ersten europäischen Städte. Es war ungefähr ebenso groß wie Madrid und Rom, es wurde überhaupt nur von Wien und Amsterdam (ca. 200000 Einwohner) etwas, von Paris (600000 Einwohner) und London (800000 Einwohner) allerdings sehr erheblich an Größe übertroffen.

Es darf wohl als ein Ergebnis der geschilderten unermüdlichen Baupolitik der preußischen Kurfürsten und Könige angesehen werden, daß in der Mitte des 18. Jahrhunderts statistisch nachgewiesen werden konnte (durch Süßmilch), daß Berlin gesünder war als alle anderen Großstädte, da sich die Sterblichkeit in Berlin nur auf 36, in den übrigen Großstädten aber auf 40—50 pro Mille stellte. In allen Großstädten überstieg im 18. Jahrhundert regelmäßig die Sterblichkeit die Zahl der Geburten; nur in Berlin finden wir — wie Nikolai hervorhebt — einzelne Jahre (1777, 1780, 1781, 1782), in denen die Geburtenzahl die Zahl der Sterbefälle übertraf. In starkem Gegensatz zu Berlin mit seinen vielfachen Stadterweiterungen stand das in seine Festungswälle gepreßte Wien, wo die Sterblichkeit Ende des 18. Jahrhunderts 53 pro Mille betrug, obgleich Wien nicht erheblich größer war als Berlin. Trotz des allmählichen Steigens der Berliner Bebauungsziffer ist es glaubhaft, daß die Wohnungsverhältnisse bis ins letzte Drittel des 18. Jahrhunderts in Berlin durch die unermüdlichen Stadterweiterungen und die rücksichtslos durchgeführte Wohnungspolitik ungleich besser waren als in anderen Großstädten des europäischen Festlandes jener Zeit. Noch im Jahre 1796 hält sich ein Berliner Schriftsteller, König, darüber auf, daß es in Berlin „allmählich ein Bedürfnis wird, fast zu jeder Verrichtung im menschlichen Leben besondere Örter im Hause zu haben ...... Diese Sucht erstreckt sich auch auf die unteren Volksklassen bis zu den Handwerkern, die bisher genügsam gewesen waren, und die Gewerbe in eingeschränkten Wohnungen ruhig betrieben hatten". Zum Vergleiche jener Zeit mit den heute herrschenden Verhältnissen ist es wichtig, auch einen Blick auf die Ernährung

Abb. 74. Aussteller: Märkisches Museum der Stadt Berlin.

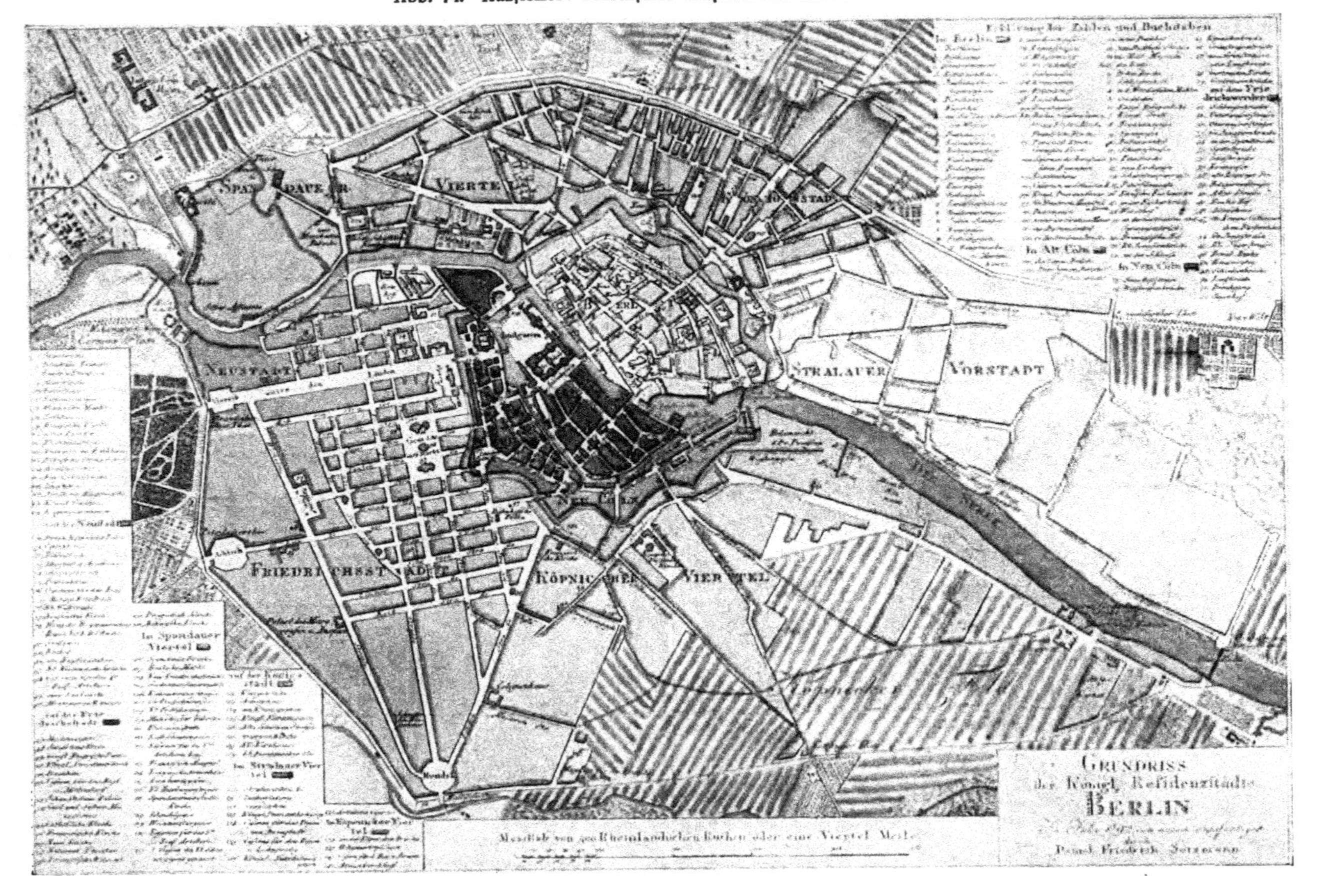

Berlin 1792, gezeichnet von D. F. Sotzmann, dem angesehensten deutschen Kartenzeichner seiner Zeit. — Die alten Festungswerke (von 1658—83) sind ganz verschwunden, das Gelände zu Straßen verwendet und bebaut; der Festungsgraben zum „Königs-“ und „Grünen“ Graben reguliert.

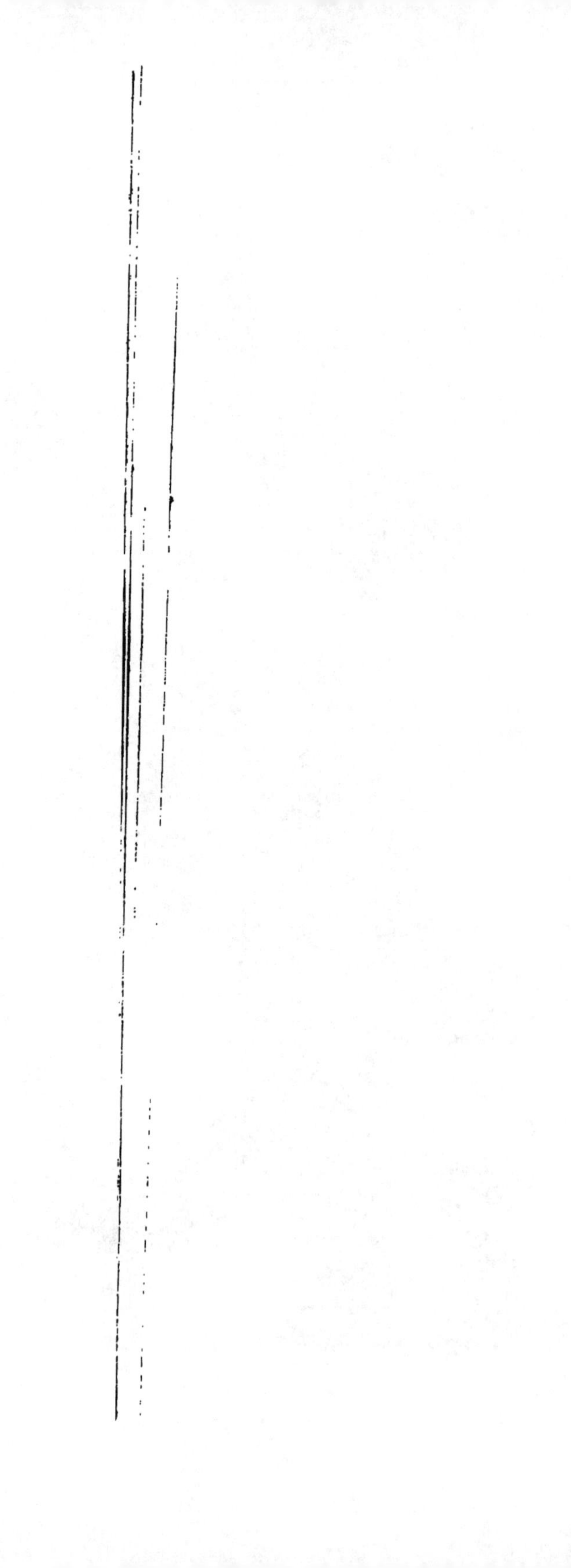

zu werfen, die heute in so verhängnisvoller Weise durch die hohen, für Miete aufzuwendenden Anteile des Einkommens beeinträchtigt wird. Dabei ergibt sich die überraschende Tatsache, daß im Jahre 1799 auf etwa 8 Bewohner Groß-Berlins ein geschlachtetes Rind, auf 4 ein Kalb, auf 1½ ein Schaf und auf 4½ ein Schwein (die umfangreichen Hausschlachtungen von Schweinen sind dabei nicht gerechnet) kam, während 1904 erst auf 18 Bewohner ein Rind, auf 14 ein Kalb, auf 6 ein Schaf und auf 2 ein Schwein (Hausschlachtungen spielen heute keine Rolle mehr) geschlachtet worden ist.

Mit dem Hereinbrechen der schweren Zeiten, die auf die Napoleonischen Kriege folgten, wurde dann vieles anders. Schon für den Berliner Schriftsteller König war die „Sucht", entwickelte Wohnbedürfnisse zu befriedigen, ein Gegenstand der Klage, denn schon hat damals die königliche Baupolitik aufgehört, und schon beginnt ein ungünstiger Umschwung in dem ganz der privaten Unternehmung ausgelieferten und von keiner Stadterweiterung mehr geförderten Wohnwesen. In demselben Jahre beginnen schon Klagen (Formey) darüber laut zu werden, daß es für den Armen schwer falle, ein Obdach zu finden. Doch sollte es noch lange dauern, bis die Not in ihrer ganzen Schwere hereinbrach. Vorläufig hemmten die napoleonischen Kriege und ihre schweren Nachwirkungen auch ein rasches Wachsen der Berliner Bevölkerung. In den 19 Jahren, vom Tode Friedrichs des Großen (1786) bis 1805, wuchs die Bevölkerung nur um 20000 Köpfe, und selbst in den 43 Jahren von 1786 bis 1829 betrug das Wachstum nur 95000 Köpfe, während allein in den 10 Jahren von 1840 bis 1850 beinahe 100000 Personen neu untergebracht werden mußten. Diesem nach 1840 einsetzenden, gewaltigen Wachsen der Bevölkerung stand dann das Berliner Stadterweiterungswesen gänzlich ungerüstet gegenüber, weil in der Zwischenzeit die großen städtebaulichen Traditionen der beiden vorhergehenden Jahrhunderte bis auf den letzten Rest verloren gegangen waren. In der Zwischenzeit hatte die Expansion der preußischen Städte die feste Grundlage der königlichen Fürsorge, auf der sie bisher so glänzend gediehen war, verloren. Von diesem Verluste wurde ganz besonders Groß-Berlin betroffen, das bis dahin im jeweiligen preußischen Könige einen allmächtigen und leidenschaftlich mitarbeitenden Oberbürgermeister besessen hatte. Allerdings war schon mit dem Vorgehen Friedrichs des Großen nach dem Siebenjährigen Kriege und durch den zwangsmäßigen Bau von königlichen Miethäusern, durch seine Forcierung und dann gänzliche Einstellung seitens Friedrich Wilhelms II., ein Element in die städtebauliche Entwicklung Berlins gekommen, das auf die Dauer unhaltbar und schädlich werden mußte. Hatte sich so auf beschränktem Gebiete gezeigt, wie gefährlich es ist, das Heil nur auf zwei Augen zu stellen, so brach mit den Ereignissen, die auf die große französische Revolution folgten, das gesamte System des aufgeklärten Despotismus zusammen; es war nicht möglich, die gesamte Aktivität und Wirkungsmacht der Staatspersönlichkeit ausschließlich im Könige und in den beamteten Staatsdienern, die er als sekundäre Werkzeuge verwenden mochte, zu verkörpern. Die Regierung der Städte durch Friedrich Wilhelm I., Friedrich den Großen und ihre Kommissare hatte zwar eine tüchtige integre Verwaltung und damit die notwendige Vorbedingung für kommunale Freiheit und gesundes self-government geschaffen, aber, wie Frey, der Schöpfer des Entwurfs der Städteordnung von 1808 klagte, hatte sie Bürgersinn und Gemeingeist ertötet und eine verhängnisvolle Geringschätzung des Bürgers erzeugt. Bürgersinn und Gemeingeist und einen stolzen Bürgerstand zu schaffen, mußte die Aufgabe der nächſten Jahrhunderte werden, eine Aufgabe, deren Schwierigkeit in nichts zurückſteht hinter den Schwierigkeiten materieller und politiſcher Art, die in den Jahrhunderten nach dem Dreißigjährigen Kriege zu überwinden waren. In der Zeit ernſter Einkehr nach dem Zuſammenbruch des alten Regimes iſt mit der Steinſchen Städteordnung von 1808 ein genialer Verſuch gemacht worden, eine Baſis zu ſchaffen, von der man hoffte, daß es auf ihr den Städten allmählich möglich ſein würde, die Mängel des alten Syſtems zu überwinden, ohne der Vorzüge dieſes alten Regimes allzuſehr verluſtig zu gehen. Wenn es der Steinſchen Städteordnung (mit ihrer das erſte moderne Parlament auf deutſchem Boden darſtellenden Stadtverordnetenverſammlung, die aus allgemeinen und direkten Wahlen hervorgehen ſollte), in vieler Beziehung gelungen iſt, für die Entwicklung der großen lebenſpendenden Gedanken der Selbſtverwaltung und kommunalen Freiheit in Preußen eine brauchbare Grundlage zu ſchaffen, ſo hat ſie doch in mancher praktiſchen Hinſicht und vielleicht nirgends mehr als auf dem Gebiete des Städtebaues ganz heilloſe Verhältniſſe möglich gemacht. Der Vorwurf dafür trifft durchaus nicht nur die Städteordnung ſelber, denn ſie ſtellt nur einen genialen Griff in das Dunkel der politiſchen Möglichkeiten dar; der Vorwurf trifft vielmehr die verſchiedenen Nachfolgerinnen der Städteordnung von 1808, die es nicht verſtanden, die offenſichtlich zutage tretenden Lücken in der ſtädtiſchen Organiſation auszufüllen und ſich im Gegenteil nicht ſcheuten, ſie zu vergrößern. Nach der Städteordnung von 1808 ſtellte die Stadt ein Gemeinweſen mit politiſchen Pflichten dar, und es wäre eine große und würdige Aufgabe der nächſten Jahrzehnte, ja Jahrhunderte geweſen, die Städte — wie Profeſſor Otto von Gierke es ausdrückte — „mit dem Geiſte eines ſittlichen Organismus zu erfüllen, deſſen Lebensberuf jenſeits des Tagesnutzens in der überindividuellen Daſeinsordnung des Ganzen liegt." „Mit dem rieſigen Wachstum der Städte ſind ihre Aufgaben umfangreicher, in der zunehmenden Kompliziertheit der Lebensverhältniſſe verwickelter, mit der Steigerung der Intereſſengegenſätze und des Klaſſengeiſtes dornenreicher geworden"[109]). Statt die Städte für die Erfüllung ihrer ungeheuer wachſenden Pflichten tüchtig zu machen, haben die ſpäteren Neuordnungen des Städteweſens die Vorſtellung befördert, als ſei die Gemeinde ein weſentlich wirtſchaftlicher Verband, der ſeine großen ſozialpolitiſchen Pflichten ungeſtraft vernachläſſigen kann. An Stelle des Königs, der im alten Regime mit nimmermüden Augen jede aufkeimende Gefährdung der wirtſchaftlichen und ſozialen Geſundheit der Stadt zu erſpähen und ſchleunigſt zu beſeitigen beſtrebt war, trat kein geeignetes Organ, und dieſer Mangel hätte wohl kaum ſchrecklichere Folgen haben können als im Städtebau, der von einem ſeiner berühmteſten Vorkämpfer als „eine umfaſſende, fürſorgende Tätigkeit für das körperliche und geiſtige Wohlbefinden der Bürgerſchaft, als grundlegende, praktiſche, öffentliche Geſundheitspflege" definiert worden iſt.

Als Napoleon nach Jena in Preußen ſchaltete, verlieh er der Stadt Berlin eine beſondere, von der für die anderen Städte geltenden verſchiedene Verfaſſung, er kannte aus Frankreich her die durchaus eigenen Lebensbedingungen einer Großſtadt; dem preußiſchen Geſetzgeber, dem „die Vorzüge und die Schwächen ländlich-kleinſtädtiſcher Bildung tief im Blute liegen" (vgl. Motto S. 9), fehlte dieſes Verſtändnis. Im Gegenteil wurde die Berliner Entwicklung von vornherein ſchwer geſchädigt durch den viel zu eng gefaßten Begriff, den die Städteordnung von 1808 von der Stadt hatte. Ihr § 4 ſetzte nämlich feſt, daß zum ſtädtiſchen Polizei- und Gemeindebezirke alle Einwohner und

Abb. 75 bis 78. Ausſteller: Stadt Potsdam. Anſichten aus Potsdam.

Das Rathaus von 1753.

Die Nikolaikirche (Schinkel) 1830—37.

Holländiſche Gracht aus der Zeit des Soldatenkönigs.

Denkmal Friedrichs des Großen vor Sanssouci.

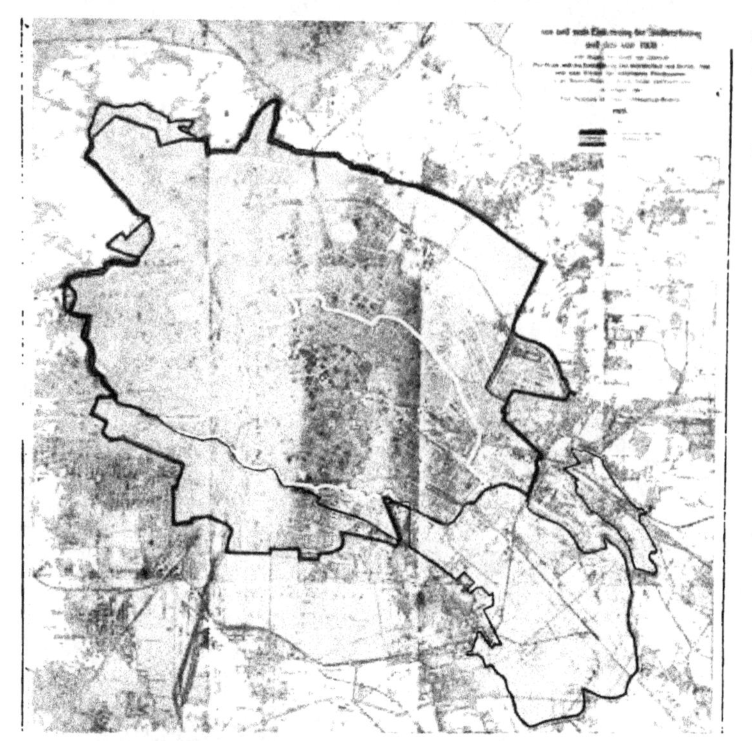

Rot = Weichbild vor, Weiß = Weichbild nach Einführung der Städteordnung von 1808, Grün = Weichbild 1908.

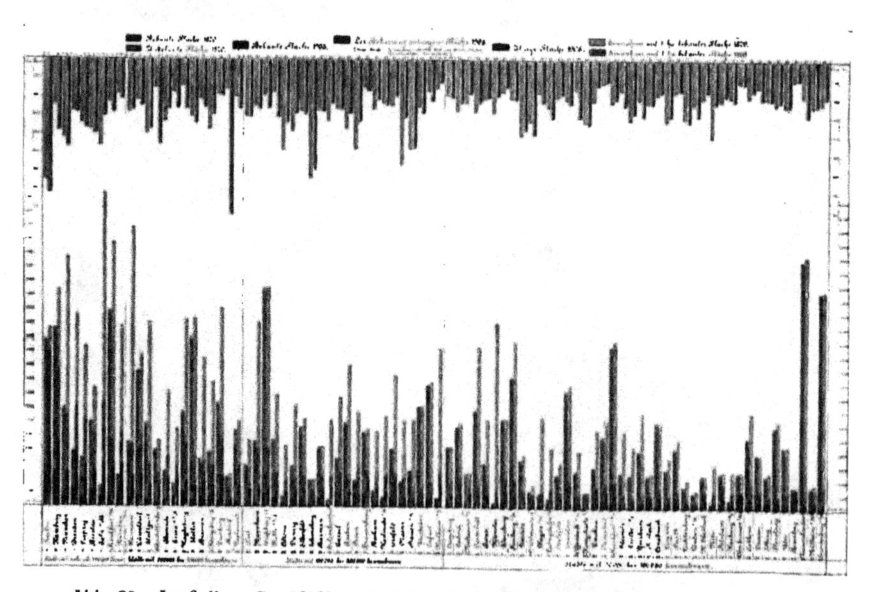

Abb. 80. Ausſteller: Statiſtiſches Amt der Stadt Breslau (Direktor Prof. Dr. Neefe).
Stadtgebiet und Bevölkerung von 86 deutſchen Städten mit mehr als 50 000 Einwohnern 1870 und 1908. Berlin iſt der Größe ſeines Gebietes nach die 21. Stadt des Reichs. Die größten Städte ſind (außer Hagenau i. E. und Waren i. M.) Frankfurt heute 13 478 ha, Cöln 11 733 ha, Düſſeldorf heute 11 117 ha. Weitaus die dichteſte Bevölkerung pro Hektar haben Rixdorf (840), Berlin (720), Schöneberg (600).

Der Groß-Berliner Zweckverband umfaßt ein Gebiet von 351,903 ha.

> Der Städtebau schafft nicht bloß den Boden und den Rahmen für die Entwicklung der baulichen Einzeltätigkeit, sondern er ist zugleich eine umfassende, fürsorgende Tätigkeit für das körperliche und geistige Wohlbefinden der Bürgerschaft; er ist die grundlegende praktische öffentliche Gesundheitspflege; er ist die Wiege, das Kleid, der Schmuck der Stadt, die Zusammenfassung der gesamten privaten und öffentlichen Tätigkeit zu einer höheren Einheit. Der Städtebau ist eine wichtige, selbständige Kunst. Durch ihn wird einem sehr großen Teile der Bevölkerung ein beträchtlicher Teil der äußeren Annehmlichkeiten des Lebens zugeführt; seine Schöpfungen sind für den Armen ebenso wie für den Reichen. Wir erblicken im Städtebau eine künstlerische Betätigung der ausgleichenden Gerechtigkeit, eine Mitwirkung an der Beseitigung sozialer Mißstände und somit eine einflußreiche Mitarbeit an der sozialen Wohlfahrt. J. Stübben 1890.

sämtliche Grundstücke der Stadt und der Vororte gehören sollten. Es entstanden natürlich alsbald Zweifel, was man zu den Vorstädten zu rechnen, wie weit man diesen Begriff auszudehnen hätte. Die Regierung erklärte daher 1810 dem Magistrat, daß unter dem Gemeindebezirk nur die eigentliche Stadt innerhalb der Mauer mit kleinen, dichtbebauten Gebieten vor der Stadt zu verstehen sei und diese noch zur Stadtgemeinde gehören sollten. Die ganze Feldmark, die bisher mit der Stadt das Weichbild gebildet hatte, wurde dadurch von ihr abgetrennt und dem platten Lande zugewiesen. Die Grenze des neuen Weichbildes ging demnach nur an wenigen Stellen und auch dort nicht weit über die Stadtmauer hinaus (vgl. Abb. 79). Wer sich außerhalb dieser Grenze anbaute, war nicht mehr Stadtbewohner und erwarb nicht die Rechte eines solchen. Der Polizeipräsident hatte neben der Erklärung der Regierung sogar angeordnet, daß das Bürgerrecht nur an Einwohner erteilt werden dürfte, die innerhalb der Mauer wohnten, die übrigen seien als Schutzverwandte zu betrachten. Die Häuser außerhalb der Mauer wurden auch nicht in die städtische Feuersozietät aufgenommen und die dortigen Straßen von der öffentlichen Beleuchtung ausgeschlossen. Es ist selbstverständlich, daß durch derartige Maßnahmen der Monopolcharakter und der Wert des Bodens innerhalb der Stadtmauer verschärft, seine gesteigerte Ausnutzung erzwungen und die von jedem Standpunkte aus wünschenswerte Stadterweiterung aufs bedauerlichste gehemmt wurde. Da gleichzeitig, wie der Magistrat 1829 feststellte, die Zahl der unbemittelten Familien unverhältnismäßig stieg, war auch von dieser Seite die Möglichkeit zur Herabdrückung der Wohnungsansprüche und zur Steigerung der Ausnutzbarkeit des Bodens durch Ausbau der Häuser für eine immer größere Zahl von Wohnungen gegeben. 1815 lassen sich durchschnittlich sechs Wohnungen auf ein Haus berechnen, 1830 sieben, 1840 beinah acht, 1850 etwas über neun und 1860 fast zehn. 1815 kamen noch nicht dreißig Bewohner auf ein Haus, 1828 fünfunddreißig, 1848 dreiundvierzig, 1850 achtundvierzig, 1860 neunundvierzig. Der Magistratsbericht von 1829 hebt ein bedeutendes Steigen des Mietwertes hervor, und die Vossische Zeitung klagt 1830, daß es für ärmere Leute an kleinen Wohnungen mangele, die Mieten zu teuer wären und die Wirte lieber die Wohnungen leer stehen ließen, als den Preis herabsetzen, damit sich der Wert der Häuser nicht verringere. Von 1830 an läßt sich das Steigen des Mietwertes von Jahr zu Jahr nachweisen. Er erhöhte sich für sämtliche Wohnhäuser von rund 4400000 Talern im Jahre 1830 auf 12300000 Taler 1860. Dieses Steigen des Mietbetrages ist nicht etwa durch das Steigen der Zahl der Wohnungen, sondern durch das Steigen der Mieten zu erklären. Der durchschnittliche Mietwert einer Wohnung betrug 1850 achtundneunzig, 1860 hundertunddreißig Taler. Der geringe Überſchuß an leerſtehenden Wohnungen beweiſt, daß der Anbau von Häuſern mit dem Anwachſen der Bevölkerung gerade nur eben Schritt hielt. In welcher Weiſe waren nun die Stadt- oder die Staatsbehörden tätig, um dem Anbau die Wege zu ebnen? Innerhalb der Ringmauer gab es noch lange nach der Einführung der Städteordnung große Ackerflächen und ſomit billiges Bauland nach allen Richtungen hin, ſobald nur die erforderlichen Straßen angelegt waren. Das Polizeipräſidium hatte ohne Mitwirkung der ſtädtiſchen Behörden 1825 für mehrere Stadtteile Bebauungspläne feſtgeſetzt, für die Gegend innerhalb des Landsberger Tores bis zum Stralauer Tor hin, nördlich der Spree für das Gartenland in der Friedrich-Wilhelm-Stadt und für das ſogenannte Köpenicker Feld im Südoſten. Doch nur in der Friedrich-Wilhelm-Stadt wurden nach 1830 wirklich Straßen nach dieſen Plänen angelegt. Bei den Flächen zwiſchen Landsberger und Stralauer Tor blieb der Anbau zunächſt noch aus, die Einteilung wurde ſpäter wieder geändert und zum Teil erſt nach 1859 endgültig feſtgeſetzt. Das Köpenicker Feld innerhalb der Mauer lag damals für die Bebauung am günſtigſten, weil die Köpenicker Vorſtadt ſich ausdehnen wollte. Aber auf den dortigen Ländereien ruhten noch Hütungslaſten; bevor ſie nicht abgelöſt waren, konnte man nicht bauen, nicht einmal die Grundſtücke einzäunen. Der Einteilungsplan des Polizeipräſidiums von 1825 ließ ſich alſo erſt nach der im Jahre 1840 vollendeten Ablöſung anwenden; inzwiſchen hatte er ſich aber als unzweckmäßig herausgeſtellt und wurde einige Jahre ſpäter durch einen anderen erſetzt, der dann maßgebend blieb. Die Schwierigkeiten, die ſich der Bebauung außerhalb der Ringmauer entgegenſetzten, und die in der Städteordnung begründet waren, wurden bereits oben erwähnt. Außer dieſer Einſchränkung des Weichbildes durch die Städteordnung hinderten noch andere Umſtände, ähnliche wie auf dem Köpenicker Felde, den Anbau vor den Toren. Der Benutzung der Grundſtücke zu Wohnplätzen ſtanden, wie dort die Hütungsberechtigungen, die Dreifelderwirtſchaft und die unzweckmäßige Geſtaltung der Parzellen entgegen. Ehe der Anbau möglich wurde, mußte die Ablöſung der Hütung und die Separation vorhergehen. Beides nahm man zuerſt bei den ſogenannten Berliner Hufen in Angriff, den großen Ackerflächen vor dem Hamburger, Roſenthaler, Schönhauſer und Prenzlauer Tore, die damals wirklich noch in der alten Weiſe der Dreifelder bewirtſchaftet wurden. Das Separationsverfahren dauerte von 1819—1826; unter dem erſten preußiſchen Könige war es ſchneller gegangen (vgl. S. 96). Der Anſtoß zu dieſer vorteilhaften Umwandlung ging nicht von den ſtädtiſchen Behörden oder von den Ackerbeſitzern, ſondern von der Regierung aus. Sie ſtieß allerdings auf lebhaften Widerſtand bei der beteiligten Bürgerſchaft, ſelbſt bei den Verwaltungen der Kirchen, die dort anſehnlichen Grundbeſitz hatten, und es machte viele Mühe, für die Durchführung der Maßregel die größere Hälfte der Beteiligten zu gewinnen, wie es das Geſetz verlangte. An die Wahrſcheinlichkeit, den Grund und Boden zu Bauſtellen verwerten zu können, dachte von den Eigentümern niemand, denn die einzelnen waren beſtrebt, ihre Anteile in möglichſt weiter Entfernung von der Stadt zu erhalten, um die Flurſchäden zu vermeiden, die ihnen die Städter zufügen könnten. Später ſtiegen natürlich diejenigen Grundſtücke am meiſten im Preiſe, die der Stadt am nächſten lagen. Man wehrte ſich auch gegen die Einfügung neuer Wege, um kein Ackerland zu verlieren, während doch das Vorhandenſein von Wegen für die Benutzung als Bauland die hauptſächlichſte Vorbedingung iſt.

Auf der kölnischen Seite kam man erst viel später zur Befreiung der Grundstücke in der Feldmark von allen die Bebauung hindernden Lasten. Für das Köpenicker Feld außerhalb der Stadtmauer zwischen dem Kottbuser und dem Halleschen Tore wurde diese Aufgabe 1856 beendet, beim Urban und den Gebieten vor dem Halleschen Tore, die zum Tempelhofer Unterland gehörten, erst 1859 und bei den Ländereien, die von Alt-Schöneberg zu Berlin gekommen waren, 1858!!

Die enge Begrenzung des Weichbildes, wie sie die Regierung nach ihrer Auffassung des § 4 der Städteordnung festgestellt hatte, konnte nicht lange aufrecht erhalten bleiben. Zu den oben bezeichneten Übelständen der Ausschließung ehemaliger Stadtteile kamen noch andere wegen der Besteuerung und der Zuständigkeit der Polizei. Die Erweiterung der Grenzen, womöglich die Wiederherstellung des alten Weichbildes erschien wünschenswert, zunächst wenigstens vor den Toren im Norden. Die Städteordnung enthielt aber keine Vorschriften darüber, wer über die Änderung der Grenzen eines Stadtbezirks zu verfügen hätte. Infolge dieses Mangels an gesetzlichen Bestimmungen waren langwierige Verhandlungen zwischen dem Magistrat, den beteiligten Nachbargemeinden und, da es sich um eine Erweiterung im Norden handelte, der Verwaltung des Kreises Niederbarnim notwendig; schließlich mußte auch das Einverständnis der Regierung nachgesucht werden. Erst 1829 kamen die Verhandlungen dahin zum Abschluß, daß das nunmehr durch die Separation nutzbar gemachte Berliner Hufenland wieder in das Weichbild einbezogen wurde und dieses im Norden und Osten nun wie früher bis an die Gemarkungen von Pankow, Weißensee und Lichtenberg reichte. Die Erweiterung erhielt die Genehmigung des Ministers des Innern.

Erst die Städteordnung vom 17. März 1831 enthielt dann im § 6 die Bestimmung, daß die Regierung selbständig Eingemeindungen „nach Anhörung der Beteiligten“ anordnen könnte. Nach dieser Vorschrift erweiterte die Regierung obwohl die Städeordnung von 1831 in Berlin nicht in Kraft trat, die Stadtgrenzen 1831 und 1832 im Westen bis an den Schönhauser Graben, im Osten bis an den Markgrafendamm. Somit hatte im Jahre 1832 das Weichbild auf dem rechten Spreeufer den alten Umfang ziemlich erreicht, nur im westlichen Teile fehlten noch Moabit, Wedding und die ehemaligen Heideländereien.

Auf dem linken Spreeufer hatte die Beschränkung des Stadtbezirkes auf das Gebiet innerhalb der Stadtmauer in gleicher Weise zu Unzuträglichkeiten geführt, wie auf dem rechten, und die städtischen Behörden erweiterten ihn im Einverständnis mit der Regierung bald bis an den damaligen Lauf des Landwehrgrabens. Als dann die Regierung 1830 eine Ausdehnung über den Graben hinaus in das Tempelhofer Unterland wünschte, weil dort schon Ansiedelungen vorhanden seien, an die sich weitere anschließen könnten, lehnten die Stadtverordneten diesen Zuwachs mit Entschiedenheit ab. Die Regierung gab nach, und eine Grenzfestsetzung vom 14. November 1840 zwischen der Stadt und den anstoßenden Gemeinden behielt infolgedessen den Landwehrgraben als Grenze. Der Tiergarten blieb außerhalb des Weichbildes.

Die Stadtverordneten sträubten sich aus Gründen der Sparsamkeit gegen eine Vergrößerung des Stadtgebietes. Nach der Entscheidung des Obertribunals vom 16. Februar 1826 und nach dem Ausgleich mit dem Fiskus von 1838 wäre der Stadt die Unterhaltung des Straßenpflasters in den neu hinzukommenden

Stadteilen zugefallen; auch hätten vielleicht neue Straßen angelegt werden müſſen. Die dort Wohnenden hätten eine ausreichende ſtädtiſche Straßenbeleuchtung verlangen können, und ebenſo würden ſich die Koſten der Armenpflege erhöht haben. Es kam aber ungeachtet des Widerſtandes der Stadtverordneten ſpäter zu einer umfangreichen neuen Eingemeindung. Die wachſende Bevölkerung ſüdlich des Landwehrkanals ſtrebte nach Aufnahme in das Stadtgebiet, der Magiſtrat wünſchte aus Rückſichten der Verwaltung die Einbeziehung des Weddinglandes, das der Stadt gehörte und wo der Bau von Wohnhäuſern ſchnelle Fortſchritte machte, die Regierung die der fiskaliſchen Moabiter Ländereien. Die Stadtverordneten zeigten ſich wohl einer Vergrößerung des Weichbildes durch Tempelhofer und Schöneberger Gebiet geneigt, wollten aber von allen Einverleibungen im Norden nichts wiſſen. Die Regierung ſtellte ſich dagegen im Laufe der Angelegenheit immer mehr auf den Standpunkt, daß nicht eine einſeitige Erweiterung im Süden, ſondern eine umfaſſende vorzunehmen ſei, die aus polizeilichen Gründen die Anſiedelungen im Nordweſten mit einbeziehe. Der Magiſtrat ſchloß ſich, als er zu der Überzeugung kam, die Regierung würde ihre Anſicht keineswegs ändern, ihren Vorſchlägen an, die Stadtverordneten beharrten jedoch bei ihrer Weigerung bezüglich der nordweſtlichen Gebiete. Da die Verhandlungen mit der Vertretung des Kreiſes Teltow wegen der Abtretung von Teltower und Schöneberger Gebiet ebenfalls ſcheiterten, ſo hätte die Eingemeindung unterbleiben müſſen, wenn die Regierung nicht von dem § 2 der Städteordnung von 1853 Gebrauch gemacht hätte, wonach bei mangelnder Einwilligung der Gemeinden und Vertretungen die Veränderung des Weichbildes mit Genehmigung des Königs geſchehen könnte, ſobald ein Bedürfnis im öffentlichen Intereſſe vorliege. Ein ſolches Bedürfnis nahm die Regierung als vorliegend an, und ſo kam die Eingemeindung vom 1. Januar 1861 zuſtande, wodurch die heutige Weichbildgrenze geſchaffen wurde. Nur der Tiergarten, das Gelände der Schlachthäuſer im Oſten und einige kleine Streifen im Norden traten erſt nachher hinzu. So hatte 1861 endlich, wieder nach einem endloſen widerlichen Hin und Her zwiſchen den verſchiedenen Inſtanzen, die Stadt Berlin ſich auf das Gebiet erweitert, das ihre Feldmark im 13. Jahrhundert geweſen war. Alle dieſe eben geſchilderten Hinderniſſe, die von den Behörden erſt beſeitigt werden mußten, erſchwerten die Anlage neuer Straßen in vielen Gegenden der Stadt. Der Häuſerbau ſuchte daher zunächſt die Lücken in den alten Straßen auszufüllen und fand vor allem in dem damaligen Weſten und Südweſten Gebiete, wo die Bedingungen für ihn günſtig waren. Das Anhalter Tor wurde durchgebrochen, und vor ihm entſtand ein neues Stadtviertel (vgl. Abb. 84).

Die ſchildbürgerliche Miſere, unter der ſich die Stadterweiterung Berlins bis 1861 vollſchloß, iſt dann womöglich noch überboten worden durch das endloſe Hin und Her über Eingemeindung und Nichteingemeindung der Vororte bis auf den heutigen Tag, durch die „Miſere von Groß-Berlin", der gegenüber nach dem Ausſpruch Oberbürgermeiſter Kirſchners „die Verhältniſſe des ſeligen Deutſchen Reiches einfach und geregelt waren".

> Wir sind durch unsere Verfassung genötigt, auch bei der geringfügigsten Angelegenheit eine Beratung in der vorbereitenden Deputation, im Magistrat, vielleicht noch in einer Magistratskommission (Zwischenruf: Das ist das schlimmste!), dann in der Stadtverordnetenversammlung, in einem Ausschuß und wieder im Magistrat herbeizuführen. Der Direktor einer Aktiengesellschaft hat es nicht nötig, so umständliche Wege einzuschlagen.
>
> Aus einer Rede Oberbürgermeister Kirschners vom 1. Dezember 1910.

Solche furchtbar beengenden Verhältnisse, wie sie hier für Berlin geschildert wurden, und unter deren beinahe unauslöschlichen Folgen wir bis auf den heutigen Tag leiden, waren es, die Goethe vorschwebten, als er „Wilhelm Meisters Wanderjahre" schrieb, und die den Genius der Nation dazu trieben, offen zum Aufgeben des Vaterlandes und zur Auswanderung zu raten, dazu zu raten, „die ungeduldige Lust nicht zu unterdrücken, die uns antreibt, Platz und Ort zu verändern". „Hier (d. h. im Vaterland) ist überall ein teilweiser Besitz schon ergriffen, mehr oder weniger durch undenkliche Zeit das Recht dazu geheiligt; und wenn dort (d. h. in der neuen Welt) das Grenzenlose als unüberwindliches Hindernis erscheint, so setzt hier das Einfachbegrenzte beinahe noch schwerer zu überwindende Hindernisse entgegen. Gewohnheit, jugendliche Eindrücke, Achtung für Vorfahren, Abneigung gegen den Nachbar und hunderterlei Dinge sind es, die den Besitzer starr und gegen jede Veränderung widerwillig machen. Je älter dergleichen Zustände sind, je verflochtener, je geteilter, desto schwieriger wird es, das Allgemeine durchzuführen, das, indem es dem einzelnen etwas nähme, dem Ganzen und durch Rück- und Mitwirkung auch jenem wieder unerwartet zugute käme." „Dort (d. h. in der Neuen Welt) hat die Natur große, weite Strecken ausgebreitet, wo sie unberührt und eingewildert liegt, daß man sich kaum getraut, auf sie loszugehen und ihr einen Kampf anzubieten. Und doch ist es leicht für den Entschlossenen, ihr nach und nach die Wüsteneien abzugewinnen und sich eines teilweisen Besitzes zu versichern. Das Jahrhundert muß uns zu Hilfe kommen, die Zeit an die Stelle der Vernunft treten und in einem erweiterten Herzen der höhere Vorteil den niederen verdrängen." „Genaue Vermessungen sind geschehen, die Straßen bezeichnet, die Punkte bestimmt, wo man die Gasthöfe und in der Folge vielleicht die Dörfer heranrückt. Zu aller Art von Baulichkeiten ist Gelegenheit, ja Notwendigkeit vorhanden. Treffliche Baumeister und Techniker bereiten alles vor; Risse und Anschläge sind gefertigt; die Absicht ist, größere und kleinere Akkorde abzuschließen und so mit genauer Kontrolle die bereitliegenden Geldsummen, zur Verwunderung des Mutterlandes, zu verwenden. Da wir denn der schönsten Hoffnungen leben, es werde sich eine vereinte Tätigkeit nach allen Seiten von nun an entwickeln."

„Wechselseitiges Vertrauen
Wird ein reinlich Häuschen bauen,
Schließen Hof- und Gartenzaun,
Auch der Nachbarschaft vertraun."

„Eilet, eilet, einzuwandern
In das feste Vaterland!
Heil dir, Führer! Heil dir, Band!"

O du endloser Raum! O Erzeuger der Macht!
O ihr gebärenden Städte, so unbezwinglich, aufbrausend und stolz!
O Rasse der Zukunft!

Walt Whitman
(in „Demokratische und national-amerikanische Lieder“).

„Wo wir uns der Sonne freuen,
Sind wir jede Sorge los:
Daß wir uns in ihr zerstreuen,
Darum ist die Welt so groß.“

Ganz neue Möglichkeiten, die überströmende kostbare Kraft der Nation trotzdem im Lande festzuhalten, statt sie als wenig geachteten „Kulturdünger“ anderen Völkern abzugeben[110]), sind dann durch die Industrialisierung mit ihrer unbegrenzten Produktivität geschaffen worden, eine Möglichkeit, die auch von Goethe in den „Wanderjahren“ schon angedeutet wurde; nach 1840 ist sie in ungeahntem Umfange eingetreten. Hatte Goethe den Satz aufgestellt: „Wo ich nütze, ist mein Vaterland“, so ist jetzt durch die Industrie in Deutschland wieder Millionen ein Vaterland geschaffen worden. Aber auch jedem von diesen Millionen mußte „wechselseitiges Vertrauen ein reinlich Häuschen mit Hof und Gartenzaun“ schaffen, wenn er wie die Goetheschen Auswanderer seinen Führern zujubeln sollte. Wie stand es nun um diese Führer zur Zeit der um sich greifenden Industrialisierung? Die verhängnisvolle Reaktion, die das Kennzeichen der Regierung in jener entscheidungsvollen Zeit war, wurde bereits geschildert (vgl. S. 13). Mit den Vertretern der Bürgerschaft stand es nicht viel besser: aus den Berliner Stadtverordneten, die im 18. Jahrhundert ihr nur schattenhaftes Dasein geführt hatten, und deren einzige Anträge auf Erhöhung ihres Gehaltes gerichtet waren, aus den im Verwaltungsdienst gänzlich unerfahrenen Maurermeistern und Materialwarenhändlern, die Napoleon an die Spitze der Berliner Verwaltung berief, aus den Stadtverordneten, die den König bei seiner Heimkehr aus den siegreich zu Ende geführten Befreiungskriegen mit einer Deputation empfingen, die für künftig um Befreiung der Berliner Bürgersöhne von der allgemeinen Wehrpflicht nachsuchte, aus der Berliner Bürgerschaft, die ihren Wunsch, von der allgemeinen Wehrpflicht befreit zu werden, im folgenden Jahre (1816) dem stets abschlägigen Bescheid gegenüber durch ihre Vertreter dreimal hartnäckig wiederholen ließ, aus den Stadtverordneten und Hausbesitzern, die sich seit den Verhandlungen über die Aufbringung der Kontributionen in den Befreiungskriegen auch in Zukunft trotz der gewaltig steigenden Mieten stets energisch gegen direkte Besteuerung (Grundsteuern) zu wehren verstanden hatten, deren Mangel an Opferwilligkeit so weit ging, daß es die größte Mühe machte, die unbesoldeten Ehrenämter zu besetzen, und daß der Stadtverordnetenvorsteher durch unablässige wiederholte Mahnungen die Mitglieder zu den Sitzungen zusammentreiben mußte, aus der Bürgerschaft, deren Mitglied zu werden, lange Zeit niemand als Ehre betrachtete, sondern nur aus den zwingenden Gründen erstrebte, aus den Berliner Grundbesitzern, die sich bei der Flurteilung in den 20er Jahren ihr Ackerland in möglichst weiter Entfernung von der Stadt wünschten, um weniger unter den Flurschäden zu leiden, und die sich gegen die Einführung neuer Wege sträubten, um kein Ackerland zu verlieren, aus den Stadtverordneten, die sich in den 20er und 30er Jahren über die Armenlasten erregten, und die sich in der Folgezeit für und gegen Eingemeindung ereiferten, die dann ſchließlich 1872 Oberbürgermeiſter Hobrecht im Stiche ließen, als er mit ſeinem einſichtigen ſtädtebaulichen Projekt der überwältigenden Wohnungsnot abhelfen wollte: aus all dieſen Männern haben auch die Städteordnung von 1808 und ihre Nachfolgerinnen nicht das ſtolze, machtvolle Bürgertum ſchaffen können, das die täglich ſchwerer werdenden ſozialpolitiſchen Pflichten der größten Stadt deutſcher Zunge in einer von den Einzelintereſſen der zahlreichen Kirchtürme der Metropole unabhängigen Weiſe unter vertrauensvoll gewählter großartiger Leitung erfüllen könnte. Große Dinge aber wachſen nicht in hundert Jahren. Große Aufgaben aber werden ihre Männer finden. Die „Miſere", über die in Groß-Berlin Oberbürgermeiſter Kirſchner klagen mußte, hat auch anderswo geherrſcht und iſt niedergekämpft worden.

Möge ein Blick auf eine Phaſe der Entwicklung der größten Stadt der Welt den Schluß dieſer Ausführungen bilden: In London wurde 1856 der Metropolitan Board of Works (Verwaltung der öffentlichen Arbeiten für Groß-London) geſchaffen, nachdem ſich vorher in neun Jahren ſechs von der Regierung eingeſetzte Kommiſſionen abgelöſt hatten, ohne der ſtädtebaulichen Schwierigkeiten Herr zu werden. Es dauerte 22 Jahre, bis ſich dieſe Verwaltung trotz großer Leiſtungen (Themſeregulierung und Kanaliſation) unmöglich machte, da infolge der indirekten Wahl die Mitglieder lauter Vertreter lokaler Intereſſen waren (vgl. auch S. 16). 1888 wurde der Londoner Grafſchaftsrat geſchaffen, deſſen volle Macht zwar durch die Eiferſucht im Parlament in einigen Richtungen (beſonders Schnellverkehr) noch beſchränkt iſt, der aber trotzdem die machtvollſte ſtädtiſche Organiſation der Welt darſtellt, deren Leiſtungen auf dem Gebiete des Wohnweſens (Bau geſunder Wohnungen und Sanierung ungeſunder Wohnbezirke) und der Trambahnfrage muſtergültig ſind[111]). Die Erweiterungen der ſtädtebaulichen Vollmachten des Grafſchaftsrates auf der Grundlage des neuen engliſchen Städtebaugeſetzes von 1909 ſteht direkt bevor. Aber auch mit ſeiner jetzigen Verfaſſung iſt der Grafſchaftsrat eine Körperſchaft von ſolchem Anſehen, daß bei den allgemeinen Wahlen, aus denen er hervorgeht, ſich die erſten Männer der engliſchen Politik um die Mitgliedſchaft bewerben. Es gibt zahlreiche Fälle, wo Mitglieder des Unterhauſes gleichzeitig im Londoner Grafſchaftsrat ſitzen. Der erſte Vorſitzende, den ſich der Rat wählte, war Lord Roſebery, einer der angeſehenſten engliſchen Politiker[112]). Ganz ähnlich müſſen die Verhältniſſe in jeder großen Stadt werden, um die Schwierigkeiten, die die würdige Unterbringung einer Millionenbevölkerung ſchafft, nicht nur kläglich zu bekämpfen, ſondern ſiegreich zu überwinden. Um aus einer Millionenſtadt den ſtolzen Ausdruck der ungeheuren wirtſchaftlichen und idealen Kräfte ihrer Bewohner zu machen, bedarf es der allererſten Männer, die die Nation in Politik, Kunſt und Technik hervorbringt.

Die Monumentalſtadt.

Eine Stadt iſt nicht geſünder, als die höchſte Sterblichkeitsziffer in irgendeinem Stadtviertel oder Häuſerblock anzeigt; und eine Stadt iſt nicht ſchöner als ihre häßlichſte Mietkaſerne. Die Hinterhöfe einer Stadt und nicht die Schmuckplätze ſind der wahre Maßſtab ihres Wertes und ihrer Kraft.
Benjamin Marsh (in „City Planning" 1909).

Die ſegensreiche oder verwahrloſte Verfaſſung des Städtebaues findet nicht nur ihren jedermann verſtändlichen Ausdruck in dem Zuſtande des Wohnweſens, ſondern auch die monumentale Schönheit der Stadt, wenn ſie auch weniger wichtig iſt als die geſunde Verfaſſung des Wohnweſens, bietet einen für den Eingeweihten untrüglichen Maßſtab des ſtädtebaulichen Wertes oder Unwertes. Wenn die ungeheure Ausdehnung der neuzeitlichen Millionenſtädte den ſtraffen Organismus der alten Stadtgemeinden meiſt in amorphe Maſſen loſe verbundener Zellen aufgelöſt hat, ſo braucht die Großſtadt heute mehr als je ein monumentales Zentrum, deſſen ausgeprägter Charakter für das Bild maßgebend iſt, das die Bürger und die Fremden von dem Weſen der Stadt im Herzen tragen ſollen. Charakter haben die größeren Städte meiſt nur im Zentrum, und wenn ihr Name genannt wird, ſo tritt das Bild dieſes alten Stadtkernes vor die Seele. Die weitläufigen Vorſtädte ſind wie ein loſes Gewand um dieſe lebendigen Glieder gelegt.

Das monumentale Berlin war beinahe noch ausſchließlicher wie die Wohnſtadt Berlin und auch noch viel länger als dieſe durchaus eine Schöpfung nicht alteingeſeſſenen Bürgerſtolzes, ſondern der glücklichen Hand der Hohenzollern und der künſtleriſchen Kräfte, die von den Landesherren aus dem Auslande und anderen Teilen Deutſchlands gewonnen wurden. Vom 16. bis 18. Jahrhundert ſind zahlreiche Niederländer, Franzoſen, Italiener und deutſche Nichtberliner in Berlin tätig geweſen. Dieſer Zug, ausländiſche Kräfte und Ideen heranzuziehen und dienſtbar zu machen, war allen außeritalieniſchen Fürſten von Spanien bis Rußland gemeinſam; auch die franzöſiſchen Könige machten keine Ausnahme. Berlin hat ſich dieſen neuen Anregungen gegenüber als wahre Hauptſtadt bewährt, indem es verſtand, allem, was in Berlin geſchaffen wurde, ein eigenes neues Gepräge zu verleihen; die von allen Seiten herangezogenen Kräfte haben nur mitgewirkt an der Schaffung eines ſpezifiſchen berliniſchen Stils, deſſen letzter Vollendung wir noch zuſtreben, deſſen beſte Äußerungen aber, ſoweit ſie ſchon vorliegen, an Gediegenheit und höchſtem Schwung kaum zu übertreffen ſind.

Für die Geſtaltung des Bildes von Berlin ſind auch heute noch im weſentlichen die alten Königlichen monumentalen Schöpfungen ausſchlaggebend: das Schloß,

Abb. 81. Aussteller: Märkisches Museum der Stadt Berlin.

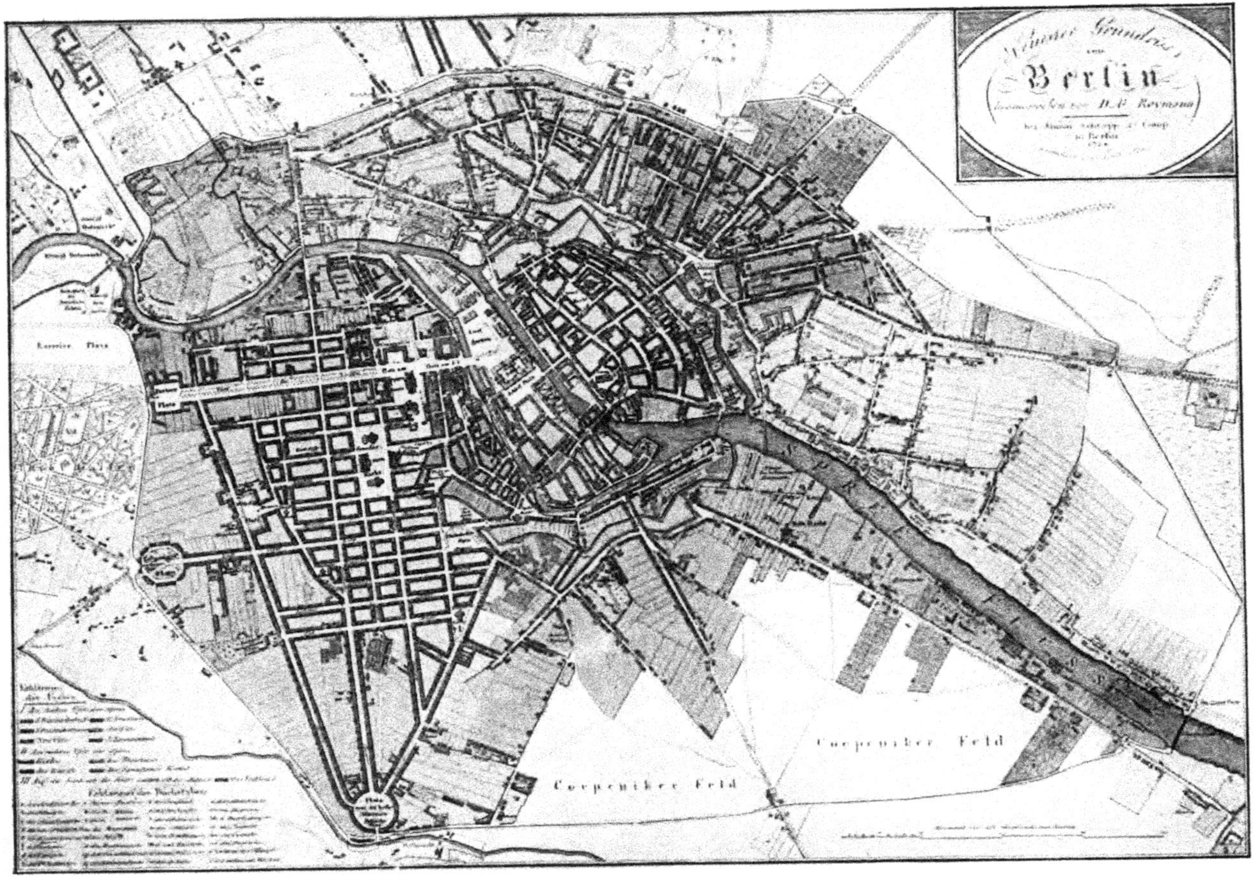

Berlin 1824. Herausgegeben von D. G. Reymann; gestochen von Carl Stein.

Die Stadt Schinkels.

Abb. 82 u. 83. Aussteller: Privatdozent Dr. A. E. Brinckmann, Aachen, nach Aufnahmen von F. Albert Schwartz, Hofphotograph, Berlin NW. 87.

Eingang zum Opernplatz von der Behrenstraße.

Schillerplatz, einer der Plätze aus der Platzgruppe des Gendarmenmarktes.

Abb. 84. Aussteller: M

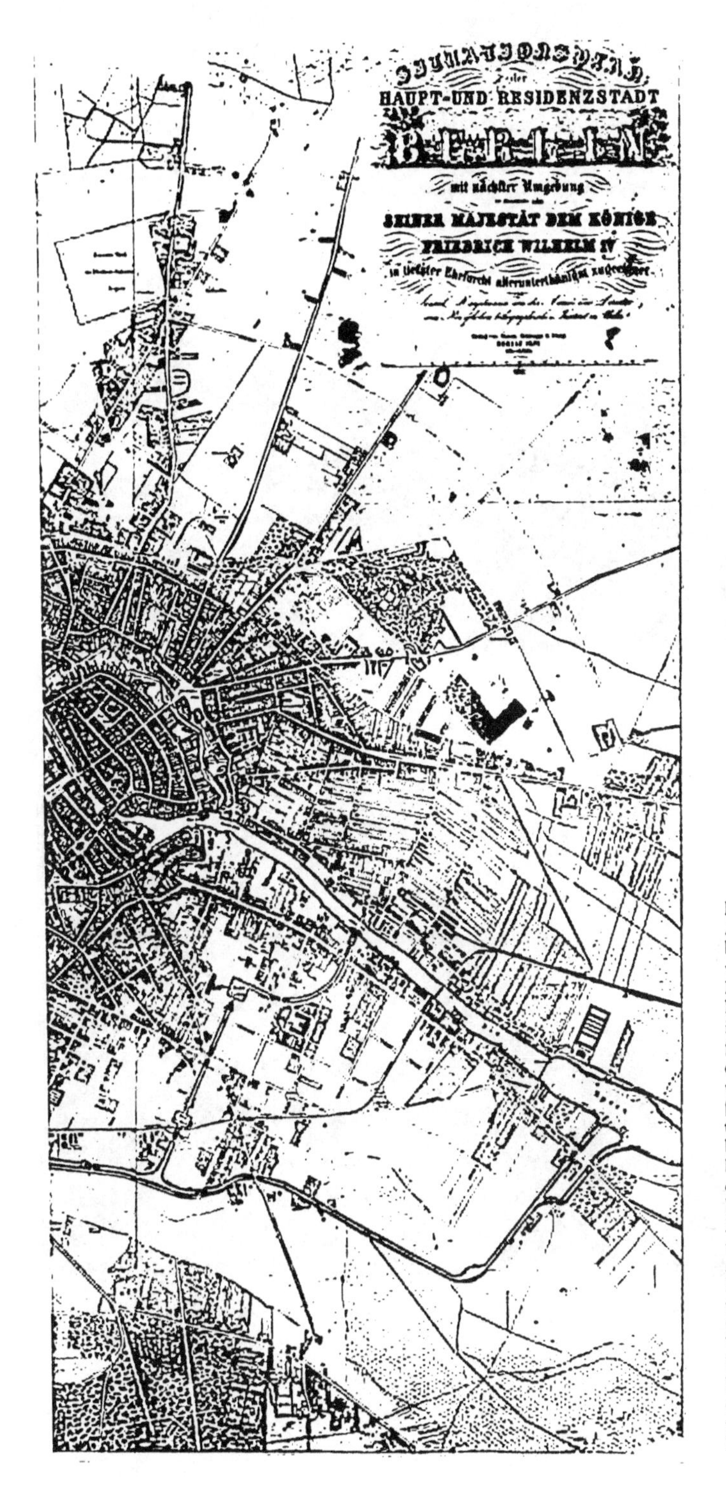

Berlin 1856 (kurz vor der Aufſtellung des neuen Bebauungsplanes 1858 - 62) von Hauptmann Sineck, Direktor des Kgl. Lith. Inſtituts. Im Nord-Weſten iſt die Friedrich-Wilhelmſtadt bis zum „Neuen Thor" ausgebaut, ebenſo im Südweſten die Tiergartenſtraße und das Anhaltiſche Viertel. Die Anhalter Bahn (1841) iſt nur bis an die Stadtmauer, die Potsdamer (1838), Hamburger (1846) und Stettiner Bahn (1842) noch nicht einmal bis an die Stadtmauer geführt; nur die Frankfurter Bahn (1842) und die nach der Mobiliſierung von 1851 gebaute Verbindungsbahn durchbrechen die Stadtmauer. Der Landwehrkanal (1848 an Stelle des alten Schaf- und Floßgrabens) und der Louiſenſtädtiſche Kanal.

Abb. 85 u. 86. Ausſteller: Privatdozent Dr. A. E. Brinckmann, Aachen, nach Aufnahmen von F. Albert Schwartz, Hofphotograph, Berlin NW. 87.

Der Pariſer Platz, der Ehrenhof des Charlottenburger Schloſſes.

die Linden, der Lustgarten, der Opernplatz, der Pariser und Leipziger Platz, die Wilhelm- und Leipziger Straße, der Gendarmenmarkt und der Tiergarten. Der zweiten Hälfte des 19. Jahrhunderts blieb es vorbehalten, in die köstlichen alten Bauschätze furchtbare Lücken zu reißen und schwere Entstellungen vorzunehmen. In allerneuester Zeit dann ist ein Umschwung eingetreten, und namentlich die Stadtgemeinde Berlin und große private Unternehmungen haben Bauten erstehen lassen, die sich den alten Schätzen würdig an die Seite stellen, und denen es gelungen ist, auch solche Teile der Stadt, die außerhalb der alten spezifisch königlichen Straßenzüge liegen, für das monumentale Berlin zu gewinnen. So ist namentlich in unseren Tagen ein aus dem vorköniglichen Mittelalter stammender Teil Berlins durch die großartige Silhouette des neuen Stadthauses dem monumentalen Berlin einverleibt worden, und andere bürgerliche Schöpfungen, wie das Märkische Museum, die an der Spree entstehenden Uferstraßen, die neuen städtischen Brücken (vgl. Abb. 102 bis 105), die Kommunalbauten verschiedener Vorortgemeinden (vgl. Abb. 89, 98, 99, 101), sind weitere hoffnungsvolle Wahrzeichen neuer Möglichkeiten.

Unter dem prunkliebenden Kurfürsten Joachim II. (1535—71) kam es in Berlin zu einer reichen Entfaltung der Renaissancekunst. Damals wurde, wohl nach sächsischen Vorbildern, von Kaspar Theiß die mittelalterliche Burg in ein stattliches Renaissanceschloß, einen Fürstensitz im damaligen Sinne, umgeschaffen. (Abb. 65 u. 66.) Vor dem Schloß entstand allmählich der Schloßplatz, wie ihn Andreas Schlüter vorfand, und den er zum Zentrum seiner gewaltigen Entwürfe für das neue königliche Berlin machte.

Von diesem Schloßplatz der Frührenaissance ist kein Stück mehr erhalten. Die Gründung des monumentalen Berlin, wie wir es heute kennen, geht auf den Großen Kurfürsten zurück. Die Kräfte dieses genialen Fürsten wurden nicht aufgebraucht durch seine Fürsorge für die wirtschaftliche Wiederaufrichtung des vom Kriege verwüsteten Landes. Er schuf auf dem unbebauten Sumpfgelände der Spreeinsel den Lustgarten, und durch die Anlage der Lindenpromenade hat er dem königlichen Berlin die große Hauptachse gegeben. Es ist nicht bekannt, ob diese nicht nur für die damalige Zeit, sondern in ihren wahrhaft königlichen Abmessungen auch heute noch außerordentliche Anlage geradenwegs auf italienische Vorbilder zurückgeht, oder ob schon, wie es wohl wahrscheinlicher ist, die Pariser Promenade der Medicäischen Königin Marie (Cours de la reine, Tuilerien) die Anregung gab. Obgleich an seinem Hofe auch Italiener arbeiteten, so hatte doch der Kurfürst mehr eine Vorliebe für die maßvolle, strenge Form der italienischen Renaissance, die damals durch das Medium der Holländer vermittelt wurde; aus Holland, wo er seine Jugendeindrücke gewonnen hatte, brachte der Kurfürst holländische Ingenieure und Künstler nach Berlin und mit ihnen jenen niederdeutschen Einschlag in das Berliner Stadtbild, der später vom Soldatenkönig weiter gepflegt worden ist, und der, wie in vielem anderen, auch in den Grachten und den brausenden Schleusen im Herzen der Stadt einen lebendigen Ausdruck findet.

In verstärktem Maße kamen unter dem ersten Könige die ausländischen Anregungen zur Geltung. Ohne ausgesprochene Vorliebe bezog er künstlerische Ideen und Kräfte aus Italien, Frankreich, Holland und Deutschland. Er hatte das unschätzbare Glück, in Andreas Schlüter, diesem „letzten echten Nachfolger Michelangelos" einen ganz großen Künstler zu finden; er hatte das Verdienst, diesen außerordentlichen Mann wenigstens für einige Zeit an den Sumpf- und

Sandboden der Mark zu feſſeln. Als Friedrich I. dann für die zerſtreut liegenden, durch die Regierungskunſt des Großen Kurfürſten dennoch zu einem Ganzen vereinigten früheſten Elemente Preußens den Titel eines Königreiches erworben hatte, faßte Schlüter den Plan, Berlin zu einer Hauptſtadt für die aufkommende Macht zu geſtalten. Was wir heute von Schlüters Arbeiten ſehen, ſind nur kleine Teile ſeines umfangreichen Projektes. Für ihn lag das Schloß damals nicht inmitten Berlins, ſondern gehörte nach Weſten hin zu den Anfängen einer neuen Stadt auf der anderen Seite des Fluſſes. Das alte ſtädtiſche Berlin ließ Schlüter unberührt; das neue königliche Berlin wollte er aufrichten. Der Schloßplatz, in deſſen Mitte hinein die breite Schloßbrücke führen ſollte, bildete das Zentrum, um das alles ſich gruppierte. An die Stelle der alten Dominikanerkirche ſollte ſich der beherrſchende Dom einer michelangelesken Kuppelkirche erheben; der Marſtall, gegenüber dem Schloß, ſollte nach Süden und Weſten zurückgeſchoben werden (mit einer Uferſtraße an der Spree) und auf dieſe Weiſe ein großartiger Platz entſtehen, ein Königsforum, wie es die Welt nicht ſchöner gekannt hätte. Der Kupferſtich von Broebes (Abb. 67), der dieſen Gedanken darſtellt [118]), iſt ſehr intereſſant auch deshalb, weil auf ihm augenſcheinlich eine Achſenverſchiebung des Schloſſes vorgenommen iſt: das nach dem Entwurfe Blondels, des Leiters der Pariſer Akademie, damals von Nehring ſchon erbaute Zeughaus (Hintergrund rechts), das Berlin einen Abglanz der großen Louvrefaſſade vermittelte, ſteht auf dem Kupferſtich rechtwinklig zum Schloß und zu dem geplanten Königsforum. Links von der Kurfürſtenbrücke (vgl. den linken Rand der Abb.) iſt der Verlauf des Waſſers ſo gezeichnet, daß man glauben muß, der Urheber dieſes Projektes habe den unglaublich kühnen Gedanken gehabt, das Schloß bei ſeinem damaligen Neubau ſo zu verſchieben, daß es ſenkrecht zu den Linden zu ſtehen kam. Das heißt alſo, der öſtliche Arm der Spree hätte vor dem Schloßplatz zu einem großen Baſſin erweitert werden ſollen, und das für den Dom und die anſchließenden Anlagen nötige Gelände wäre durch die Verſchmälerung des damals noch ſehr breiten weſtlichen Armes (der ſpäter den Schinkelplatz gebildet hat) gewonnen worden. Es ſei hier des auf der Städtebau-Ausſtellung vorgeführten vorzüglichen Projektes Hermann Zillers gedacht, das im Jahre 1892 für die Aufſtellung des Kaiſer Wilhelm-Denkmals eine verwandte, wenn auch in viel geringerem Maßſtabe gehaltene Vergrößerung der Schloßfreiheit nach Weſten vorgeſehen hat, und deſſen Ausführung damals an dem übelberatenen Widerſtande des Landtages ſcheiterte. Auf dem Broebesſchen Kupferſtich münden die Linden alſo auf den durch das Neuſtädtiſche Tor von 1658 (auf dem Kupferſtich gleich links des Münzturms) abgeſchloſſenen Platz vor dem Zeughauſe (dieſes Tor fehlt bereits auf Abb. 92), der dann rechtwinklig mit dem Luſtgarten und den anſchließenden Foren weſtlich und ſüdlich des Schloſſes kommunizierte. Auf dieſe Weiſe war dem abgeholfen, was dem Künſtler jener Zeit als ein Mangel erſcheinen mußte, daß nämlich die Linden, wohl mit Rückſicht auf die Ungunſt des Geländes, nicht ſenkrecht, ſondern im Winkel auf das königliche Schloß münden. Dieſer durch Sparſamkeit begründete Bruch der großen Achſe iſt ſo preußiſch im beſten Sinne des Wortes, daß wir ihn heute kaum mehr miſſen möchten. Dieſer Achſenbruch wiederholt ſich dann ja am Knie, ſodaß das Charlottenburger Schloß (Abb. 86) nicht den vom Berliner Schloß aus weithin ſichtbaren Abſchluß der großen Achſe bildet, wie es wohl dem zugrunde liegenden großen Barockgedanken entſprochen hätte. Ganz anders lagen die Verhältniſſe in dem viel reicheren

.... Der Pappeln stolze Geschlechter
Ziehn in geordnetem Pomp vornehm und prächtig daher.
Regel wird alles, und alles wird Wahl und alles Bedeutung;
Dieses Dienergefolg meldet den Herrscher mir an.
Prangend verkündigen ihn von fern die beleuchteten Kuppeln,
Aus dem felsigten Kern hebt sich die türmende Stadt.

Schiller.

und auf viel günstigerem Terrain gebauten Paris. Wenn sich dort Ludwig XIV. seiner Hauptstadt nicht ganz entfremdet hätte, „wenn er", nach Voltaires Worten, „für Paris ein Fünftel von dem ausgegeben hätte, was die Anlage der Wasserkünste im wasserarmen Versailles gekostet hat", dann wäre es ein leichtes gewesen, in Paris den Gedanken der großen Achse bis in seine letzten Konsequenzen zu verfolgen und auf der Höhe, wo jetzt der Triumphbogen steht, die phantastische Architektur eines Wasserschlosses erstehen zu lassen, das seine Kaskaden die Avenue der Elyseischen Gefilde heruntersendet. Die Hohenzollern verstanden es, sich nach der Decke zu strecken (und sie kamen weiter damit als die französischen Könige); davon mögen die beiden Brüche in der großen Achse Berlins ein Denkmal sein. Weniger gut zu rechtfertigen ist der dritte Bruch im monumentalen Zug des Grundplanes, den die Verschiebung des Königsplatzes aus der Achse heraus nach Norden bedeutet, und der nur aus romantischer Scheu vor der Wildnis des Tiergartens zu erklären ist. Daß der Königsplatz aus dem Zusammenhange der großen Perspektive gerissen ist, entzieht ihm dauernd den Pulsschlag des hauptstädtischen Lebens. Heute, wo Berlin so schwer an dem Mangel an Parken leidet, ist die Anlage eines Forums im Tiergarten nicht mehr möglich. Ein Ersatz für diese Betonung der Hauptachse kann geschaffen werden durch die richtige Ausgestaltung des Reichskanzlerplatzes, wie es bezeichnenderweise schon August Orth, Ludwig Hercher (und mancher der Konkurrenten um das Denkmal Kaiser Wilhelms I. mit dem Wilhelmsforum) bei ihren Entwürfen für die Verlängerung der Lindenachse im Zuge der Heerstraße als notwendig empfanden (Abb. 29 und 43).

Das Wesen der Monumentalstadt Berlin findet seinen bedeutenden Ausdruck in diesem System großartiger, im Geiste der strengen Barocke lebendiger Achsen, deren künftige Weiterentwicklung noch mehr zu ihrer richtigen Betonung und ihrem feierlichen An- und Ausklingen beitragen wird. Vom Lustgarten über die Foren um die Oper und über die mächtige und lebenspendende Kreuzung mit der Friedrichstraße, der Hauptader der Bürgerstadt, fließt der Zug der Linden zum Pariser Platz mit der triumphalen Kadenz des Brandenburger Tores, dann ebbt „der geordnete Pomp" ins Baummeer des Tiergartens, ohne jedoch seine Kraft zu verlieren; vom kleinen Stern schwillt er wieder zum großen Stern und sendet dann vom Knie mit der zehnteiligen Berliner Straße seinen königlichen Strahl zur Kuppel des Charlottenburger Schlosses; aus dem Ehrenhof des Schlosses flutet er, neu gesammelt in der Charlottenburger Schloßstraße, zur Hauptader zurück. Mit neuer ungeheurer Kraft bricht sich diese Haupt- und Königsader Bahn hinauf zum letzten Sammelbecken des Reichskanzlerplatzes, um von diesem letzten Ruhepunkt hinauszustoßen ins Unendliche der märkischen Landschaft, wie sich ein Hochwasserstrahl nach ungeheurem Aufschwung träumerisch im leichten Blau verliert. Wenn die Durchbildung dieser königlichen, aber vom Turme des Berliner Rathauses beherrschten

Hauptachſe bis zu ihrer künſtleriſchen Vollendung (Erſatz für das Brandgiebel- und Stilgewirr der Linden, für die heutige Bedeutungsloſigkeit der bedeutenden Kreuzungen am Knie, an der Siegesallee, den beiden Sternen, Friedrichſtraße uſw.) ein großes Ziel der monumentalen Entwicklung darſtellt, ſo bedeutet die künſtleriſche Durchbildung der Friedrichſtadt als Geſchäftsſtadt par excellence kein weniger großes und ſchwieriges Ziel. Der regelmäßige, aus der Barockzeit ſtammende Plan der Friedrichſtadt iſt wie geſchaffen zur Anlage eines Stadtviertels großartiger Bazare. Nichts ſchmeichelt mehr dem inſtinktiven Bedürfnis nach gediegener Pracht und geſchäftlicher Solidität, mit dem die kapitalkräftigſten Kreiſe des internationalen Käuferpublikums der Tagesmode vorangehen, als gerade der ernſte, aber tauſend heitere Abſchweifungen geſtattende Barockſtil. Welche Kapitalien dabei gerade aus formalen ſtädtebaulichen Anlagen geſchlagen werden können, beweiſen die ungeheueren Mieten der Rue de Rivoli und mehr noch des baumfreien, automobilbeſetzten Platzes Vendôme. Dieſes letzte Cachet gediegenen Geſchmacks, das den Käufer wie mit einem Ruck in eine andächtig-zahlfreudige Stimmung verſetzt, könnte bei richtiger Behandlung ſehr wohl dem Achteck des Leipziger Platzes verliehen werden. Die Leipziger Straße dazu, ausgebaut im Geiſte Meſſels und mit den richtigen Blickpunkten im Weſten und Oſten, würde an ſtolzer Allüre die Rue de Rivoli erreichen oder übertreffen. Für die Ausgeſtaltung der Leipziger Straße mit den das Auge feſſelnden Blickpunkten hat ſchon Schinkel großartige Vorſchläge gemacht (vgl. S. 126 und Abb. 106). Verwandtes findet ſich im Groß-Berliner Wettbewerb namentlich in dem Entwurfe von Bruno Schmitz. Dieſer Gedanke des Blickpunktes paßt ſo vorzüglich in den Geiſt des barocken Planes der Friedrichſtadt, daß er bei richtiger Abſtufung in allen Straßen wiederholt werden könnte. Ein derartiger formaler Stadtplan iſt ein ſteinerner Garten, wo kein Straßenabſchluß ohne intereſſante Beziehung und ohne bedeutende Überraſchung ſein ſollte. Die verſchiedenen Kolonnaden, mit denen Friedrich der Große den Übergang der Altſtadt in die Neuſtadt künſtleriſch überwand, entſtanden aus einem verwandten Gedanken. Die Entwicklung der in den Blickachſen liegenden Gebäude am Abſchluß der Querſtraßen, die Beziehung auf die Plätze am Ende der Hauptachſen, die Verlängerung der Achſen über die Plätze hinaus oder die Andeutungen dieſer Verlängerungen (vgl. Auguſt Orths Vorſchlag, S. 57) ſind Aufgaben im Geiſte des zugrunde liegenden Planes und verſprechen materiellen und künſtleriſchen Gewinn.

Der viel beſprochene Kupferſtich von Broebes (Abb. 67), der die großartige Ausgeſtaltung des Zentrums der großen Berliner Achſen im Sinne Schlüters darſtellen ſoll, iſt auf der Städtebau-Ausſtellung dadurch in den Vordergrund des Intereſſes gerückt worden, daß ihn der bekannte Kunſtſchriftſteller Fritz Stahl zum Ausgangspunkt ſeines im Zuſammenhang mit der Ausſtellung veranſtalteten Vortrages „Die Stadt als Kunſtwerk" machte. Fritz Stahl führte aus, daß mit dieſem großartigen Platzprojekt Schlüters die monumentale Zukunft Berlins geſcheitert ſei (der Kupferſtich zeigt zwiſchen Schloß und Zeughaus den unſeligen Münzturm Schlüters, deſſen Einſturz den Aufenthalt Schlüters in Berlin zur Tragödie für Schlüter und für Berlin gemacht hat); wenn dieſer herrliche Platz zur Ausführung gekommen wäre, hätte Berlin eine große künſtleriſche Dominante erhalten, die die ganze weitere Entwicklung beherrſcht und ihr den Maßſtab gegeben hätte; mit dieſem Platz vor Augen hätten die Berliner ſich nicht in dem architektoniſchen Chaos verlieren können, das in der zweiten Hälfte des 19. Jahrhunderts hereingebrochen ist. Dieses Vertrauen auf die siegreiche Kraft der Schönheit macht Fritz Stahl Ehre; wird es aber der Gewalt der zerstörenden Kräfte unserer Zeit gerecht? Hat nicht Berlin in den Platzgruppen bei der Oper, diesem Forum Fredericianum und im Gendarmenmarkt, den genialen Schöpfungen aus der Jugend und dem Alter Friedrichs des Großen, Plätze besessen, die jedem Ansturm getrotzt hätten, wenn dieser Ansturm nicht unaufhaltsam gewesen wäre? Hat die strenge Regelmäßigkeit des Opernplatzes mit seiner in graziöser Bewegung vorgelegten Hedwigskirche verhindern können, daß man einen Hügel aufgefahren und ein Denkmal darauf errichtet hat, daß vor dem Denkmal eine fast ebenso große Vase und in Achse auf Denkmal und Vase eine elektrische Laterne errichtet worden ist, daß man die Hedwigskirche und die Bibliothek mit Büschen verdeckte, die sogar im Winter ihr den Platz zerreißendes Laub nicht verlieren, daß man den zur Platzgruppe gehörenden Ehrenhof der Universität mit einer romantischen Baumwildnis verstopfte? Nicht einmal der Gendarmenmarkt, dessen rhythmisch gebändigter Raum seine überschäumende Kraft in seinen Zwillingskuppeln zum Himmel jauchzen läßt, konnte vor einer selbst das Schinkelsche Schauspielhaus erdrückenden fünfgeschossigen Umbauung und vor einer Verstellung mit Litfaßsäulen und Aborthäuschen geschützt werden! Aber in einem anderen, höheren Sinne hat Fritz Stahl doch recht: Wenn auch Schlüters Schaffen jählings unterbrochen wurde, und wenn von seinen weittragenden Entwürfen nur ganz wenige zur Ausführung kamen, so hat doch sein Wirken, wenn auch nichts anderes von ihm zeugen würde als die unvergleichliche Reiterstatue auf der Kurfürstenbrücke, für Berlin den stolzen Maßstab geschaffen, an dem alles Nachfolgende gemessen werden muß und gemessen werden wird; gleich an den Anfang der monumentalen Entwicklung Berlins ist so gleichsam die Apothese der herrlichsten Vollendung gesetzt worden, deren Erreichen für die künstlerischen Schaffenskräfte der Hauptstadt ein ewiges Ziel sein muß. Gerade Schlüter hat in der monumentalen Kunst den echt deutschen Kampf zwischen nicht zu bändigender Formenfreude und klassischer Strenge gekämpft, diesen Kampf zwischen überschäumender Lust am tausendfach „gekrausten gotischen Bildwerke“ des deutschen Barockkünstlers und dem bis ins letzte Glied durchdachten Ernste Palladios, diesen Kampf, der auch im Leben Goethes eine so große Rolle gespielt hat. Wie Goethe, etwa im „Tasso“, so hat Schlüter es verstanden in die Form des kalten und scharfgeschliffenen Kristalls den feurigsten Wein zu gießen, den Eindruck zu vermitteln, der beim Bild aus Erz nie vergessen läßt, daß das Metall vor kurzem noch flüssig gewesen ist, und der beim kalten steinernen Monument den Beschauer zum Glauben zwingt, er stehe vor plötzlich erstarrter, aber noch glühend heißer Lava.

Da daran festgehalten werden muß, daß nur das Allergediegenste der Maßstab sein darf, der bei der Beurteilung und Ausgestaltung des monumentalen Zentrums der deutschen Reichshauptstadt anzuwenden ist, wird man vieles des jetzt Bestehenden nicht als endgültig gelten lassen können. Zur Bekräftigung der Überzeugung, daß ja in der Tat auch noch nicht alles endgültig ist, sei folgende wahre Begebenheit mitgeteilt. Als sich gelegentlich einer intimen Führung auf der Städtebau-Ausstellung ein kunstliebender Ausländer bedenklich über einige Phasen der modernen monumentalen Entwicklung Berlins äußerte, hat ihm einer der anerkanntesten deutschen Beurteiler künstlerischer Fragen, den Stellung und viele Orden vor jedem Verdacht schützen, etwa nur ein nörgelnder Außenseiter zu sein, mit nachdenklich ernster Miene versichert: „Ein großer Teil der modernen offiziellen Architektur ist nur als mehr oder weniger genialer Versuch, nicht als etwas Endgültiges aufzufassen; sehr viel davon wird in absehbarer Zeit wieder abgetragen werden." Jeder, der die Lösung großer monumentaler Probleme zu den Aufgaben des Städtebaues rechnet, wird von dieser Versicherung gerne Kenntnis nehmen. Eine derartige Neuordnung mancher monumentalen Fragen der Innenstadt würde durchaus nichts revolutionäres oder für irgend jemanden verletzendes haben dürfen. Diejenigen Monumente, deren Wirkung und Proportion in ihrer gegenwärtigen Umgebung nachträglich und auf die Dauer den gehegten Erwartungen nicht entsprechen, würden in einer 'anderen Umgebung vielleicht sehr glücklich wirken. Ein Anfang in dieser Richtung ist in der Tat ja schon gemacht worden mit der Versetzung der Königskolonnaden (sie sind dabei leider aus ihrer radialen Achse um 45 Grad gedreht worden); indem man für den Anfang dieser Neuplacierung öffentlicher Gebäude ein altes Monument von unzweifelhaftem künstlerischem Range gewählt hat, ist den nachfolgenden Versetzungen auch neuerer Gebäude, jeder Schatten einer Strafversetzung genommen. Wenn somit bereits mit diesen doch verhältnismäßig kostspieligen Neuplazierungen der Anfang gemacht worden ist, kann es nur eine Frage der Zeit sein, daß die Stadt Berlin, deren neues Stadthaus gerade den Gedanken des Kuppelturmes vom Gendarmenmarkt in so glücklicher Weise weitergebildet hat, den Gendarmenmarkt, die anderen Berliner Plätze und ihre Umbauung allmählich wieder in würdige Verfassung bringt und große einheitliche Gedanken zur Norm macht bei der Beurteilung aller Neubauten an historischen Straßen, besonders der Linden; durch das sogenannnte Verunstaltungsgesetz von 1907 ist ja heute eine glückliche Handhabe zur Durchführung großer stadtbaukünstlerischer Gedanken vorhanden, und bei dem erfreulichen Wachsen des allgemeinen Verständnisses für diese Fragen wird die öffentliche Meinung sicher auf der richtigen Seite stehen [114]).

Unter dem Nachfolger des ersten Königs wurde die väterliche „Inclination zum Bauen", soweit es sich um hauptsächlich repräsentative Anlagen handelte, nur sehr maßvoll „continuirt", und doch ist es gerade der sparsame Soldatenkönig gewesen, der die Gestaltung des künstlerischen Gesichtes Berlins besonders nachhaltig beeinflußt hat. Unter ihm nämlich, gelegentlich seiner Erweiterung der Friedrichstadt (vgl. S. 100), wurden die formalen Plätze an den Stadttoren angelegt, deren festlich geschlossene Wirkung noch heute zum Schönsten gehört, was Berlin besitzt, der „Rondell-Markt" (Belle-Alliance-Platz), der „Achteck-Markt" (Leipziger-Platz), der „Quarree-Markt" (Pariser-Platz) und der Wilhelmplatz mit der sie alle verbindenden Wilhelmstraße. Auf den vornehmen Ausbau aller dieser Plätze und der Wilhelmstraße mit den Palästen vornehmer Hofleute, Minister und Generale, legte der König den größten Wert; einige Minister und Generale erhielten Baumaterialien im Werte von je 40000 Talern, und es gab kaum ein besseres Mittel, die königliche Gunst zu gewinnen, als ein stattliches Gebäude zu errichten. Sogar in den Adelstand wurde jemand erhoben, weil er „ein schön magnifique Haus gebaut" hatte. Auf diese Weise erinnert die Anlage der der Repräsentation dienenden Wilhemstraße und der sie abschließenden Plätze ein wenig an den Ausbau der Plätze des Victoires und Vendôme in Paris, bei deren Bau der Wunsch, die Gunst des französischen Königs zu erwerben, eine ausschlaggebende Rolle gespielt hat. Während aber Ludwig XIV., der sein Volk mit dem Ausbau von Versailles ruinierte, jenen Bemühungen zur Verschönerung von Paris fremd, fast feindlich gegenüberstand, war der Soldaten-

Abb. 88 bis 90. Ausſteller: Stadt Rixdorf (Stadtbaurat Kiehl).

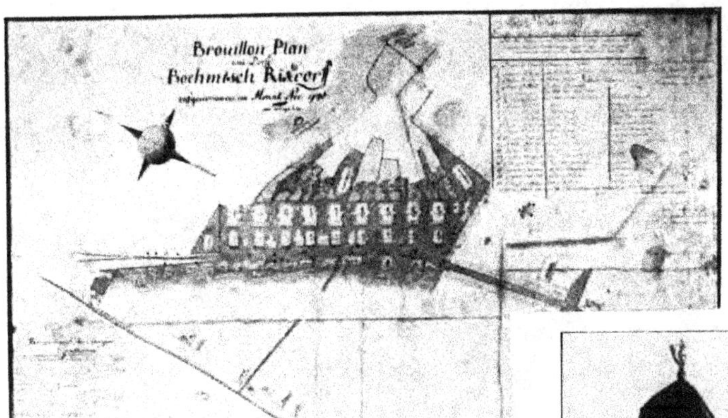

Abb. 88 Plan des Boehmiſchen Dorfes in Rixdorf aus dem Jahre 1798 (vgl. Abb. 7).

Abb. 89. Von der Bauberatungsſtelle der Stadt Rixdorf begutachtete Faſſade.

Abb. 90. Rathaus Rixdorf (Architekt Stadtbaurat Kiehl).

Die modernen Bauberatungsſtellen der Städte (geſtützt namentlich auf das Geſetz vom 15. Juli 1907 gegen die Verunſtaltung von Ortſchaften) geben heute wieder die Möglichkeit, künſtleriſche Städtebilder zu ſchaffen. Namentlich bei den von der Spekulation erbauten Maſſenmiethäuſern, die keinerlei künſtleriſchen Selbstzweck verfolgen, iſt es wünſchenswert, daß die ſtädtebauliche Zentralſtelle durch die Bauberatung die Macht beſitzt, die in den öffentlichen Gebäuden und ihren Gruppierungen zum Ausdruck kommenden Baugedanken vor Schädigung durch geſchmacklose oder vordringliche Privatbauten zu ſchützen.

Abb. 91. Ausſteller: Architekt Hermann Janſen, Berlin.

Umarbeitung eines älteren, z. T. bereits durchgeführten Planes in modernerem Sinne. Das Gebiet von 500 ha (der jetzt zur Bebauung kommende Teil des Tempelhofer Feldes hat nur 150 ha) der Kgl Domäne Dahlem wird nach der Anregung Exz. Althoffs in eine moderne Stadt der Wiſſenſchaft (Lehranſtalten und Muſeen) ausgeſtaltet; es ſind 50 ha für großartige Gruppierungen von Staatsbauten reſerviert. Die Umgebung der Staatsbauten iſt vielfach kleinen Reihenhäuſern vorbehalten, ſo daß ein glücklicher Gegenſatz der Größenverhältniſſe geſichert iſt. Dieſe Reihenhäuſer werden in Groß-Berlin einen erſten Verſuch mit dieſer nicht nur von äſthetiſchem, ſondern auch hygieniſchem Standpunkte beſonders empfehlenswerten Hausform darſtellen.

> Habe ich nicht Grund, der Stolzeſte zu ſein auf Erden?
> Ich bin der Sohn ja der ungeheuren, hochgetürmten Stadt!
> Walt Whitman (in „Demokratiſche und national-amerikaniſche Lieder“).

könig mit ganzem Herzen bei ſeinem ſegensreichen Werke. Unermüdlich war er ſelbſt tätig, oft perſönlich die Bauſtellen austeilend, die Fortſchritte der Neubauten beaufſichtigend, mit Geldunterſtützungen helfend eingreifend, immer wieder und wieder die Läſſigen antreibend. Aus jener Zeit ſtammen das Prinz-Albrecht-Palais und das Reichskanzler-Palais, dieſe reizenden Berliner Geſtaltungen des franzöſiſchen Adelshotels mit ſeinem Ehrenhof. Auch durch ſeine Kirchenbauten hat der Soldatenkönig das Stadtbild für immer beeinflußt. Von ihm ſtammen die für den proteſtantiſchen Kult auch heute noch muſtergültigen Zentralanlagen der Böhmiſchen- und Dreifaltigkeitskirche an der Mauerſtraße, von ihm der Turm der Sophienkirche. Aber noch viel weiter ging der Ehrgeiz des Königs; in eigentümlicher Verwandtſchaft mit ſo manchem kühnen Städtebauer hatte er den Wunſch, für Berlin einen Turm zu ſchaffen: the biggeſt in the world. In einer Kabinettsorder vom 10. November 1730 heißt es: „Ich gebe Euch auf Euer Schreiben zur Antwort, daß der Petri-Thurm ſo hoch und womöglich noch höher als der Münſter-Thurm zu Straßburg gebauet werden ſoll, und ich will die dadurch ſich vergrößernden Koſten auch bezahlen.“ Das war der Geiſt, der den als ſo überaus ſparſam geltenden Soldatenkönig beſeelte, wenn es darauf ankam eine entſcheidende Pointe in die Stadtſilhouette zu bringen und einen Bau zu errichten, der hoch genug war, um die über die Welt flatternde Fama für ſeine Hauptſtadt zu fangen. Aber wie über Schlüters unſeligem Münzturm, waltete über dem Turm der Petrikirche ein böſer Stern. Auch er iſt vor der endgültigen Vollendung eingeſtürzt. Sollte nicht auch hier vielleicht, wie möglicherweiſe einſt im Falle Schlüters, die Schuld weniger den Baumeiſter Grael als den märkiſchen Sandboden treffen?

Zu den erſten Taten, für die Friedrich der Große trotz der Schleſiſchen Kriege Zeit fand, gehörte die Schaffung des Opernplatzes und der dazu gehörigen Gebäude, die Oper, die Hedwigskirche und das Prinz-Heinrich-Palais (die heutige Univerſität), auf dem früheren Feſtungsgelände, gleichſam ein großartiger Anfang zur inneren monumentalen Ringſtraße an Stelle der Wälle des Großen Kurfürſten. Auf dem ganz großen, prächtigen Plan von Berlin, der im Jahre 1748 unter der Leitung des Grafen Schmettau gezeichnet wurde (Abb. 69), finden ſich Darſtellungen der den König damals hauptſächlich beſchäftigenden Bauprojekte. Links iſt der „Proſpect des großen Platzes von Opernhauße, der Kathol. Kirche St. Hedewig und einer Seite des Marggraff Heinriche Pallais“, in der Mitte „Proſpect der Neuen Schloß und Dohmkirche“ und rechts „Proſpect des Neuen Königl. Printz Heinriche Pallais den Opernhauße gegen über“. Dieſer Plan aus dem Jahre 1748, der auf der Berliner Ausſtellung vom Märkiſchen Muſeum ausgeſtellt wurde, iſt jedoch die Wiedergabe eines zweiten Zuſtandes der Schmidtſchen Kupferplatten; die erſte Auflage, die bis vor kurzem nur in einer Amſterdamer Umarbeitung bekannt war, wurde auf der Düſſeldorfer Städtebau-Ausſtellung in einem der ſehr ſeltenen Originale gezeigt. Der ältere Plattenzuſtand unterſcheidet ſich von dem ſpäteren durch ein kleines, aber überaus intereſſantes Detail, nämlich in der Lage des Prinz-Heinrich-Palais (in Abb. 87 iſt der abweichende Teil des Originals wiedergegeben); auf dem älteren Blatt nämlich iſt das Palais weit von den Linden zurück an die Stelle des Kaſtanienwäldchens geſchoben, und an der Stelle des heutigen Palais findet ſich ein großer Platʒ. Bei der Herſtellung der erſten Abzüge war alſo die Stellung des erſt im Projekt beſtehenden Palais noch nicht endgültig feſtgelegt, während die ſpäteren Abzüge bereits die heutige Lage richtig angeben. Dieſe Verſchiedenheit der beiden Pläne deutet augenſcheinlich darauf hin, daß die heutige Lage der Univerſität nach reiflicher Erwägung und in genauer Beziehung auf den damals entſtehenden Opernplatʒ gewählt wurde, und daß die immer wieder betonte Auffaſſung (ſo von Lichtwark und Brinckmann) richtig iſt, nach der der Ehrenhof der Univerſität als ein Teil des Opernplatʒes zu gelten hat, alſo nicht durch Baumwuchs verſteckt werden darf, ohne die Raumſchöpfung Friedrichs des Großen und Knobelsdorffs zu zerſtören.

Abb. 87. Von der Internationalen Städtebau-Ausſtellung Düſſeldorf. Ausſteller: Werner Hegemann, Berlin.

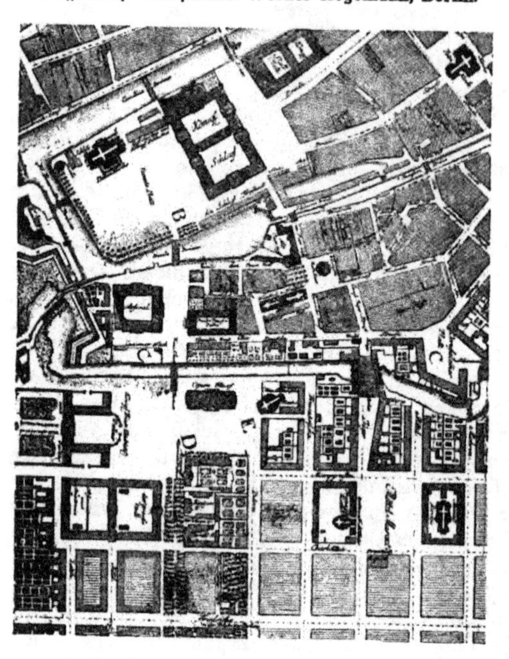

Detail des großen v. Schmettauſchen Planes im erſten Plattenzuſtand (Abb. 69 gibt den zweiten Zuſtand wieder). Dieſer ältere Plattenzuſtand zeigt das erſte Projekt für den Opernplatʒ, mit dem zurückgeſchobenen Prinz-Heinrich-Palais.

War der Opernplatʒ das glänzende Jugendwerk Friedrichs des Großen, ſo iſt der Gendarmenmarkt die Schöpfung ſeines Alters. Dieſes neue Forum entſtand zwar nicht auf altem Umwallungsgelände, aber doch ſo dicht daneben, daß es faſt als eine Fortſetʒung eines mit dem Opernplatʒ begonnenen monumentalen Ringes um die Stadt gelten kann. Durch Niederreißen umfangreicher Stallungen im Norden und Süden wurde der alte Friedrichſtädtiſche Markt auf ſeinen dreifachen Umfang erweitert (vgl. Abb. 72 mit 74). An Stelle der erſten Projekte für ein Prachtforum im Stile des Markusplatʒes in Venedig, wie ſie urſprünglich (1774) von dem franzöſiſchen Architekten Bourdet vermutlich doch im Auftrage des Königs entworfen waren, trat 1777 die Faſſung des neuen großen Platʒes in dreiſtöckige Häuſer mit zum Teil palaſtartigen Fronten, die dem Platʒe, ehe ſie in den 80er und 90er Jahren des 19. Jahrhunderts durch viel zu hohe Geſchäftshäuſer verdrängt wurden, ſeinen vornehmen Charakter ſicherten. Von denſelben Architekten, Unger und v. Gontard, die dieſen Rahmen geſchaffen hatten, wurde dann die Gliederung des Platʒraumes durch vorbildliche Gruppierung vorzüglicher Zentralarchitekturen, das Komödienhaus und beſonders die herrlichen Turmbauten des Mannheimer Architekten Gontard, in Angriff genommen und ſpäter (1819) durch den Umbau des kleinen Ungerſchen Schauſpiel-

1780

Passage du Chateau à la Ville neuve
avec l'Arsénal, le Palais du Prince Royal, celui du Prince Henry, la Maison d'Opéra et la promenade de la Ville neuve.
Dédié au Magistrat de la Ville de Berlin

1782

Vue de la Place de l'Opéra
et de la Nouvelle Bibliothèque ainsi que de l'Eglise Catolique.

Farbige Kupferstiche von Johann Georg Rosenberg: Die Linden, der Opernplatz.

hauſes durch Schinkel (ſowie ſpätere geſchickte Renovierungen der Kirchen) in neuem Sinne auf das glücklichſte zu Ende geführt. Die ſo entſtandene Platzgruppe gehört trotz der ſtörenden neuen Umbauung noch heute zum Köſtlichſten, was die Stadtbaukunſt geſchaffen hat. Von dem Schöpfer der Turmbauten des Gendarmenmarkts ſtammen auch die Königskolonnaden, wohl die ſchönſten unter dieſen künſtleriſchen Bindungen zwiſchen Altſtadt und Vorſtadt. Durch ſeine „Immediatbauten" (vgl. S. 102) hatte der König wie bei der Faſſung des Gendarmenmarktes auch in anderen Teilen der Stadt die Möglichkeit, einen ſegensreichen Einfluß auf das Straßenbild auszuüben; ein Einfluß, wie ihn heute übrigens die ſtädtiſchen Bauberatungsſtellen aufs neue auszuüben anfangen. Noch ausſchlaggebender hat der große König das Bild von Potsdam beeinflußt (vgl. S. 104), wo ſeine Bauten die umfangreichen Schöpfungen ſeines Vaters noch in Schatten ſtellten. Gegenüber dem Vorurteil, nach dem Friedrich II. in ſeinen künſtleriſchen Schöpfungen zu ſehr unter dem Einfluß franzöſiſcher Gedanken geſtanden hat, muß betont werden, daß die Bauten des 18. Jahrhunderts in München und Stuttgart weit franzöſiſcher ſind als die Friedrichs des Großen. Unter den wirklich ausſchlaggebenden Architekten, die Friedrichs Gedanken und Wünſche ausführten, iſt kein Franzoſe, unter den Kunſthandwerkern und Dekorationsmalern bilden Franzoſen die ſeltenſten Ausnahmen.

Hatte ſchon die Oper den erſten klaſſiſchen Tempelgiebel nach Berlin gebracht, ſo kam unter Friedrich Wilhelm II. der klaſſiſche Stil völlig zum Durchbruch. Aus jener Zeit ſtammt das Brandenburger Tor, das Wahrzeichen von Berlin, das ſymboliſch die ſteinerne Stadt gegen die davorliegende grüne Wildnis, und das den Pariſer Platz, trotzdem ihn die Hauptſtraße der Stadt durchflutet, ſo glücklich zum einheitlichen Platze abſchließt (Abb. 85). Von demſelben Carl Gotthard Langhans, der das Brandenburger Tor baute, ſtammt nicht nur die Mohrenkolonnade, ſondern auch das ſchöne Auditorium der Tierarzneiſchule, das in der Mitte jenes prächtigen alten Parkes ſteht, für deſſen Erſchließung ſchon Auguſt Orth energiſch eintrat, der aber durch eine ganz wilde Bebauung immer mehr verloren geht. Friedrich Wilhelm II. hat ebenfalls wie ſein Vorgänger durch ſeine (im ganzen 133) Immediatbauten einen ſtarken, veredelnden Einfluß auf das Berliner Straßenbild ausgeübt, und er hat dabei den hochbedeutſamen Grundſatz ausgeſprochen, dem ganz die Worte von Benjamin Marsh entſprechen, die an die Spitze dieſer Ausführungen über die monumentale Stadt geſtellt wurden; ein Reſkript an Geh. Finanzrat Boumann vom 13. Juli 1795 enthielt nämlich den Befehl, „*nicht mehr Hinter- und Nebengebäude, noch weniger Interieurbauten in Anſchlag zu bringen, weil dies gänzlich gegen den Endzweck läuft, die Stadt zu embelliren*".

Dieſer „Endzweck, die Stadt zu embelliren," wurde im großartigſten Maßſtab weiter verfolgt unter der Regierung Friedrich Wilhelms III., der, ohne ein beſonderes perſönliches Verhältnis zur Kunſt zu haben, von der höchſten Vorſtellung von den monumentalen Pflichten der Hauptſtadt erfüllt war. Preußen hatte nach den Freiheitskriegen die Berechtigung empfangen, nicht bloß, wie bisher, ausnahmsweiſe und auf Grund beſonderer Leiſtungen, ſondern als reguläres Mitglied des Kollegiums der europäiſchen Großmächte zu figurieren. Kaum war nach dem Kriege die erſte Erſchöpfung öffentlicher Mittel überwunden, als Friedrich Wilhelm III. daran dachte, großartige Bauten auszuführen. In den zwanziger Jahren hauptſächlich hat ſich dieſe architektoniſche Umarbeitung der Stadt vollzogen. Die volkswirtſchaftlichen Anſchauungen ſeiner Zeit geſtatteten

Friedrich Wilhelm III. nicht, ſich auf wohnungspolitiſchem Gebiete zu betätigen; ſo wurde in ihm die traditionelle „Inclination, zu bauen" der Hohenzollern ganz einſeitig in die viel mehr franzöſiſche als preußiſche monumentale Richtung gedrängt. Hatte La Bruyère gelegentlich ſeiner Charakteriſtik des Souverains die „Fähigkeit, Projekte überraſchender Bauten zu geſtalten und auszuführen" zu den notwendigen Herrſchertugenden gerechnet, ſo hatte Ludwig XIV. auf ſeinem Sterbebette den Dauphin vor der „Inklination zu bauen" gewarnt, als vor dem „Ruin der Völker". In dem zur Großmacht heranwachſenden Preußen mußte denn auch die Stadtbaukunſt in echt preußiſchem Sinne in den ſegensreichen Dienſt des Staatsgedankens treten. Hier kam es nicht darauf an, der Mit- und Nachwelt großartige Werke vor Augen zu ſtellen als Denkmale der Prachtliebe eines mächtigen Königs — ſo hatte Schlüter noch die Sache aufgefaßt —, ſondern es handelte ſich darum, bei äußerſter Sparſamkeit möglichſt Großes auszuführen, überall, wo nur das Schöne gewollt ſchien, dennoch faſt ausſchließlich von der Idee des Nützlichen auszugehen, zu benutzen, was an vorhandenen Reſten alter Bauten irgend verwendbar war, umzubauen, aufzuarbeiten, zu maskieren. Dem Architekten erwuchs nicht die Aufgabe, als genialer Künſtler gewaltige Pläne zu erſinnen, ſondern als geübter Beamter billige, umfangreiche Nützlichkeitsbauten ſo zu errichten, daß ſie die Geſtalt monumentaler Schöpfungen von tadelloſer Schönheit annähmen. Und hierfür fand der König Schinkel, den „großen Architekten der Stadt Berlin", den großen Organiſator, der Berlin zu einer Hauptſtadt im höchſten Sinne erheben wollte.

Schinkel, geſchult im preußiſchen Dienſte, begriff gleich den andern Beamten Friedrich Wilhelms III., daß es Preußens Aufgabe damals war, ſeine geringen Mittel würdig zu verwalten. Das iſt das Große jener Generation, daß ſie ihre Miſſion mit heroiſcher Selbſtverleugnung erfüllte. Jeder war ſtolz darauf, mit dafür einzuſtehen, daß die Armut zur Verwendung komme, als wenn ſie Reichtum ſei. Und deshalb, ſo peinlich es iſt, Schinkel als geplagten rechnenden Chef des preußiſchen Bauweſens über Plänen ſich abmühen zu ſehen, welche ſelten überhaupt, niemals aber in ihrer erſten vollen Geſtalt zur Ausführung kamen: hiſtoriſch betrachtet bildet dieſe verzehrende Arbeit einen Teil ſeines Ruhmes. Und nun iſt es ein bewundernswürdiger Anblick, was Schinkel unter dieſen Verhältniſſen geleiſtet hat. Schinkel faßte ſein Berlin, wie Michelangelo ſein Rom gefaßt hatte, im ganzen, um es zu organiſieren. Wie Michelangelo für das neue Rom, das ſich im Trientiner Konzil noch einmal als Herrin Europas konſtituiert hatte, eine neue Architektur erfand und mit ſeinen Malereien und Skulpturen auf die, welche dieſes Rom bewohnten, einen Einfluß ausübte, wie nur Phidias vor ihm, ſo ſollten durch Schinkel in Berlin nicht bloß Gebäude aufſteigen, ſondern auch was die Bewohner dieſer Häuſer dächten, ſollte zuletzt ein Reſultat der ſcheinbar nur architektoniſchen Arbeit des Künſtlers ſein. Auch Schinkel ließ, wie Schlüter getan, was öſtlich vom Fluſſe lag, außer Rechnung. Es kam darauf an, der weſtlichen Monumentalſtadt, die ſich von der ausgeprägt landwirtſchaftlichen Charakter tragenden öſtlichen Ackerbürgerſtadt klar unterſchied, das volle Gepräge einer Hauptſtadt zu geben. Die Ausgeſtaltung der großen Hauptachſen der Stadt, beſonders der Linden und der Leipziger Straße, der Plätze und Tore, die künſtleriſche Einbeziehung der Um-

Abb. 94 u. 95. Ausſteller: Prof. Theodor Goecke, Landesbaurat, Berlin, und Architekt Franz Steinbrucker, Berlin-Friedenau.

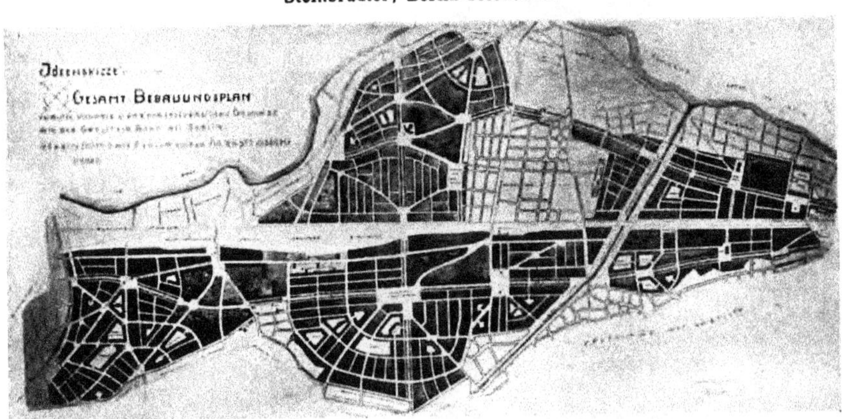

Beiſpiel für die Schäden, die aus dem Mangel einer ſtädtebaulichen Zentralbehörde erwachſen.

Abb. 94 Ideenſkizze zu einem Geſamtbebauungsplan für das Forſtgelande und die angrenzenden Gemeinden an der Gorlitzer Eiſenbahn Als Leitmotiv auf jeder Seite der Eiſenbahn eine 50—80 m breite, einerſeits die Verbindung mit Groß-Berlin herſtellende, andererſeits die zukunftige Entwicklung nach außen hin weittragende Radialſtraße, die als Parkſtraße ausgeſtaltet, zugleich die bei jeder Gemeinde als offentliche Grunanlage zu erhaltenden Reſtſtucke des Waldes miteinander verbindet

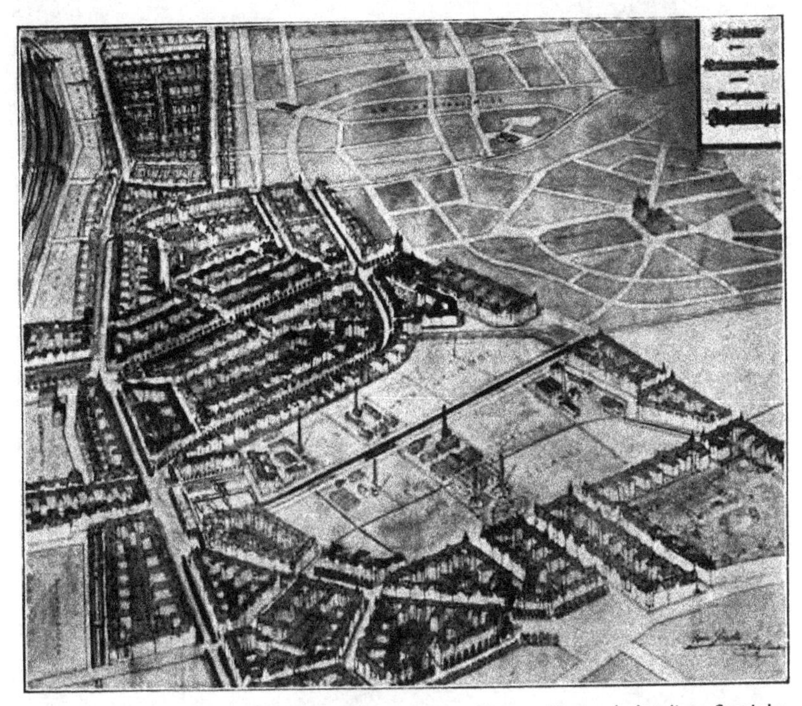

Abb 95. Der erſtrebte Geſamtbebauungsplan iſt nicht zuſtande gekommen. Für eine der beteiligten Gemeinden, Johannistal, wurde ein ſelbſtandiger Bebauungsplan aufgeſtellt, der, ohne Ruckſicht auf die Nachbargemeinden zu nehmen, ganz anders als ſeinerzeit im Geſamtbilde angenommen war, ausgefallen iſt. Scheidung zwiſchen Induſtrie- und Wohnvierteln, ein großer Teil iſt vorlaufig noch von einem Flugplatze belegt. Hauptmotiv die vom Bahnhofe herkommende Verkehrsſtraße, in deren Mitte die gegenwärtige Chauſſee als Promenade erhalten bleiben ſoll. Durch dieſe wird der jetzt noch hinter dem Walde liegende Ort der Eiſenbahn ſcheinbar näher gebracht.

Abb. 96 u. 97. Ausſteller: Stadt Lichtenberg.

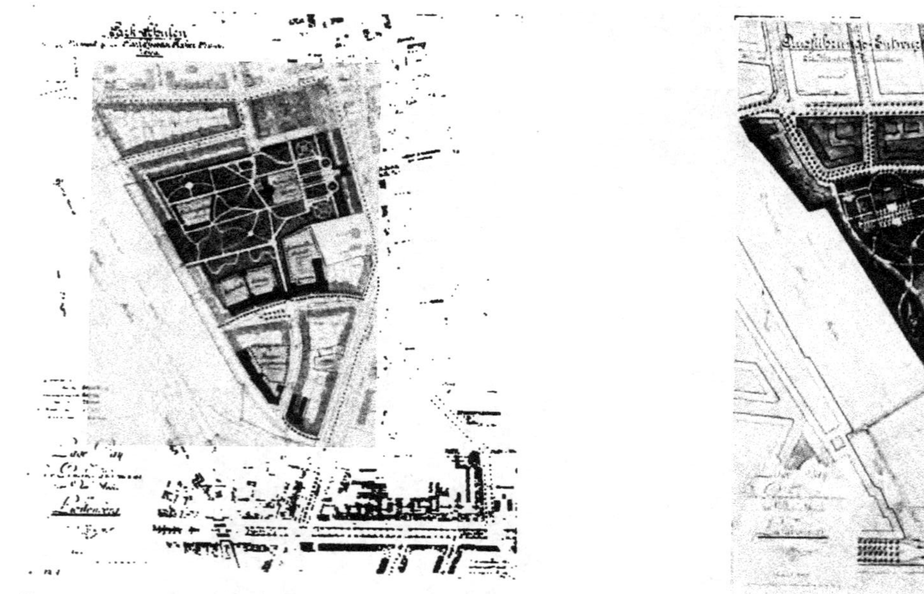

Der mit dem II. Preiſe gekrönte Entwurf des Architekten Hans Bernoulli-Berlin.

Der Ausführungs-Entwurf von Stadtbaurat Uhlig.

Neugeſtaltung eines Stückes des Bebauungsplanes (von 1858 62 an), d. h. innerhalb der großen „Gürtelſtraße", aber außerhalb der Ringbahn gelegen: das hier zur Aufteilung kommende Gebiet von 12,7 ha war nur ein Teil eines der rieſigen Blocks des alten Bebauungsplanes. Es wurde von der Stadt Lichtenberg für die Schaffung eines Stadtparkes, den Bau von Schulen und teilweiſe Verwertung zu Wohnhauszwecken gekauft. Auf Grund eines Wettbewerbs führt das Stadtbauamt nach eigenem Plane die Aufteilung durch. Wieder ein Beiſpiel für die Richtigkeit der ſtädtebaulichen Forderung von 1874 und 1906, daß die Aufgaben des ſtädtebaulichen Grundplanes zu trennen ſind von der untergeordneten Teilung, die wiederum beſondere hingebungsvolle Kleinarbeit erfordert.

Abb. 98. Ausſteller: Dr.-Ing. Geh. Baurat Ludwig Hoffmann, Stadtbaurat, Berlin.

Das Alt-Leute-Heim der Stadtgemeinde Berlin in Buch nimmt in ſechs großen und vier kleinen Pavillons ſowie in einem Ehepaarhauſe 1500 Altersſchwache **und Sieche** beiderlei Ge**ſchlechts auf. Es wurde im** Jahre 1909 eröffnet.

Städtiſches Krankenhaus Rixdorf. Durch das Pförtnerhaus zur Verwaltung. Aufnahme **der** Kranken **an** der äußeren **Seite der Pavillons** ohne Berührung des großen Gartens. Liegehallen nach Süden. Infektionspavillons abſeits im oberen Garten. Von beſonderer Straße erreichbares Wirtſchaftsgebäude, um einen Hof gruppiert. Dadurch Fernhaltung des Lärmes, Kohlenſtaubes uſw. vom Krankenbetrieb. Beerdigungskapelle ebenfalls von beſonderer Straße erreichbar, am Sezierhaus gelegen.

Das Krankenhaus iſt auch bodenpolitiſch ein intereſſantes Unternehmen. Es iſt auf einem außerhalb der Gemeindegrenzen liegenden Grundſtück erbaut, das 150000 M. koſtete, während dasſelbe Grundſtück innerhalb Rixdorfs etwa zehnmal ſo viel gekoſtet hätte.

Abb. 99. Ausſteller: Stadt Rixdorf (Stadtbaurat Kiehl).

Abb. 96 u. 97. Ausſteller: Stadt Lichtenberg.

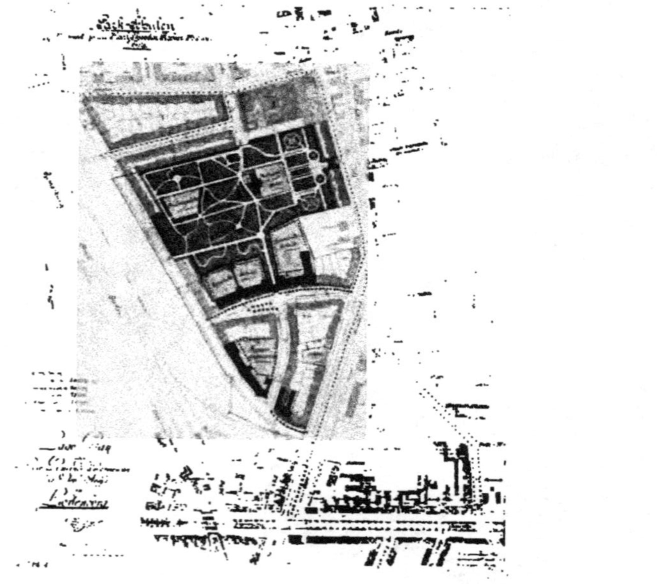

Der mit dem II. Preiſe gekrönte Entwurf des Architekten Hans Bernoulli-Berlin.

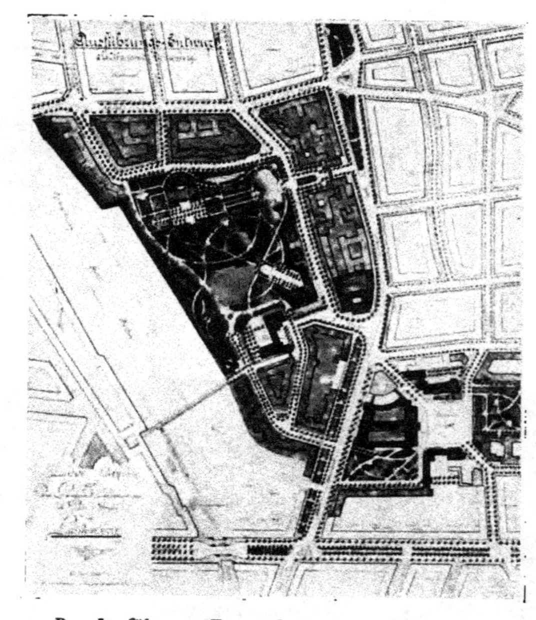

Der Ausführungs-Entwurf von Stadtbaurat Uhlig.

Neugeſtaltung eines Stückes des Bebauungsplanes (von 1858 -62 an), d. h. innerhalb der großen „Gürtelſtraße“, aber außerhalb der Ringbahn gelegen: das hier zur Aufteilung kommende Gebiet von 12,7 ha war nur ein Teil eines der rieſigen Blocks des alten Bebauungsplanes. Es wurde von der Stadt Lichtenberg für die Schaffung eines Stadtparkes, den Bau von Schulen und teilweiſe Verwertung zu Wohnhauszwecken gekauft. Auf Grund eines Wettbewerbs führt das Stadtbauamt nach eigenem Plane die Aufteilung durch. Wieder ein Beiſpiel für die Richtigkeit der ſtädtebaulichen Forderung von 1874 und 1906, daß die Aufgaben des ſtädtebaulichen Grundplanes zu trennen ſind von der untergeordneten Teilung, die wiederum beſondere hingebungsvolle Kleinarbeit erfordert.

Abb. 98. Ausſteller: Dr.-Ing. Geh. Baurat Ludwig Hoffmann, Stadtbaurat, Berlin.

Das Alt-Leute-Heim der Stadtgemeinde Berlin in Buch nimmt in ſechs großen und vier kleinen Pavillons ſowie in einem Ehepaarhauſe 1500 Altersſchwache und Sieche beiderlei Geſchlechts auf. Es wurde im Jahre 1909 eröffnet.

Städtiſches Krankenhaus Rixdorf. Durch das Pförtnerhaus zur Verwaltung. Aufnahme der Kranken an der äußeren Seite der Pavillons ohne Berührung des großen Gartens. Liegehallen nach Süden. Infektionspavillons abſeits im oberen Garten. Von beſonderer Straße erreichbares Wirtſchaftsgebäude, um einen Hof gruppiert. Dadurch Fernhaltung des Lärmes, Kohlenſtaubes uſw. vom Krankenbetrieb. Beerdigungskapelle ebenfalls von beſonderer Straße erreichbar, am Sezierhaus gelegen.

Das Krankenhaus iſt auch bodenpolitiſch ein intereſſantes Unternehmen. Es iſt auf einem außerhalb der Gemeindegrenzen liegenden Grundſtück erbaut, das 150000 M. koſtete, während dasſelbe Grundſtück innerhalb Rixdorfs etwa zehnmal ſo viel gekoſtet hätte.

Abb. 99. Ausſteller: Stadt Rixdorf (Stadtbaurat Kiehl).

Abb. 100. Ausſteller: Profeſſor Paul Schultze-Naumburg.

Ausgeſtaltung eines bereits angelegten halbkreisförmigen Platzes in Zehlendorf-Weſt. Beweis, daß die verrufene Sternplatzform einer künſtleriſchen Behandlung ſehr wohl fähig iſt. Namentlich in gartenſtadtartiger Umgebung können mit dem Sternplatz, der ja aus dem formalen Garten in den Städtebau übernommen wurde, glückliche Wirkungen erzielt werden.

Abb. 101. Ausſteller: Gemeinde Weißenſee (Baurat Bühring).

Kommunales Forum der Gemeinde Weißenſee; um ein kleines Gewäſſer ſind gruppiert: Gemeinde-Turn- und Feſthalle nebſt Reſtaurationsgebäude, Beamtenwohnhaus, Volksbad, Reform-Realgymnaſium, Hochbauten der Kanaliſation, Gebäude der Freiwilligen Feuerwehr nebſt Wohnungen der Feuerwehrleute.

gegend finden Schinkel unermüdlich an der Arbeit. Ist auch nur ein kleiner Teil von dem wirklich entstanden, was er zu bauen vorschlug, so ist dies doch mit so intensiver Kunst ausgeführt worden, daß es in Verbindung mit dem, was Schinkels Schüler bauten und was sein Freund und Genosse Rauch an Denkmalen aufstellte, maßgebend für die moderne Physionomie der Stadt geworden ist. (Vgl. auch Abb. 1 und 2.)

Der Lustgarten schloß damals, lange vor dem Bau der Kaiser Wilhelm-Straße, die Linden, die Hauptachse Berlins ab; der Lustgarten war das Lieblingsfeld der Schinkelschen Schaffenslust. Wer ihn heute von der alten Hundebrücke, der heutigen Schloßbrücke, aus betritt, ahnt nicht, wie unendlich viele Projekte von Schinkel für diesen Platz gemacht worden sind. Allein seine Skizzen für das Denkmal Friedrichs des Großen, das er dort aufstellen wollte, offenbaren einen Reichtum, der gleichsam eine ganze Denkmalkunde enthält. Alle Kombinationen erscheinen erschöpft, vom einfachen Reiterstandbilde, wo der König, wie der kapitolinische Marc Aurel zu Pferde, über einen Grund zerbrochener Waffen hinreitet, bis zu den kompliziertesten Erfindungen, wo Hallen, Tempel, Obelisken, Stelen, Triumphbogen verwandt worden sind, als hätte Schinkel durch die alle Möglichkeiten erschöpfende Mannigfaltigkeit seinen königlichen Bauherrn nötigen wollen, sich für einen dieser Vorschläge zu entscheiden. Auch mußte der an jeder Seite ganz sichtbare Platz ihn aufs höchste reizen. Dicht am Wege befindlich, hinderte er doch niemand, ließ zugleich aber, man mochte kommen, woher man wollte, niemandes Blicke los. Einer der großartigsten unter diesen Entwürfen „ist, nach Schinkels eigenen Worten, berechnet, das alte Gebäude der Schloßapotheke zu decken und hier den Hintergrund der großen Prachtstraße vom Brandenburger Tore bis zum königlichen Schlosse zu bilden, welcher sehr vermißt wird". Zwischen Schloß und Dom, weit jedoch über den Platz vorspringend, welchen die Schloßapotheke einnimmt, wollte Schinkel den Erinnerungsbau auftürmen. Hier wollte er in völliger Unbefangenheit griechisch-römische Architektur dicht neben das in italienischer Renaissance gehaltene Schloß setzen, wie es ihm sein Grundsatz, „jede Konstruktion sei rein, vollständig und in sich abgeschlossen" erlaubte. Auf einem stufenreichen Unterbau sollte, nach zwei Seiten vortretend, eine offene Säulenhalle sich erheben, drei Etagen übereinander, drei Rückwände mit Gemälden, welche Friedrichs Taten schildern. Diese offene Halle nahm das Denkmal in ihre Arme: einen Siegeswagen mit vier Rossen, auf dem der Held einherzieht. Hoch über der Mitte der Halle, hinter ihr stehend, mit der Grundfläche bereits auf dem Gelände der Schloßapotheke, ragt ein korinthischer Tempel auf, während rechts und links die Dächer der Hallenvorsprünge mit massiven Bosketts lebendigen Grüns besetzt sind. Es kann kaum etwas Festlicheres, Sieg und Ruhm mehr verkündendes gedacht werden. Auch für den Neubau des benachbarten Domes liegen Schinkels Entwürfe einer Kuppelkirche vor, großartig aber fein in den Gliederungen, etwa als wenn man das Projekt der Peterskirche, das Michelangelo ausführen wollte, in die schlankere Form Bramantes zurückübersetzt. Aber wie die großen Denkmalsentwürfe blieb auch dies Domprojekt unausgeführt; die verwandte Schöpfung in Potsdam (Abb. 76) mit den später angefügten Ecktürmen gibt Schinkels Gedanken der Kuppelkirche nicht mehr rein wieder. Da der König sich für keinen der Denkmalsentwürfe für den Lustgarten entschied, mußte Schinkel mit seinem Projekte wandern. Er faßte deswegen das Forum zwischen Universität und Oper ins Auge und plante eine Neugestaltung mit dorischen

Säulenhallen, dem Reiterſtandbild davor und einer Art Trajansſäule in der Mitte. Auch dem anſchließenden Platz zwiſchen Oper und Bibliothek wurde vorübergehend eine neue Geſtaltung zugedacht in einem Projekte für die Erbauung des ſpäteren Palais Kaiſer Wilhelms I. Hier zum erſte Male ſieht man Schinkel etwas vernichten wollen: zu gunſten des umfangreichſten unter den Entwürfen für den neuen Palaſt ſollte die Bibliothek fallen; die Bibliothek (auf Abb. 93 rechts), mit der Friedrich der Große in ſeinen letzten Regierungsjahren unter Wiederholung eines Entwurfes des großen Wiener Barockmeiſters Fiſcher von Erlach den Opernplatz neu geſtaltet hatte; Schinkel verglich ſie mit dem, was er an ihre Stelle ſetzen wollte und dann ſchien ſie ihm dem Opernplatz „ein düſteres Anſehen“ zu geben. Sein Projekt ging ſozuſagen auf Erweiterung des Platzraumes durch Anfügen eines neuen Raumvolumens: ſtatt der Bibliothek ſollte ein ſtreng formaler, in vier Terraſſen anſteigender Garten den Platzraum erweitern und ausklingen laſſen in eine bis dahin unerforſchte, gleichſam vierte Dimenſion. Auf der Höhe ſollte eine in regelmäßigen Abſtänden mit den Kugeln kleiner Bäume beſetzte „leichte Arkadenhalle das Ganze krönen und alles von der dahinterliegenden Stadt bedecken und nichts von unangenehmen Hinterhäuſern und Giebeln ſichtbar werden laſſen“. Die Türme des Gendarmenmarktes dagegen ragten bei der neuen Anordnung prächtig aus dem Hintergrunde. Der Platz ſelber (zwiſchen Oper und Bibliothek), auf dem heute der Hügel mit großen Büſchen angeſchüttet iſt, blieb in allen Entwürfen von Bäumen gänzlich frei und in ſeiner Raumwirkung unangetaſtet. Auch für die Ausgeſtaltung des Pariſer Platzes liegen Entwürfe vor. Auch vor dem Brandenburger Tor ſollte ein Platz entſtehen, abgeſchloſſen durch niedrige, breite Baluſtraden, die ſich nach den drei Hauptrichtungen in weiten Öffnungen auftun. Für den Tiergarten gab er neue Wege und points de vue an.

Ebenſoviel Arbeit wie der Lindenachſe ſchenkte Schinkel der anderen Hauptachſe der Stadt, der Leipziger Straße. Der Bau des Potsdamer Tores nach Schinkels Entwürfen (Abb. 106) entſprach den höheren Gedanken nicht, die er für dieſe Stelle hegte. Schinkel konnte durch ſein neues Tor dem Leipziger Platz zwar ſeine „ganz regelmäßige Form“ wiedergeben und gewann für den Raum vor dem Tor durch Schaffung eines formalen kleinen Sternplatzes (fünf einmündende Straßen) „mit einem Baumkranz“ „ein heiteres Anſehen“ an Stelle der vorher herrſchenden „höchſt unangenehmen Beengung des Platzes außerhalb des Tores“; der Leipziger Platz wurde „mit ſchönem Raſen bedeckt, auf welchem Baumgruppen ſtehen. Die beiden Abteilungen des Platzes ſind mit eiſernen Gittern eingefaßt und mit acht Figurengruppen beſtellt worden, die ehemals eine alte eingegangene Brücke am Opernhauſe zierten“. Aber an Stelle des kleinen Sternplatzes hätte Schinkel gern unter ſtarker Hinausſchiebung der Stadtmauer einen langgeſtreckten, von Baumreihen eingefaßten Platz entſtehen laſſen, der ſo groß war, daß er eine Gliederung zur Platzgruppe durch einen zentral geſtellten Dom in gotiſcher oder, wie Schinkel zu ſagen vorzieht: vaterländiſcher Bauweiſe als Erinnerungsbau an die Freiheitskriege vertrug. Vor und hinter ihm ſollten ſpringbrunnengeſchmückte Plätze gruppiert werden. Durch das Tor aber und über die Stadtmauer hinüber, die in ein Gitter aufgelöſt werden ſollte, würde das Grün der Gärten draußen unmittelbar an das des Platzes ſich anſchließen und ſo den Übergang der Stadt in die Landſchaft vermitteln.

Abb. 102 u. 103. Ausſteller: Tiefbau-Deputation und Verkehrs-Deputation.

Monbijou-Brücke mit Kaiſer Friedrich-Muſeum (Architekt Geh. u. Hof-Baurat v. Ihne) ſpreeaufwärts geſehen.

Dieſelbe Brücke (ganz links das Muſeum) ſtromabwärts geſehen.

Beiſpiele neuer Berliner Brücken.

Abb. 104 u. 105. Ausſteller: Tiefbau-Deputation und Verkehrs-Deputation.
(Geh. und Stadt-Baurat Krauſe).

Grünſtraßenbrücke. Arch. Prof. A. Meſſel † und Geh. Baurat Friedrich Krauſe.

Brommybrücke. Arch. Prof. A. Meſſel † und Geh. Baurat Friedrich Krauſe.

Beiſpiele neuer Berliner Brücken.

Bildete dieſer Dom den Augenpunkt für die die Leipzigerſtraße Herabkommenden, ſo ſollte nach der anderen Richtung ein Turm den gleichen Dienſt leiſten, der zwiſchen Dönhoffplatz und Spittelmarkt, in die Mitte der Straße vorſpringend, ſeine Stelle fände. Für dieſen Turm beſitzen wir wohl die zahlreichſten Projekte, welche von Schinkel je für denſelben Bau entworfen worden ſind. Es ſcheint, als habe er den „Turm an ſich“ entdecken wollen. Griechiſche, gotiſche, römiſche, romaniſche, italieniſche Elemente benutzt er. Den Vorrang haben die Zeichnungen, welche unter dem Einfluſſe von Giottos Glockenturm entſtanden ſind. Denn, ſo führt Schinkel aus: „Ein Turm, wie er für den vorliegenden Zweck, als bedeutend wirkendes Bauwerk, am Ende einer ſehr langen Straße verlangt wurde, konnte bei der durch die Örtlichkeit vorgeſchriebenen geringen Grundfläche nur durch die Höhe bedeutend werden; ein ſolches Verhältnis in der Architektur eignet ſich mehr für den Stil des Mittelalters als für den des griechiſchen und römiſchen Altertums, und hieraus ging dann der Stil hervor, in welchem die ganze Anlage gehalten wurde.“ (Vgl. Abb. 106.) Das weitere Beſtreben Schinkels ging dahin, „aus dem Stil des Mittelalters nur dasjenige in Anwendung zu bringen, was ſich als reiner Vorteil für die Konſtruktion bewährt hatte“. „Dies Beſtreben ging alſo dahin, alles Überflüſſige aus dieſem Stil zu vermeiden“, mit anderen Worten: einen neuen Stil zu ſchaffen. Die Würdigung dieſes Ringens um neue Ausdrucksformen iſt weſentlich bei der Beurteilung des ſtädtebaulichen Wirkens Schinkels.

Ganz frei betätigen durfte ſich Schinkel bei ſeinem Muſeum. Am Luſtgarten erſtand dieſer köſtliche Bau, den Hermann Grimm ein in glücklicher Ehe des deutſchen und griechiſchen Geiſtes gezeugtes Kind, Schinkels Iphigenie, nennt. Dieſer Vergleich Grimms iſt in mancher Richtung fruchtbar. Die neue deutſche Geiſteswelt, die Goethe in gewollter Anlehnung an die ihm bekannten Reſte römiſcher und auch griechiſcher Kultur geſchaffen hat, fand eine beſonders ſchöne Verkörperung in Goethes Iphigenie und übte die nachhaltigſte Wirkung auf alle ſchöpferiſchen Kräfte der verſchiedenen Gebiete deutſcher Kunſt aus. Was Goethe als Dichter geleiſtet hat, mußten die Künſtler, die das Bild der künftigen Stadt beherrſchen wollten, als Architekten leiſten. Sie mußten einen Stil finden, der — wie Schinkel es ausdrückte – alles „dasjenige in Anwendung bringt, was ſich in der Entwicklung als reiner Vorteil für die Konſtruktion und als ein vorher nicht bekannter, für jede Zeit nützlich anzuwendender Zuwachs, dem die äſthetiſche Wirkung zugleich nicht fehlte, bewährt hat“. Bei der Abwertung deſſen, was für die Zukunft übernommen werden ſollte, ſpielten allgemeine Bildungs- und Gefühlswerte eine große Rolle. In dieſem Zuſammenhang verdienen vielleicht gerade die Eingangsworte von Goethes Iphigenie beſondere Beachtung, wenn man verſucht, die eigentümliche Stellung zu erklären, die der bildende Künſtler jener Zeit, in deſſen Herzen gotiſche Romantikerträume mit den Idealen des neuen Goetheſchen Klaſſizismus kämpften, in der für den Städtebau ſo wichtigen Frage der Einordnung des Baum- und Strauchwerks in das Straßenbild einnahm. Iphigenie tritt aus einem klaſſiſchen Tempel „heraus in eure Schatten, rege Wipfel des alten, heil'gen, dichtbelaubten Haines“. Ein Verſuch, dieſe Verbindung zwiſchen Wald und klaſſiſcher Architektur im Städtebau zu wiederholen, wäre ein Fehler geweſen, den Schinkel vermied. Aber bei allen Bauten Schinkels findet ſich eine wahre Romantikerfreude an reichem Baumwerk, wie ſie die Renaiſſance nicht gekannt hat. Keine Schinkelſchen Projekte beinahe, in denen nicht geſchickt angeordneter

Baumwuchs eine zwar dienende, aber immer wichtige Rolle ſpielt. Ginge es nach Schinkel, ſo wäre Berlin ein idealiſierter Wald, aus dem die Kirchen, Schlöſſer und Bildſäulen ſich erheben. Der überwuchernde „dichtbelaubte Hain" jedoch findet ſich bei Schinkel nur in Entwürfen für gänzlich einſam ſtehende, in gralburgenhafter Wildnis verlorene Kathedralen. Im Bannkreiſe der Stadt werden die Bäume, Gärten und Gärtchen architektoniſche, oft ſtreng formal verwendete Ingredenzien. Dieſe ausgiebige, aber ſtreng in architektoniſche Grenzen gehaltene Baumfreude kommt klar zum Ausdruck bei dem größten der Schinkelſchen Projekte, bei dem Projekte für die grandioſe, letzte künſtleriſche Ausbildung eines Siegestempels für die Freiheitskriege, der auf dem Kreuzberge ſtehen ſollte. Das dort vorhandene Denkmal ließe ſich einem Bäumchen vergleichen, das einſam ſich erhebt, während ein ganzer Wald von hundertjährigen Stämmen gleichſam projektiert war. Den Berg ringsum und weit in die Landſchaft hinein ſollte in der Tat Baumwuchs bedecken, ein breiter, gerader Weg vom Halliſchen Tore bis zur Höhe frei bleiben. Das Halliſche Tor war zu zwei nebeneinanderliegenden Toren neu projektiert, zwiſchen denen auf einem Obelisken ein Engel Michael ſtand. Die Spitze des Kreuzbergs ſollte, frei von Bäumen, in drei großen Abſätzen ſchräg abgeſtuft werden. Auf dem Plateau erhob ſich ein vierſtöckiger Unterbau. Der Rand des Ganzen oben ringsum mit Bäumen eingefaßt. Auf dieſer Baſis ein glatter zylinderförmiger Bau, aus dem nach den vier Himmelsrichtungen antike Tempelfaſſaden hervorſpringen, zu denen reiche Treppen emporführen. Hoch über ihren Giebeln ſchließt auch dieſer Randbau glatt ab, wiederum rings mit einer Baumreihe beſetzt. Nun erſt war der Grund für die eigentliche Siegeskirche gewonnen, die aus den letzten Baumgipfeln als gotiſcher Zentralbau in unzähligen Spitzen, die mittelſte die höchſte, emporſtieg. Dieſes Projekt hat etwas Überwältigendes. Die Abwechſelung der mächtigen Konſtruktionen mit Baumwuchs läßt den Bau als eine natürliche Fortſetzung der Anhöhe erſcheinen. Ausgeführt würde dieſes Werk meilenweit in die Runde ſichtbar und ein Wahrzeichen für Berlin geworden ſein, wie es die Peterskuppel für Rom ward.

Das iſt das Berlin, das Schinkel gebaut haben würde, wenn er gedurft hätte [115]). Seine Lebenskraft brach ab in den Jahren, wo ſeine Schöpfungen dieſer Kraft am meiſten bedurften. Auch Michelangelo ſah nichts vollendet als er ſtarb, doch ſeine Träume, wenn auch hier und da nicht ganz ſo, wie er wollte, ſind nach ihm zur Wirklichkeit geworden. Kurze Zeit nach Schinkels Fortgang dagegen waren alle Bedingungen von Grund aus verändert, unter denen er für ſein Berlin ſeine Pläne ſchuf. Er ahnte nichts von den Bauten, um die es ſich heute handelt: Eiſenbahnhöfe und Hochbahnen, Fabriken, Paläſte großer Induſtrie- und Geldgeſellſchaften, Bureau- und Warenhäuſer, Kais und Kanäle. Ihm war das echte Material verſagt, in dem heute gearbeitet wird. Sein Berlin war arm und menſchenleer. Er wollte es zu ſeinem Ideale einer deutſchen Hauptſtadt erheben, wo Handel und Fabriktätigkeit kaum vertreten ſind, während Univerſität und Akademie neben der im Verborgenen faſt geräuſchlos arbeitenden Staatsmaſchine die entſcheidenden Momente bilden. Heute iſt Berlin die Mitte des durch Eiſenbahnen und Telegraphen feſt zuſammengehaltenen Landes, der Punkt, zu dem die energiſchſten Kräfte von allen Seiten unabläſſig zu Tauſenden zuſtrömen, einer der größten Märkte der Welt, einer der Zentralen der Weltwirtſchaft. Der Potsdamer Platz (Abb. 106), den ſich Schinkel als eine ſtille Lichtung vor dem Urwalde des Tiergartens gedacht hatte, auf dem er ſeine Knaben Ball

Aussteller: Hochbahngesellschaft Berlin.

Stadtgebiet, Bevölkerung und Verkehr der Schnellbahnstädte im Jahre 1908.

Aus der Schrift:
Die Weltstädte und der elektrische Schnellverkehr
von P. Wittig, Königl. Baurat,
Direktor der Hochbahngesellschaft
Verlag von Wilhelm Ernst & Sohn.
Berlin 1909.

Im ganzen sind es heute erst sieben Weltstädte, in denen elektrische Schnellbahnen, zumeist Hoch- und Untergrundbahnen, in größerem Umfange in Betrieb sind. Es sind dies: London, Paris, Berlin, New York, Boston, Chicago, Philadelphia. In diese Reihe der Schnellbahnstädte werden in der nächsten Zukunft durch die Eröffnung im Bau befindlicher Bahnen Hamburg und Buenos Aires eintreten.

Die umstehende Tafel (Abb. 107) gibt eine vergleichende Zusammenstellung über die Größe der Stadtgebiete, das allmähliche Anwachsen der Einwohnerzahl und den Personenverkehr der erstgenannten sieben Städte. Die Diagramme über das Wachstum der Bevölkerung zeigen, daß die Zunahme seit Mitte des vorigen Jahrhunderts besonders stark eingesetzt hat und geben ein Bild von der schnellen Entwicklung der amerikanischen Städte. Die kreisförmigen Flächendiagramme veranschaulichen die Größe des Personenverkehrs. Geben diese Kreise in ihrer Gesamtfläche ein vergleichsfähiges Bild der Summe des Personenverkehrs an sich, so stellen die nach oben gerichteten Ausschnitte den Anteil des elektrischen Stadtschnellbetriebes dar.

Die beigefügte Zahlentabelle faßt die Hauptergebnisse zusammen. Sie läßt u. a. die weitläufige Bebauung amerikanischer Städte mit 4—12000 Einwohnern auf das qkm erkennen, im Gegensatz zu den europäischen Städten mit 30—35000 Einwohnern auf das qkm.

Wird lediglich der elektrische Schnellverkehr ins Auge gefaßt, so ordnet sich die Reihenfolge der Städte nach dessen Größe wie folgt:

	jährlich Millionen Fahrgäste	= %	des Gesamtverkehrs von Millionen
Groß-New York	653	36	1805
Groß-London	380	16	2350
Groß-Paris	260	23	1157
Groß-Boston	180	26	700
Chicago	150	17	900
Philadelphia	140	21	680
Groß-Berlin	45	4 1/2	1000

Die Fahrtenzahl auf den Kopf der Bevölkerung schwankt bei den verschiedenen Städten zwischen 288 und 518 und beträgt im Durchschnitt 354 für das Jahr oder täglich 1 Fahrt.

Stadtbezirke		Gebiet qkm	Zahl der Einwohner auf das qkm	Straßenbahnen	Omnibusse, Droschken. Dampfschiffe.
Groß-London (Polizeibezirk)					
Grafschaft { Innenstadt					
Grafschaft { Außenzone.					
Außenlondon					
Zus.	**7,320**	**1787**	**4 100**		
Groß-New York (Verwaltungsbezirk)					
Manhattan	2,210	50	44 200		
Brooklyn	1,470	125	11 800		
Queens, Bronx, Richmond	0,870	665	1 300		
Zus.	**4,550**	**840**	**5 400**		
Groß-Paris (Seine-Département)					
Stadt Paris	2,800	80	35 000		
Arrondissements St. Denis und Sceaux	1,240	390	3 200		
Zus.	**4,040**	**470**	**8 600**		
Groß-Berlin*) (Erweiterter Postbezirk)					
Stadt Berlin (13 Standesamtsbezirke). .	2,160	65	33 200		
20 benachbarte Vororte	0,985	190	5 200		
6 entferntere südliche Vororte	0,115	55	2 100		
Zus.	**3,260**	**310**			
Chicago	**2,240**	**490**			
Philadelphia	**1,520**	**330**			
Groß-Boston**) (Alt-Boston, Süd-Boston, Roxbury, Charlestown, Chelsea) . . .	**1,350**	**110**			

*) Das unter dem „Zweckverband Groß-Berlin" vereinigte Gebiet wird rd. 352 qkm betragen.
**) Außer dem hier abgegrenzten Begriff „Groß-Boston" gibt es einen weiteren Rahmen, dargestellt durch den soger „Metropolitan District", dessen 39 Gemeinden durch Zweckverbände (Park-, Wasser- und Kanalisationswesen) zusamme sind. Bezogen auf dieses Gebiet, dessen Fläche einen Radius von rd. 16 km hat und dessen Bevölkerung im Jahre 1910 1, lionen Einwohner betrug, ist die Einwohnerzahl auf das qkm bedeutend geringer.

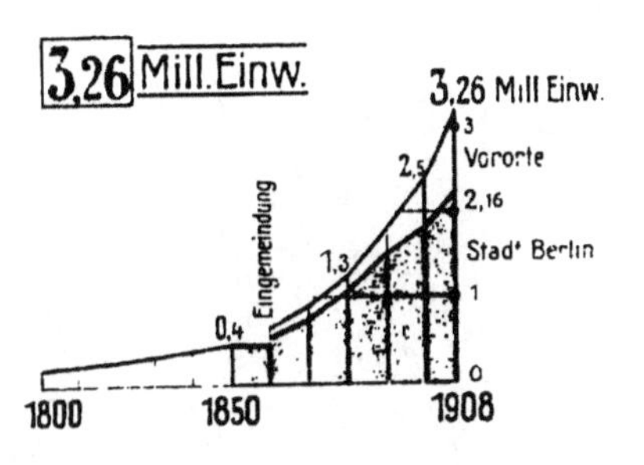

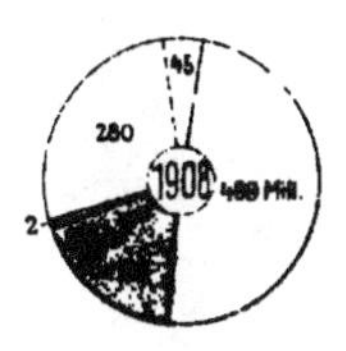

2,24 Mill. Einw.

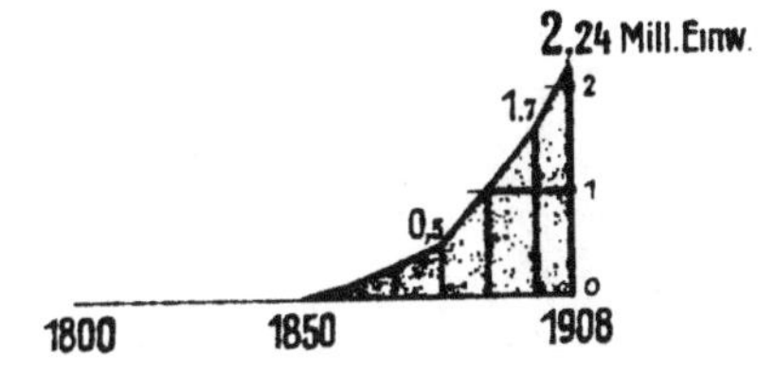

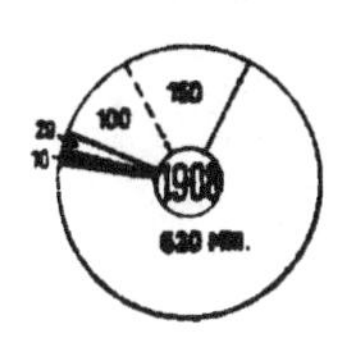

1,52 Mill. Einw.

680 Mill. Fahrten.
448 f d Kopf

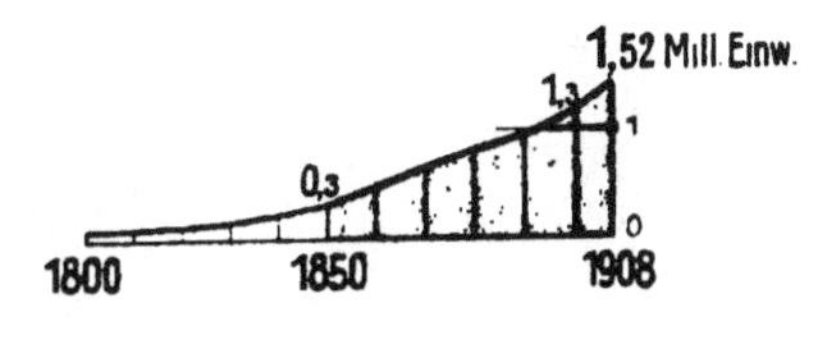

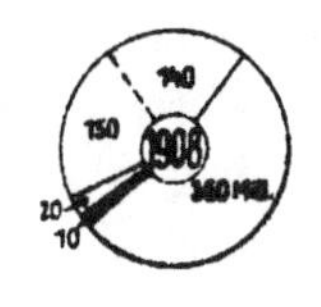

1,35 Mill. Einw.

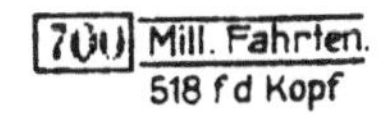

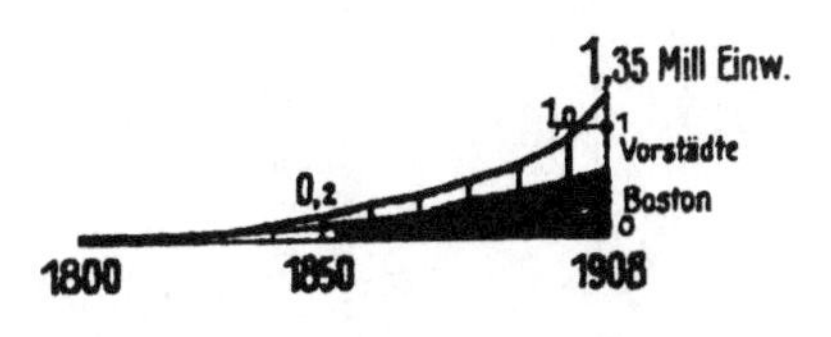

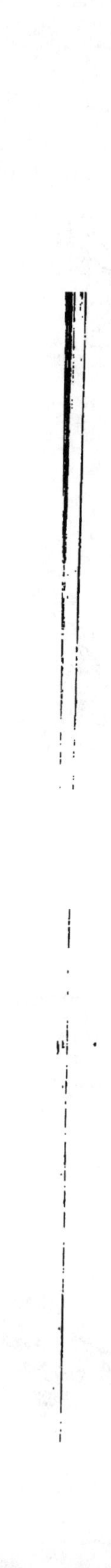

ſchlagen ließ, entwickelt ſich zu einem jener Hexenkeſſel des Verkehrs, wie ſie Paris vor der Großen Oper, London vor der Börſe beſitzt und in denen zu gewiſſen Tagesſtunden ein ungeheures Tohuwabohu von Roſſen, Wagen, dampfenden Automobilſchlünden und bewaffneten Schutzleuten aufbrandet, wie es Schinkel kaum aus der Schlachtenmalerei renaiſſanciſtiſcher Meiſter gekannt haben kann.

Heute iſt Berlin eine Viermillionenſtadt mit den ſchwierigſten wirtſchaftlichen und ſozialen Problemen, mit ſeiner Wohnungsnot, deren Anblick die heilige Schaffensluſt des Künſtlers zu vergiften droht und deren Bekämpfung die Bedeutung der künſtleriſchen Fragen in Schatten zu ſtellen ſcheint. Dieſe Probleme wirtſchaftlich und techniſch zu löſen und künſtleriſch zu überwinden, wird die Aufgabe des Städtebaues der nächſten Jahrhunderte ſein. Dabei darf jedoch die techniſche und wirtſchaftliche Überwindung von der künſtleriſchen zeitlich nicht getrennt werden, um beide muß gleichzeitig gerungen werden; denn auch heute noch, wie zu Michelangelos und Schinkels Zeiten, iſt wahre, frei ſich entwickelnde Kunſt eines der gewaltigen Inſtrumente zur freudigen Organiſation der Geiſter. Das eigentlich Gemeinſame großer Männer, mögen ſie ſich betätigt haben, auf welchem Gebiete ſie wollen, iſt, daß ſie Organiſatoren geweſen ſind. Wenn Berlin auf ſtädtebaulichem Gebiete die Organiſatoren findet, die der neuen Zeit und dem deutſchen Wert gerecht werden, dann wird, wie einſt Rom, Venedig, Paris, für die neue Zeit auch Berlin eines der großen Ziele der Sehnſucht der Welt werden.

Abb. 106. Ausſteller: Profeſſor Bruno Schulz, Hannover*).

Schinkels Entwurf für das Potsdamer Tor (ausgeführt 1823). Am anderen Ende der Leipziger Straße iſt der Turm ſichtbar, den Schinkel dort (am Spittelmarkt) als Blickpunkt erbauen wollte. („Die Form dieſes Turmes, welche oberhalb faſt dieſelbe Breite und Tiefe beibehält, die an der Grundfläche ſtattfindet, wirkt für die Ferne bedeutender durch die in der Luft ſtehende Maſſe, als eine in feiner Spitze ausgehende Form, welches bei der durch die Örtlichkeit beſchränkten geringen Grundfläche hier um ſo weniger anzuwenden war." Schinkel.)

*) Eine Abbildung des von Profeſſor Bruno Schulz, Hannover, mit der Zeichnung von Schinkel ausgeſtellten Entwurfes zur Umgeſtaltung des Leipziger und Potsdamer Platzes wird in dem Kapitel über Verkehrsweſen gebracht werden. Ebenſo werden der zweite und dritte Teil noch verſchiedentlich Berliner Material bringen, das aus techniſchen Rückſichten in die verſchiedenen Kapitel über Verkehrsweſen, Parkweſen uſw. eingeordnet wurde. Dort wird auch Gelegenheit genommen werden, einen Teil der Abbildungen des erſten Teiles im Texte noch beſſer zu würdigen.

Anmerkungen.

1) Siehe die im ſpäter folgenden Abſchnitt über öffentliche Freiflächen mitgeteilte Tabelle, die der „Hauptausſchuß für Leibesübungen in Groß-Berlin“ (Vorſitzender Profeſſor Albrecht) auf der Ausſtellung vorführte. Nach dieſer Tabelle ſind in der Stadt Berlin bei den beſcheidenen Anſprüchen, die der Hauptausſchuß ſtellt, 230 ha Spielfläche nötig, während nur 10 ha dauernd dem Spielzwecke gewidmete Flächen vorhanden ſind. Es fehlen alſo für 220000 Schulkinder Berlins, das ſind 96 % der Geſamtzahl, die nötigen Spielplätze. Ähnlich liegen die Verhältniſſe in den 22 Vororten von Berlin, wo ſtatt 140 ha nur 7 ha Spielplätze vorgeſehen ſind, ſodaß für 133000 Schulkinder, d. h. für 95 % der Geſamtzahl, die Spielplätze fehlen. Nach dieſer Aufſtellung fehlen alſo in Groß-Berlin die Spielplätze für 353000 Schulkinder.

2) Vgl. V. A. Hubers ausgewählte Schriften über Sozialreform und Genoſſenſchaftsweſen, herausgegeben von Dr. K. Munding, Berlin, Verlag der Aktiengeſellſchaft Pionier. Ohne Jahreszahl. Vgl. beſonders: „Über die Elemente, die Möglichkeit oder Notwendigkeit einer konſervativen Partei in Deutſchland.“ Marburg 1841. „Suum cuique in der deutſchen Frage.“ Berlin 1849. Reiſebriefe aus Belgien und Frankreich im Sommer 1854. Hamburg 1855. „Die Machtfülle des altpreußiſchen Königtums und die konſervative Partei.“ Bremen 1862. „Concordia, Beiträge zur Löſung der ſozialen Fragen in zwangloſen Heften.“ 8 Hefte. Leipzig 1861; darin beſonders Heft 2 und 3: „Die Wohnungsfrage“. Mehr als zehn Jahre vorher erſchien bereits: „Concordia, Blätter der Berliner gemeinnützigen Baugeſellſchaft“, vom 1. Mai 1849 bis Neujahr 1850. Berlin. „Die Selbſthilfe der arbeitenden Klaſſen durch Wirtſchaftsvereine und innere Anſiedlung.“ Berlin 1848.

3) Dieſe Forderungen Hubers ſind vielfach verwandt denen, die 1886 der ſpätere Finanzminiſter Miquel und Guſtav von Schmoller aufgeſtellt haben; vgl. S. 73.

4) Vgl. „Das Arbeiter-Quartier in Mülhauſen im Elſaß. Ein Gang durch deſſen Entſtehung, Einrichtung und Geſchichte, unter Berückſichtigung der vorzüglichſten damit verbundenen Anſtalten zum Wohle der Arbeiterklaſſe“. Ein Beitrag zur Löſung der ſozialen Frage von Mart. Schall, Diviſionspfarrer der 31. Diviſion. Mit mehreren Plänen. Berlin 1876. Dieſe unter dem Motto: „Laß dich nicht das Böſe überwinden, ſondern überwinde das Böſe mit Gutem“, Römer 12, 21 ſtehende Schrift iſt im März 1877 im Auftrage eines „Freundes der arbeitenden Klaſſen“ von der Verlagsbuchhandlung an einflußreiche Männer Berlins verſandt worden mit einem Aufruf für die Unterſtützung ähnlicher Unternehmen durch das Reich zu wirken. Man hat bei dieſem „Freunde der arbeitenden Klaſſen“ vielleicht an Arminius (vgl. S. 62 ff.) zu denken.

5) Wohl jedes Mitglied der modernen Baugenoſſenſchafts- oder Gartenſtadtbewegung wird verſichern können, daß die gute Sache ſteht und fällt mit der oft ſo ſchwierigen Aufbringung der erſten Kapitalien. „In allen Baugenoſſenſchaften, die nicht einen gewinnbringenden, vielmehr einen ſozialen Zweck verfolgen, iſt die Geldbeſchaffung bekanntlich fortwährend der ſpringende Punkt, die ſtetig ſich wiederholende Sorge des Vorſtandes“. Dies iſt eine Feſtſtellung, wie ſie z. B. in der von Profeſſor Albrecht und Dr. Altenrath herausgegebenen „Zeitſchrift für Wohnungsweſen“, dem Organ zahlreicher bedeutender Vereine zur Förderung der gemeinnützigen Bautätigkeit, vielfach zu finden iſt. Ganz ähnlich dachte Schulze-Delitzſch, der bekannte Anwalt der deutſchen Erwerb- und Wirtſchaftsvereine. In einer Volksverſammlung führte er 1872 aus: „Nur großartige Unternehmungen können hier in Berlin die Abhilfe der Wohnungsnot bringen, ſolche aber müſſen im Beginn mit großartigen Mitteln in Angriff genommen werden. Mit Kapitalanſammlung in zehn oder zwölf Jahren kann hier die Wohnungsnot nicht beſeitigt werden; wir müſſen ſofort große Kapitalien zur Verfügung haben, wenn wir zu einem gewünſchten Reſultat gelangen wollen.“ Er wollte darum für das Wohnweſen die Vereinigung von Kapitalgenoſſenſchaften als Unternehmern mit Perſonalgenoſſenſchaften als Kunden ſowie die Heranziehung von ſtillen Geſellſchaftern. Siehe Engel, Die moderne Wohnungsnot, S. 32 f., Leipzig 1873.

6) Sohn des Statistikers Staatsrat J. G. Hoffmann.

7) C. W. Hoffmann in „Die Wohnungen der Arbeiter und Armen", erstes Heft: Die Berliner gemeinnützige Baugesellschaft, Berlin 1852, S. 26. Auf Seite 32 dieser (in Druck, Papier und Abbildungen sehr anziehend ausgestatteten) Denkschrift finden sich auch die oben zitierten Worte, mit denen sich Wilhelm I. so entschieden für den Baugenossenschaftsgedanken ausgesprochen hat. Er verlegte allerdings sehr bald seine Residenz nach Koblenz, aber auch von dort aus nahm er noch regen Anteil an der Berliner Baugenossenschaft. Von Koblenz aus schrieb er an den Vorstand der Baugenossenschaft die bedeutsamen Worte, die am Kopfe von Seite 81 wiedergegeben sind.

8) Huber denkt an die vorübergehende Zurückdrängung dieses Einflusses durch die Ereignisse des Jahres 1848.

9) Viktor Aimé Huber, Die Wohnungsfrage, S. 41. Seite 1062 f. der oben, Anm. 2, zitierten Ausgabe von Dr. K. Munding.

10) Die Bedeutung dieses vorzüglichen Planes springt um so mehr in die Augen, wenn man hört, daß im Jahre 1841 ein in dem Berliner Architekten-Verein gemachter Vorschlag, unter die dort monatlich zu stellenden Preisaufgaben auch Entwürfe zu besserer Einrichtung von Arbeiterwohnungen aufzunehmen, abgelehnt wurde, weil eine solche Aufgabe zu wenig architektonisches Interesse biete.

11) Siehe Erich Marcks, Biographie Wilhelm I. in Band 42, S. 562 der Allgemeinen deutschen Biographie, Leipzig 1897.

12) Es ist von berufener Seite die Anschauung vertreten worden, daß die allgemeine Einführung der Mietkaserne von vornherein auf bewußter Absicht beruht habe. Vielleicht müssen aber Äußerungen, wie z. B. Baurat Hobrechts Verteidigung der Mietkaserne aus dem Jahre 1868 (siehe seine Schrift: Über öffentliche Gesundheitspflege, Stettin 1868, S. 13 f.), doch mehr als nachträgliche Entschuldigungen aufgefaßt werden, und es ist wahrscheinlicher, wenn man den Berliner Bebauungsplan mit völliger Ahnungslosigkeit der Planverfertiger erklärt. Der Berliner Bebauungsplan ist so unfaßbar ungeheuerlich, daß über sein Zustandekommen die Zeugnisse der Zeitgenossen gesammelt werden müssen, wie die Aussagen über ein großes unbegreifliches Naturereignis. Die folgenden Äußerungen des hochverdienten Begründers und langjährigen Leiters der „Deutschen Bauzeitung" (gegründet 1867), Professor K. E. O. Fritsch, der einen zuverlässigen Überblick über die Persönlichkeiten und Strömungen jener Zeit besitzt, sind deshalb von dem größten Interesse; sie werden mit der gütigen Erlaubnis ihres Urhebers hier veröffentlicht. „Die Vorgänge bei Aufstellung des Bebauungsplanes denke ich mir etwa wie folgt: Als sich in den 50 er Jahren des 19. Jahrhunderts die Bautätigkeit in den Außenbezirken Berlins wieder etwas zu regen begann, kam man zu der Einsicht, daß man sich mit der Festsetzung partieller Bebauungspläne nicht länger genügen lassen könne, sondern daß es zweckmäßiger sei, nunmehr einen einheitlichen Bebauungsplan für des gesamte Weichbild der Stadt aufzustellen. Wie es scheint, ist dieser Gedanke im Schoße der Staatsbehörden entstanden, die es als ihre Obliegenheit betrachteten, ihn zu verwirklichen. Der Weg, den man zu diesem Zwecke einschlug, ist allerdings für die damaligen Verhältnisse Preußens sehr charakteristisch. In Österreich, wo etwa gleichzeitig die durch Auflassung der alten Festungswerke ermöglichte Stadterweiterung Wiens in Frage kam, war man darauf bedacht, zunächst Ideen für die Aufstellung des betreffenden Planes zu sammeln, indem man zu diesem Zwecke einen öffentlichen Wettbewerb ausschrieb. Ein Weg, der seither schon öfter gewählt worden ist und noch heute als der beste gilt. In dem damaligen Preußen würde die Staatsbehörde geglaubt haben, durch ein derartiges Vorgehen ein Armutszeugnis sich auszustellen. Von seiten der höchsten Instanz wurde der zuständigen Behörde, dem Berliner Polizeipräsidium, daher einfach der Auftrag zur Aufstellung eines Bebauungsplanes erteilt und hier wurde dieser Auftrag, wie jeder andere, als „Nummer" erledigt. Nur daß das nicht im gewöhnlichen Geschäftsgange geschah, sondern daß man für diesen besonderen Zweck einen befähigten jüngeren Baubeamten, den Baumeister James Hobrecht, engagierte. Ein Verfahren, dem es etwa entsprochen hätte, wenn man z. B. die Ausarbeitung des Deutschen Bürgerlichen Gesetzbuches einem Assessor gegen zwei Thaler Diäten übertragen hätte. — Inwieweit der Bebauungsplan des Jahres 1861 das alleinige geistige Eigentum Hobrechts war oder ob noch andere Persönlichkeiten daran Anteil haben, weiß ich ebensowenig, wie ich angeben hann, welche Vorstudien für die Aufstellung des Planes gemacht worden sind und welche Vorbilder für ihn benutzt wurden. Nur in bezug auf die beiden für die Art der späteren Bebauung wichtigsten Punkte, die Bemessung der Straßenbreiten und die Größe der Baublöcke, kann es keinem Zweifel unterliegen, daß man sich dabei einfach an das in den älteren, auf Grund eines Bebauungsplanes entstandenen Stadtteilen Berlins (der Friedrichstadt, der Friedrich-Wilhelmstadt und dem Köpenicker Viertel) gegebene Vorbild angelehnt hat. Daß durch diesen Plan das System der Mietskaserne auch auf die neuen Stadtteile übertragen werden mußte, hat man sich schwerlich klargemacht. Daß bei Aufstellung des Bebauungsplanes von 1861 Rücksichten auf die durch ihn bedingten Art des Häuserbaues, geschweige denn fiskalische Interessen mitgespielt haben sollten, halte ich für völlig ausgeschlossen." Über die Frage des fiskalischen Interesses wird Herr Prof. Fritsch vielleicht nach Kenntnisnahme der in Anm. 13 zusammengestellten Tatsachen anders urteilen. Der innige Zusammenhang, der zwischen Bebauungsplan, Wohnwesen

und Mietskaserne besteht, wird zum ersten Male angedeutet von Faucher in der Schrift: „Die Bewegung für Wohnungsreform“ aus der Vierteljahrsschrift für Volkswirtschaft und Kulturgeschichte, III. Jahrg. 1865, Berlin 1866, angedeutet (z. B. auf Seite 196). (Diese Schrift mit ihrer scharfen Brandmarkung der Schäden der Mietskaserne war wohl Hobrecht schon bekannt, als er seine Rechtfertigung der Mietskaserne schrieb.) Den Zusammenhang zwischen Bebauungsplan und Mietskaserne zum erstenmal in klarer Weise erkannt und dargelegt zu haben, ist wohl ein Verdienst, das Dr. Ernst Bruch auf Seite 77 seiner Schrift: „Berlins bauliche Zukunft und der Bebauungsplan, Berlin 1870“, mit Recht für sich in Anspruch nimmt. Es verdient jedoch hier die bereits im Jahre 1869 erschienene Schrift von Dr. Emil Sachs genannt zu werden, „Der Neubau Wiens im Zusammenhang mit der Donau-Regulierung; ein Vorschlag zur gründlichen Behebung der Wohnungsnot, Wien 1869“, die auch im Anschluß an Fauchers Schriften ein großartiges Stadterweiterungsprojekt im modernsten Sinne für Wien vorschlägt.

13) **Begründung der Vermutung, daß die Aufstellung des Berliner Bebauungsplanes im wesentlichen eine fiskalische Maßregel darstellt.** Als Quellen wurden benutzt: Ludwig von Rönne, Die Baupolizei des Preußischen Staates usw., Breslau 1854; F. C. A. Grein, Baurecht, Berlin 1863; Bruch, Berlins bauliche Zukunft, 1870, und Doehl, Repertorium des Baurechts und der Baupolizei, 1857 (letzterer jedoch nur zitiert nach Bruch). Es muß zuerst ein Blick auf die städtebauliche Rechtslage in Preußen vor jener Zeit geworfen werden. Der Zustand verhältnismäßiger Ruhe im Städtebau, der vor dem Hereinbrechen der Industrialisierung in Berlin herrschte, ergibt sich aus der Tatsache, daß die städtebaulichen und namentlich die baupolizeilichen Verhältnisse bis zum Jahre 1853 großenteils durch eine Bauordnung geregelt wurden, die aus dem Jahre 1641 stammte, und die ergänzt wurde durch eine Verordnung aus dem Jahre 1763, sowie die sich anschließenden „Spezial-Bau-Observanzen für Berlin“. Diese drei Rechtsquellen blieben sogar nach dem Jahre 1853 noch in Kraft für alle Fragen des Nachbarrechts (wie z. B. Traufrecht, Fensterrecht usw.), die ja auch den Städtebau in mancher Richtung beeinflussen. Die mannigfaltigen und verwickelten Fragen der Baupolizei wurden bei dem Anwachsen der Bautätigkeit im Jahre 1853 endlich durch die „Baupolizei-Ordnung für Berlin und dessen Baupolizei-Bezirk“ neu geregelt. Durch diese Baupolizei-Ordnung blieben aber wesentliche städtebauliche Rechtsfragen, namentlich die Rechtslage bei der Beschränkung des Eigentumsrechtes (namentlich die Beschränkung des Baurechtes) im Interesse der Durchführung des Bebauungsplanes ungeklärt. Nach § 32 des alten Landrechts konnte eine Beschränkung des Eigentums (also des Baurechts) nur durch Gesetz begründet werden, und nach § 31 mußte der Staat für die vollständige Schadloshaltung des einzuschränkenden Eigentümers sorgen. Ein solches Gesetz, das nötig gewesen wäre, um Bauland zur Durchführung des städtischen Straßennetzes für unbebaubar zu erklären, ist aber erst 1875 geschaffen worden. Wie aus einer Entscheidung des Ministeriums des Innern aus dem Jahre 1840 hervorgeht (Ministerialblatt der inneren Verwaltung 1840, Seite 345, Nr. 615, zitiert nach Rönne), war man in Berlin beim Bau neuer Straßen auf die unentgeltliche Ablassung des Straßenterrains durch die an der Aufschließung ihres Terrains interessierten Grundbesitzer angewiesen. Waren die Grundbesitzer dazu nicht geneigt, so bestand, wie das Ministerium in der angezogenen Entscheidung feststellt, für die Stadtgemeinde keine Verpflichtung, das Straßenterrain käuflich zu erwerben, noch konnte der Stadtgemeinde eine solche Verpflichtung durch die Polizeibehörde auferlegt werden. Im Gegenteil war nach Ansicht hervorragender Rechtslehrer jener Zeit (siehe F. C. A. Grein, Baurecht, Seite 45 ff.) derjenige zur Entschädigung verpflichtet, von dem die Versagung der Bauerlaubnis ausging. Die nach dem allgemeinen Landrecht (§ 67) erforderliche Bauerlaubnis sowie ihre Verweigerung gingen durch die Polizeibehörde vom Staat aus, es war also der Staat der in erster Linie Entschädigungspflichtige, der dann seinerseits versuchen konnte, seine Verpflichtung auf die Kommunen abzuwälzen, wozu ihm aber nach Stand der Gesetzgebung sowie der sonstigen Organisation keine recht geeigneten Mittel zur Verfügung standen. Durch die neue Preußische Verfassungsurkunde vom Januar 1850 wurde das Recht der freien Verfügung über das Grundeigentum noch einmal eingeschärft. Als nun das Anwachsen der Berliner Bevölkerung und der Bautätigkeit anfing, höhere Bodenpreise zu bringen, stellten sich bald Schwierigkeiten bei der Gewinnung des nötigen Straßenlandes ein. Das Polizeipräsidium sah sich daher vor die Alternative gestellt, den Fiskus zur Zahlung für die Straßen zu bewegen oder ein Mittel zu finden, die Entschädigungspflicht auf die Kommune abzuwälzen. Als ein Versuch hierzu in der letzteren Richtung ist wohl der Erlaß des Handelsministeriums vom 12. Mai 1855 über die Aufstellung städtischer Bebauungspläne anzusehen. Die Initiative bei der Aufstellung dieser Bebauungspläne wurde „in Anbetracht des anerkannten vorwiegenden Interesses der Kommunalbehörden und der größeren Wirksamkeit der Einwirkung derselben auf die Beteiligten“ den Kommunen überlassen. In Zukunft sollten es also die Kommunen sein, die die Bebauung des Straßenlandes verhinderten, und die also auch dafür zahlen mochten. Diesem Versuch, die Initiative des Bebauungsplanes nebst ihren Lasten den Kommunen abzutreten, stand in Berlin aber eine Kabinettsorder vom Jahre 1843 entgegen, die ausdrücklich für Berlin und Potsdam die Anlegung neuer oder die Veränderung vorhandener Straßen jederzeit von der unmittelbaren Genehmigung des Königs abhängig machte, wozu wohl der kategorische § 10 der neuen Berliner Bauordnung von 1853 („die Fluchtlinie für

Gebäude und bauliche Anlagen an Straßen und Plätzen wird von dem Polizeipräsidium bestimmt") als Ausführungsbestimmung anzusehen ist. Trotz des Erlasses von 1855, der die Initiative zur Beschaffung des Fluchtlinienplanes den Kommunen gewährte, hielt das Berliner Polizeipräsidium an der Auffassung fest, daß ihm das Recht zustehe, Straßen und Plätze nach eigenem Ermessen zu projektieren, da dies ja gleichbedeutend sei mit der Festsetzung von Baufluchtlinien. Als die zunehmende Bautätigkeit zu einer Erweiterung der aus den dreißiger Jahren vorliegenden Pläne zwang (vgl. S. 108), lehnte der Fiskus sogar das Ansuchen des Polizeipräsidiums, wenigstens die Kosten der Aufstellung — nicht der Durchführung — des von der Polizei zu bestimmenden Fluchtlinienplanes zu tragen, ab, ließ die Sache einige Jahre ruhen und beauftragte dann, trotz des Erlasses von 1855, das Polizeipräsidium im Jahre 1858 einen allgemeinen Bebauungsplan aufzustellen und forderte gleichzeitig den Berliner Magistrat auf, die entstehenden Kosten zu tragen. Das Polizeipräsidium fand also Mittel, sich die Planaufstellung zu sichern, die Kosten aber für die Planaufstellung sowohl wie für die gesetzlich notwendigen Entschädigungen für das Straßenland der Stadt Berlin zuzuschieben. Der so geschaffene Zustand entbehrte jedoch der erforderlich gesetzlichen Fundamente, es war also zu seiner Aufrechterhaltung auch in Zukunft einige Umsicht oder, besser gesagt, eine weiche Hand des Polizeipräsidiums nötig. Das Gefährliche der Sachlage war das Vorhandensein dieses gesetzlichen und in keiner Weise beschränkten Anspruchs auf Entschädigung der Grundbesitzer für von ihnen geopfertes Straßenland. Die Aufgabe der Verwaltung wäre es gewesen, diesen Anspruch gesetzlich aufzuheben oder die in ihm liegenden Gefahren zu umgehen. In letzter Linie waren es ja weder Staat noch Gemeinde, die das Straßenland für die neuen Straßen hätten bezahlen sollen, sondern bei der herrschenden großen Bautätigkeit bedeutete die Hergabe des Straßenlandes für den Grundbesitzer ein geringes Opfer, das er gerne zu bringen bereit gewesen wäre, wenn ihn nicht die antiquierten Gesetzesparagraphen eines anderen belehrt hätten. Auch hätte mit Hilfe des naheliegenden Auswegs, vor der definitiven Feststellung des Planes Verhandlungen mit den interessierten Grundeigentümern einzuleiten, nötigenfalls auch die Konkurrenz beim Kauf der Grundstücke wirken zu lassen, noch vom Polizeipräsidium trotz der unglücklichen Rechtslage noch vieles in der Richtung einer Durchführung des Bebauungsplanes in öffentlichem Interesse getan werden können. Das aber hätte Verständnis und wirkliche Teilnahme für die Zukunft Berlins bei einer Behörde vorausgesetzt, die augenscheinlich nur fiskalische Interessen vertrat. Um nicht für die Kosten des neu aufzustellenden Bebauungsplanes aufkommen zu müssen, Kosten, die, nebenbei gesagt, damals auf 12000 Taler veranschlagt wurden, hatte man die brennende Frage mehrere Jahre ruhen lassen; um die Kosten der Entschädigung für Straßenland zu vermindern und aus allgemeiner Gedankenlosigkeit scheute man vor der Kumulierung der größten Übel nicht zurück: Der im Auftrage des Handelsministeriums vom Polizeipräsidium ausgearbeitete Bebauungsplan ging nämlich an Schädlichkeit noch weit über das hinaus, was bei einer genauen Befolgung des Erlasses von 1855 zu fürchten gewesen wäre. Nachdem das Polizeipräsidium es verstanden hatte, die Entschädigungspflicht auf die Gemeinde abzuwälzen, hatte es bei der Planausarbeitung kein Interesse daran, sich an diejenige Bestimmung des Erlasses von 1855 zu halten, die den Bebauungsplan nur für die ‚Befriedigung des voraussichtlichen Bedürfnisses der näheren Zukunft' aufgestellt wissen wollte, und die einen für beträchtliche Ausdehnung entworfenen Plan ausdrücklich ablehnte. Statt dessen wurde ein Plan aufgestellt, der nach den Worten eines Reskriptes des Handelsministeriums vom 2. August 1862 auf ein Jahrhundert hinaus berechnet war. Aber auch diese „Großzügigkeit hätte segensreiche Folgen haben können, wenn sie vernünftig gehandhabt worden wäre, nämlich in dem Sinne, wie es die erste Generalversammlung der Deutschen Architekten- und Ingenieurvereine im Jahre 1874 in ihrem zweiten Leitsatze, entsprechend dem Referat von Professor Baumeister-Karlsruhe, gefordert hat: daß nämlich nur die Haupt-Verkehrslinien festgelegt und dadurch die künstliche Bodenwertsteigerung in den Gebieten zwischen den Hauptverkehrsstraßen vermieden würde. In der Tat, wenn der Bebauungsplan sich auf die Hauptverkehrsstraßen beschränkt und diese Straßen obendrein noch über ein sehr großes Gebiet (je größer, desto besser; das war auch eine von Baumeister 1874 stark betonte Tatsache) zerstreut sind, entbehrt die Spekulation viele der Anhaltspunkte, die zu ihrem verhängnisvollen Vorgehen in bestimmten Richtungen nötig sind. Im Gegenteil kumulierte das Polizeipräsidium die beiden Übel und schaltete den jedem Übel entsprechenden Vorteil aus: es beschränkte sich nicht auf die Feststellung der Hauptverkehrslinien, sondern entwarf ein detailliertes Straßennetz, es beschränkte dann obendrein dieses Detailstraßennetz nicht auf die „Befriedigung der näheren Zukunft", sondern gab der Spekulation die ihr nötigen „Tips" auf die nächsten hundert Jahre hinaus. Es wurde also hier amtlich der für das Wirksamwerden der Bodenspekulation erforderliche „schmale Ring" geschaffen, dessen Schäden Jul. Faucher seit den 60er Jahren immer aufs neue gegeißelt hat, und dessen Gefahren neuerdings K. v. Mangoldt mit seiner „Theorie des schmalen Randes" klargestellt hat, und es wurden dann ebenfalls amtlich alle Schäden dieses „schmalen" Rings auf ein für hundert Jahre vorhaltendes Gebiet übertragen. Zur Erreichung des vom Polizeipräsidium, wie es scheint, einzig angestrebten Ziels, nämlich der, auch für die später Betroffenen schmerzlosen Abwälzung der nach dem Allgemeinen Landrecht und der Ministerialentscheidung von 1840 zu Recht bestehenden Entschädigungsansprüche für geopfertes Straßenland, eine Abwälzung, die nach der Rechtslage auch den schließlich Betroffenen mundgerecht gemacht werden mußte, war der eingeschlagene Weg gar nicht so schlecht. Nach der schon oben erwähnten Erläuterung des Bebauungsplanes durch das Reskript des Handelsministeriums vom 2. August 1862 erwartete man nämlich von der Gemeinde nicht, daß sie wirklich wesentliche Ansprüche für geopfertes Straßenland werde zu befriedigen haben, sondern man hoffte, daß es der „fortdauernden Fürsorge" der Residenzstädte Berlin und Charlottenburg gelingen werde, anderweitig eine „den Privatinteressen der Einwohner wie den öffentlichen Interessen in gleicher Weise Rechnung tragende Durchführung des Bebauungsplanes" zu finden. Die Bodeninteressenten, die ja auch in den Stadtparlamenten stark vertreten waren, hatten nach der Behandlung, die ihnen vom Polizeipräsidium zuteil geworden war, wirklich allen Grund, sich freundschaftlich abfinden zu lassen: an Hand der neuen Bauordnungen von 1853 und des Bebauungsplanes, der ja vorschriftsmäßig öffentlich bekannt gemacht werden mußte, konnte sich jeder Bodenbesitzer in einem weit über die Grenzen des Weichbildes von Berlin hinaus reichenden Gebiete im einzelnen die Gewinne ausrechnen, die er und seine Rechtsnachfolger zu machen von Gott bestimmt waren, und die ihm das Berliner Polizeipräsidium garantierte. Der Berliner Magistrat hat selber diese Lage folgendermaßen geschildert (in seinem Schreiben vom 23. Oktober 1871, an den Minister für Handel, Gewerbe und öffentliche Arbeiten): „Die Ausarbeitung des Bebauungsplanes für Berlin — richtiger des Straßenplanes von Berlin —, ohne daß diese Straßen wirklich angelegt wurden, hat eine große Zahl von Flächen zwar nicht der Bebauung erschlossen, denn die Straßen existierten nur auf dem Papier, wohl aber hat er den Inhabern dieser Flächen Veranlassung gegeben, Baustellenpreise dafür zu fordern, und er hat somit zur Preissteigerung der Baustellen wesentlich mitgewirkt." Auf diese Weise waren alle Teile befriedigt: der Staat und die Gemeinden hatten keine Entschädigungen für Straßenland zu zahlen und die Grundbesitzer fuhren gut dabei; nur das öffentliche Interesse, vertreten durch die 3 Millionen Menschen, die sich auf dem vom Polizeipräsidium bearbeiteten Gebiet in Bälde ansiedelten, blieb unberücksichtigt.

14) Dieser Erlaß ist in der Schrift Ernst Bruchs auszugsweise wiedergegeben nach Doehl, „Repertorium des Baurechtes und der Baupolizei" S. 75 ff.

15) Ausführliches hierüber siehe in Dr. Paul Voigt's „Grundrente und Wohnungsfrage in Berlin und seinen Vororten", Jena 1901, besonders S. 37 f.

16) Siehe Dr. Clauswitz: „Die Städteordnung von 1808 und die Stadt Berlin. Festschrift zur hundertjährigen Gedenkfeier der Einführung der Städteordnung." Berlin 1908. S. 241.

17) Vgl. das Referat von Dr. C. J. Fuchs im Verein für Sozialpolitik, Septbr. 1901, S. 26.

18) In dem verhältnismäßig kleinen Kreis von Leuten, „dessen Interessen überhaupt über den gemeinsten, frivolsten Egoismus hinausgehen", findet Huber „ein ausschließliches Erfülltsein mit den eigenen Ideen, Plänen und Bestreben, wobei ein wirklicher guter Wille und Eifer doch mit einem sehr hohen Grad von Hochmut, Eitelkeit und Selbstüberschätzung Hand in Hand geht". „Dies", setzt er hinzu, „war schon früher die Berliner Signatur, die aber seit 1866 aufs höchste gesteigert ist. Die Leute können sich nicht denken, daß sie von irgend jemand noch etwas Neues lernen können, sondern setzen voraus, daß jeder nur kommt, um sie zu hören und zu bewundern." Soweit eine gewisse Konnexität zwischen unserer und ihrer Sache stattfindet, wird es heißen: „Das alles wissen wir besser!" Darüber hinaus aber wird es heißen: „Das gehört nicht hierher. Ich kenne das alles aus eigener Erfahrung und würde Sie nur mit großer Sorge dort auftreten sehen, wo auch Ihre Gemüts- und Gefühlswärme, Ihre ganze Art, die Sache zu behandeln, durch den Gegensatz der scharfen, kühlen Berliner Weise nicht ohne schmerzliche Eindrücke für Sie bleiben dürften, und zwar ohne Frucht für die Sache." Vgl. Ausg. Werke S. XCV. Wer hätte nicht auch heute noch von Berliner Kämpfern, die in aufopferungsvoller Arbeit für im öffentlichen Interesse liegende Aufgaben grau geworden sind, ganz ähnliche Klagen gehört?

19) So wurden damals z. B. die Bemühungen des Fabrikanten Engels für seinen „Bauverein für die Armen" mit der Ausrede vereitelt, daß eine Unterstützung des „Bauvereins" die Entwickelung der „gemeinnützigen Baugesellschaft" beeinträchtigen würde. Vgl. Arminius, Die Großstädte usw., S. 124.

20) Diese Kapitulation Hubers kam auf dem siebenten Kongreß deutscher Volkswirte, in Hannover 1864 zum Ausdruck, dem ersten Kongreß, auf dem die Wohnungsfrage auf der Tagesordnung stand, wobei Huber das Referat erstattete. Bei dem Einfluß, den diese volkswirtschaftlichen Wanderversammlungen in anderen Fragen auf die Gesetzgebung des Norddeutschen Bundes ausgeübt haben, ist die praktische Ergebnislosigkeit dieser an sich so bedeutsamen Verhandlungen über die Wohnungsfrage ein Zeichen für das Mißgeschick, das die Entwickelung dieses Problems verfolgte. Auch der achte (1865) und neunte (1867) Kongreß verhandelten über dieselbe Frage. Auf der ersten Versammlung des Vereins für Sozialpolitik (also der Kathedersozialisten) 1872 in Eisenach sagte Engel: „Von geschichtlichem Interesse für die heutige Versammlung dürfte es sein, daß auf dem Kongresse zu Nürnberg (1865) von verschiedenen Rednern Ansichten dargelegt wurden, die heute ausgesprochen, ihnen unfehlbar den Ruf von ‚Kathedersozialisten' verschaffen würden." Auf der Tagesordnung der hochbedeutsamen Eisenacher Ver-

sammlung stand dann wieder neben Schmollers Referat über Arbeitseinstellungen und Gewerkvereine und neben Brentanos Referat über die deutsche Fabrikgesetzgebung die Wohnungsfrage mit Geh. Oberregierungsrat Dr. Engel, Direktor des Königl. Preuß. Statistischen Bureaus, als Referent. Bezeichnenderweise konnte, genau wie es in der Folgezeit auch in der praktischen Entwickelung geschehen ist, die Wohnungsfrage aus Mangel an Zeit nur noch ganz zuletzt und ziemlich flüchtig behandelt werden. Engels vorzügliche Schrift „Die moderne Wohnungsnot" ist die erweiterte Form seines damals gehaltenen Vortrages. Adolf Wagner hat die damalige Stellungnahme der Eisenacher Versammlung, also auch Engels, zur Wohnungsfrage sehr gut folgendermaßen charakterisiert: „Damals liefen die Ansichten in der Theorie und in der Praxis vorwiegend darauf hinaus, nur nicht irgendwie dem Privateigentumsprinzip zu nahe zu treten! Und daraus leitete man die Notwendigkeit und Rechtfertigung ab, mit dem Grundeigentum wie mit einem gewöhnlichen Gegenstand spekulieren zu können." (Adolf Wagners „Wohnungsnot und städtische Bodenfrage." Referat, erstattet auf der elften Hauptversammlung des „Bundes der Deutschen Bodenreformer", Seite 10 und 11.) Also immer noch der Standpunkt der „überwiegenden Rücksicht auf das Eigentum der Beteiligten", den der Erlaß von 1855 eingenommen hatte. Im Gegensatz zu dieser noch beinahe manchesterlichen Stellungnahme muß betont werden, daß der radikale Freihändler Faucher schon 1865 im Interesse der schnellen und sicheren Befriedigung des Wohnungsbedürfnisses, sehr kathedersozialistisch die Enteignung alles erforderlichen Grund und Bodens vorgeschlagen hat. Ohne daß Faucher also die Handhabung dieser Angelegenheit unter den Hohenzollerschen Städtebauern gekannt zu haben scheint, forderte er, ganz im Widerspruch zu den bei einem Freihändler vermuteten Dogmen, eine Behandlung des Grund und Bodens, die ganz der Auffassung der Hohenzollern des 17. und 18. Jahrhunderts und dem Monopolcharakter des Bodens entsprach. Vgl. Motto S. 68, auch S. 70 f.

21) Julius Faucher verdient einen Ehrenplatz im Herzen jedes guten Berliners. Er war einer der „Sieben Hippelschen", denen Theodor Fontane in „Von Zwanzig bis Dreißig" ein Denkmal setzt, und die aus der Berliner Erinnerung nicht verschwinden dürfen; „denn", wie Fontane sagt, „Berlin hat kaum jemals — natürlich den einen Großen abgerechnet, der um jene Zeit noch die Elbedeiche revidierte — interessantere Leute gesehen, als diese ‚Sieben'." Ähnlich wird Faucher persönlich von Fontane gelobt: „Mit Ausnahme von Bismarck — von diesem dann freilich in einem guten Abstand — wüßte ich keinen Menschen zu nennen, der die Gabe geistreichen und unerschöpflichen Plauderns über jeden Gegenstand in einem so eminenten Grade gehabt hätte, wie Faucher. Er schwatzte nie bloß drauflos, jeder Hieb saß," Fontane schildert sehr anschaulich die monatelang fortgesetzten täglichen und nächtlichen Studienreisen, die Faucher mit ihm zur Erforschung Londons unternommen hat, und von denen man wissen muß, um Fauchers genaue Kenntnis Londoner Wohnungsverhältnisse zu würdigen, die aus seinen Schriften spricht. Im Zusammenhang mit den später noch zu beleuchtenden Verheerungen, die die Spekulationswut der Gründerzeit im Berliner Wohnungswesen angerichtet hat, verdient auch die letzte Unterredung Fontanes mit Faucher aus dem Sommer 1872, also vor dem Krach, erwähnt zu werden, von der Fontane folgendes berichtet: „Auf die fünf Milliarden (die französische Kriegsentschädigung) war er schlecht zu sprechen. ‚Ja,' sagte er, ‚wenn ich sie hätte, das ginge, das könnte mich damit versöhnen. Aber Deutschland hat nichts davon. Für Deutschland sind sie nichts Gutes, sie ruinieren uns.'" Faucher ist 1878 gestorben.

22) Julius Faucher in „Die Bewegung für Wohnungsreform". I, S. 177.

23) Das klassische Beispiel für den von Faucher geschilderten Vorgang dürfte wohl Wien sein, das in einem späteren Abschnitt noch ausführlich gewürdigt werden wird. Der Fauchersche Gedanke, daß die Mietkasernen die Folge eines mit einer militärischen Notwendigkeit zusammenhängenden Übelstandes sind, trifft aber auch für Berlin durchaus zu, vgl. S. 101—103.

24) Julius Faucher in: „Die Bewegung für Wohnungsreform I." Vierteljahrsschrift III. Jahrg., S. 196.

25) Preußische Jahrbücher 1874, S. 295.

26) Vgl. hiermit Engels Ausführungen von 1872: Auf zwei Meilen im Umkreise von Berlin ist sämtliches Land in die Hände der Bauspekulation übergegangen. S. 31.

27) Eine ähnliche Steuerhinterziehung, die natürlich durchaus auf legitime Weise erfolgt, die aber nichtsdestoweniger im Bodenwerte kapitalisiert zum Ausdruck kommen muß, ist in der Tatsache zu erblicken, daß reiche Berliner Vororte bedeutend niedrigere Steuern erheben als selbst Berlin. Einer der Referenten auf der Generalversammlung des Vereins für Sozialpolitik 1911 stellte die Tatsache fest, daß der Besitzer eines eine gewisse Höhe erreichenden Vermögens bei einem Umzug z. B. von Berlin nach Grunewald eine Villa im Werte von mehreren 100 000 Mark infolge der geringeren Steuern, die er in Zukunft zu zahlen hat, sozusagen gratis erwerben kann. Kein Wunder, daß die Nachfrage nach Grundbesitz im Grunewald kaufkräftig ist und daß der Preis der Quadratrute von rund 150 Mark im Jahre 1890 auf beinahe 1000 Mark im Jahre 1910 steigen konnte. Andreas Voigt muß deswegen feststellen: „in der Kolonie Grunewald spekuliert jetzt beinahe alles; es gibt hier kaum eine populärere Erwerbstätigkeit. Wenn auch gelegentlich in den Salons in den Grunewaldvillen die theoretische Frage nach der ethischen Berechtigung der Terrainspekulation aufgeworfen wird, so steht doch ihre praktische Bejahung längst außer jedem

Zweifel. Der Terrainbesitz gilt als die solideste und einträglichste Sparkasse, der man seine Kapitalien zuführen kann. Angehörige aller Berufe haben eine größere oder kleinere Anzahl Baustellen zum Zwecke gewinnreicher Wiederveräußerung erworben. Neben den erwerbs- und gewohnheitsmäßigen Spekulanten haben wir hier Amateurspekulanten in selten großer Zahl, die der Terrainspekulation im Grunewald ihr eigentümliches Gepräge verleihen" (vgl. Anm. 89).

28) Die Frage, ob die Besteuerung nach dem gemeinen Wert vom Grundbesitzer auf den Mieter abgewälzt werden kann oder nicht, ist auf der Generalversammlung des Vereins für Sozialpolitik am 9. Oktober 1911 in Nürnberg behandelt worden. Der Referent über Fragen der Gemeindebesteuerung, Professor Dr. Lotz, stellte fest, daß die Frage mit wissenschaftlicher Genauigkeit noch nicht beantwortet werden kann, weil noch nicht genügende Untersuchungen gemacht worden sind. Es liegt jedoch die zwar noch nicht einwandfrei bewiesene, aber auch in keiner Weise widerlegte Annahme nahe, der auch die meisten Redner auf der Generalversammlung zuzuneigen schienen, daß die Steuer tatsächlich, wie Faucher annimmt, nicht in Gestalt von gesteigerten Mieten auf den Mieter abgewälzt werden kann. Weil die Höhe der Miete durch andere Faktoren bestimmt wird und vom Vermieter unter allen Umständen, d. h. mit oder ohne Steuer nach dem gemeinen Wert, so hoch wie unter den Verhältnissen möglich, angesetzt wird. Von einem der Redner wurden auch zwei rheinische Städte verglichen, bei denen die durchschnittlichen Mietsätze in der Stadt, die eine starke Steuer nach dem gemeinen Wert erhebt, geringer sind als in der anderen, wo eine solche Steuer nicht besteht (vgl. Anm. 90).

29) In Amerika auch des unbebauten Grund und Bodens, was bei der gewaltigen Höhe der Steuersätze eine heilsame Beeinträchtigung der Bodenspekulation bedeutet. In England kann der Wert auch der unbebauten Grundstücke nicht höher steigen, als seinem späteren, durch die Mietssteuer geschmälerten Ertrage entspricht.

30) Der Ausdruck „Gartenvorstädte" wird verschiedentlich von Faucher angewendet.

31) Siehe Hobrechts Schrift über „Öffentliche Gesundheitsfrage", Stettin 1868, Seite 13f., zitiert nach Eberstadt.

32) Hobrecht selber vermeidet das Wort „Mietskaserne" keineswegs.

33) Diese sogenannte erste Wiener Stadterweiterung wurde in dem größten und schönsten Modell der Städtebau-Ausstellung veranschaulicht.

34) Faucher, „Die Hypothekennot in Norddeutschland", V. f. Volksw. Bd. XX. 1868, S. 116.

35) Vgl. Jul. Faucher, „Die zehnte Gruppe auf der internationalen Ausstellung in Paris". Vierteljahrsschr. f. V., Bd XVIII und XIX, und Dr. E. Reichardt, „Die Grundzüge der Arbeiterwohnungsfrage", Berlin 1885, S. 14.

36) Die Ausdrücke „Baustellenmonopol" und „Wohnungsfeudalismus" sind hier niemals agitatorisch, sondern stets nur historisch zu verstehen; es handelt sich dabei wie bei dem Worte „Wohnungsnot" und „Mietskaserne" um in die Literatur jener Zeit fest übernommenen Spezialausdrücke, die auch von den ruhigsten Beobachtern gebraucht wurden. Als Beispiel sei hier genannt der bekannte Statistiker Geh. OberReg.-Rat, Direktor des Kgl. Preuß. Stat. Büros, Dr. Engel, siehe seine Schrift: „Die moderne Wohnungsnot, Signatur, Ursachen und Abhülfe". In der Einleitung dazu heißt es: „Der trockene Inhalt eines Berliner Mietkontraktes kennzeichnet besser den in den Großstädten herrschenden Wohnungsfeudalismus, als es die farbenreichste Beschreibung zu tun vermöchte."

37) In Dr. Ernst Bruchs Schrift: „Berlins bauliche Zukunft und Bebauungsplan". Besonderer Abdruck aus der Deutschen Bauzeitung, Berlin 1870.

38) Faucher über „Häuserbau-Unternehmung im Geiste der Zeit". S. 61. Hierzu auch Anmerkung 50 (aus Bruch über Hamburg-Uhlenhorst).

39) Siehe von Carstenn-Lichterfelde: „Die zukünftige Entwicklung Berlins". Berlin 1892. S. 1 f. Aus derselben Quelle stammen die oben folgenden Zitate.

40) Engel, Wohnungsnot. S. 17.

41) Siehe den „Plan vom zukünftigen Berlin nach den Entwürfen von Carstenn-Lichterfelde", den er seiner Schrift: „Die zukünftige Entwicklung Berlins", beigegeben hat. Dieser Plan hebt die von Carstenn angelegten Straßen hervor und zeigt den außerordentlich großen Einfluß, den Carstenn auf den Groß-Berliner Bebauungsplan gewonnen hat.

42) Abgedruckt bei Voigt: „Grundrente und Wohnungsfrage in Berlin und seinen Vororten." Jena 1901. S. 219. Aus derselben zuverlässigen Quelle stammen die weiter unten folgenden Angaben über die Gewinne und Anlagekosten des Kurfürstendammes.

43) Die Behandlung, die Carstenn bei diesem Prozesse seitens des Fiskus erfuhr, hat Graf Roon, der damals (1878) nicht mehr Kriegsminister war, wohl sehr milde als „bureaukratische Kaltherzigkeit der Behörde" gegen „den großartigen und splendiden Unternehmer" gekennzeichnet; siehe Roons Immediateingabe an den König vom 14. Dezember 1878, abgedruckt in der „Cronik von Groß-Lichterfelde", von Paul Lüders. Groß-Lichterfelde 1901. Carstenn, der dafür vom Könige den Namen „von Carstenn-Lichterfelde" erhielt, hat 1871 dem Militärfiskus die 18852 Quadratruten geschenkt, auf denen die Groß-Lichterfelder Kadettenanstalt steht, und hatte sich außerdem zu einer ganz außerordentlichen Menge von weiteren Leistungen, wie Kanalisation, Wasser-, Gas- und Telegraphenleitung, Pflasterung, ja Schenkung eines Kapitals von 135000 Mark

für verschiedene Zwecke und zu anderem mehr verpflichtet. Diese Verpflichtungen wurden dann später vom Fiskus in der rigorosesten Weise ausgelegt, und während die Entwicklung Lichterfeldes infolge der furchtbaren Krisis der Gründerjahre schwer darniederlag, wurde Carstenns Grundbesitz vom Fiskus auf dem Wege der Subhastation zum verschwindend kleinen Teil seines Wertes erworben. Die ganze Angelegenheit Carstenns, der das Vertrauen Roons und auch des alten Kaisers wohl verdient zu haben scheint, macht den Eindruck einer Tragödie. Sicher verdient von Carstenn einen Ehrenplatz unter den Berlinern Städtebauern. Er liegt begraben im Schatten der reizenden alten Dorfkirche von Lichterfelde.

44) Dr. Eduard Wiß: „Über die Wohnungsfrage in Deutschland." Berlin 1872. Verlag Mayer & Müller, und die „Vorschläge und Versuche der Privatwirtschaft, dem Mangel an kleinen und gesunden Wohnungen in den großen Städten abzuhelfen", in Volkswirtschaftl. Vierteljahrsschrift Jahrg. XXIV. II. Für alles Westend Betreffende ist hier in erster Linie Wiß Gewährsmann, für die übrigen Angaben über die Gründerperiode Voigt, „Grundrente" usw., und Engel, „Wohnungsnot" usw. In zweiter Linie auch Otto Glagau „Der Börsen- und Gründungsschwindel in Berlin." Gesammelte und stark vermehrte Artikel der „Gartenlaube". Leipzig, Verlag von Paul Frohberg, 1876.

45) Wiß fährt fort „Da ich bloß mit der Verwaltung und nichts mit der Finanzierung zu tun hatte und ich H. Quistorp nicht zwingen konnte, das Nötige zu tun, willigte ich endlich in die Liquidation der Genossenschaft ‚Deuscher Zentralbauverein' ein. Das Resultat war außer voller Erledigung aller Verpflichtungen, einschließlich der Kapitaleinlagen der Genossen, eine Dividende für diese von 15%. Daraufhin errichtete Quistorp die Aktiengesellschaft desselben Namens, die zuletzt das Schicksal der übrigen von ihm gegründeten Gesellschaften erfuhr."

46) Engel, „Wohnungsnot", S. 20. „Nach der Zeit ihrer Gründung entfallen sechs auf die Zeit von 1848 bis Juni 1870, sechs von da bis Ende Mai 1871, die übrigen auf die spätere Zeit. Ihr Aktienkapital beläuft sich insgesamt auf 34700000 Taler." „Die am 19. Februar 1872 gegründete Berliner Bauvereinsbank hat bis zum 22. Juni 1872 von ihrem Areal von 8,015 Quadratruten à 140 Taler Einkaufspreis pro Quadratrute 1,379 Quadratruten für 471,260 Taler, also 342 Taler pro Quadratrute verkauft. Der „Tiergartenbauverein" kaufte die Quadratrute mit 90 Taler und verkaufte sie mit 252 Taler. Der Bauverein ‚Königsstatt' erwarb die Quadratrute mit 83⅓ Taler und verkaufte sie mit 264 Taler. Der Aktienbauverein ‚Tiergarten' machte sogar unter dem 15. Februar 1872 bekannt, daß er von seinem Besitze, dem 6400 Quadratruten umfassenden Park Birkenwäldchen, ca. 3300 Quadratruten verkauft und daran bis dato (die Gesellschaft wurde am 12. Januar 1872 gegründet), also in ca. vier Wochen, einen Gewinn von 330000 Taler realisiert habe. Die Land- und Baugesellschaft auf Aktien in Lichterfelde erfreute die Aktionäre mit der Mitteilung, daß sie von ihrem 1250 Morgen großen zu 1775000 Taler oder zu 1420 Taler pro Morgen gekauften Areal 309⅛ Morgen mit einer Brutto-Avance von 498733 Taler verkauft habe. — So sind Hunderttausende von Quadratruten Bauterrain in der Umgegend von Berlin gekauft und wieder verkauft worden, an welchen für die ersten glücklichen Verkäufer viele Millionen von Talern hängen blieben." Angesichts dieser Zahlen versteht man die Antwort, die Mephistopheles dem plötzlich reich gewordenen Narren gibt; der Narr rief aus: „Heut abend wieg' ich mich im Grundbesitz", und der Teufel antwortete: „Wer zweifelt noch an unseres Narren Witz?" „Welche solchen Gewinnen äquivalente Arbeit ist hierfür geleistet worden?", fährt Engel fort. „Welche Nachteile entspringen nicht aus so hohem Zwischengewinn den künftigen Bewohnern der Häuser, die auf solchen verteuerten Baustellen gebaut werden? Müssen sie nicht die Verzinsung der jetzt von wenigen so leicht gewonnenen Millionen auf ihre Schultern nehmen, ohne je wieder davon entlastet zu werden? Jedes Hundert Taler pro Quadratrute belastet dauernd eine Familienwohnung von ca. zehn Quadratruten in einstöckigen Häusern mindestens mit 50—60, in zweistöckigen mit 25—30, in dreistöckigen mit 17—20 Taler jährlichen Mietzins," d. h. unter anderem: die Geschoßhäufung wird erzwungen.

Von den Gründungen der Fieberjahre 1871 und 1872 entfällt ein sehr großer Teil auf „Baubanken", die im Jahre 1872 der Zahl nach die erste, dem Kapital nach die zweite Stelle einnehmen. Es wurden in Berlin gegründet:

	1871		1872	
	Zahl	Kapital: Mill. Mark	Zahl	Kapital: Mill. Mark
Insgesamt Unternehmungen	89	583,6	167	633
Davon Banken und Kreditanstalten	21	201,1	14	119
Baubanken	5	70	35	124,3
Eisenbahngesellschaften	3	181,5	6	164

Nach „Berlin und seine Eisenbahnen 1846—1896" herausgegeben im Auftrage des Preußischen Ministers der öff. Arb. Berlin 1896. Bd. I, S. 11.

47) „Die Wohnungsnot der ärmeren Klassen in deutschen Großstädten und Vorschläge zu deren Abhilfe. Gutachten und Berichte, herausgegeben im Auftrage des Vereins für Sozialpolitik." Leipzig, Verlag Duncker & Humblot, 1886. 2. Bd. Dr. G. Berthold, Berlin: „Die Wohnungsverhältnisse in Berlin, insbesondere die der ärmeren Klassen." S. 230 und 232.

48) Voigt, „Grundrente" usw. S. 119/120.

49) Voigt, „Grundrente." S. 127.

50) In Oberbürgermeister Hobrechts Vorlage befindet sich auch folgende Feststellung: „Manche ungünstige Verhältnisse haben dazu beigetragen, daß die Regulierung und Pflasterung der Straßen, besonders in den äußeren Vorstädten, hinter dem Bedürfnisse zurückgeblieben und daß dadurch die Baulust in diesem beeinträchtigt wurde." Diese Beeinträchtigung steigerte nicht nur die Wohnungsnot der minder Bemittelten, sondern lastete auch in drückendster Weise auf den Bestrebungen zur Verbesserung der Wohnungsverhältnisse der oberen Schichten. In Bruchs „Berlins bauliche Zukunft" (S. 77) findet sich folgendes Schlaglicht auf diese Übelstände. „Man hat ja an dem Kielganschen Projekt der Bebauung des innerhalb des Weichbildes zwischen der Potsdamerstraße und dem Zoologischen Garten belegenen Terrains Beweis genug dafür, wie man derartigen gemeinnützigen Unternehmungen nutzlos erschwerte Existenzbedingungen stellt. Auf dem gesamten, dem Unternehmer gehörigen, sehr bedeutenden Areal durfte ein Fundament zu einer Villa nicht eher gelegt werden, als bis die im Bebauungsplan vorgesehenen, bekanntlich gerade hier besonders breiten Straßen und riesenhaften Plätze mit großem Kapitalaufwande vollständig freigelegt, entwässert und auch zum größten Teile gepflastert waren. Demgegenüber versetze man sich z. B. nach der berühmten Uhlenhorst bei Hamburg, wo man sich mit sehr schmalen, dem geringen, rein familiären, nicht geschäftlichen Verkehr entsprechenden ungepflasterten Wegen behilft. Dort wird man dafür, oder vielmehr gerade deshalb die ausgedehntesten, reizendsten Villenanlagen finden, die sich jährlich in ganz ungezwungener Weise vermehren, während hier der fonds perdu der „großartigen" Straßenanlagen in der außerordentlich langsamen Entwicklung der Bebauung sich in bedauernswertester Weise bemerklich macht." Vgl. auch Baumeisters Ausführungen S. 59.

51) Diese Darstellung Engels (Wohnungsnot S. 56) macht um so mehr Anspruch auf Zuverlässigkeit, als Engel in dieser Angelegenheit nicht Partei ist, sondern eine vermittelnde Stellung zwischen Magistrat und Stadtverordneten-Versammlung einnimmt.

52) Übervölkert hieß im damaligen statistischen Sinne eine Wohnung, die ohne oder mit einem heizbaren Zimmer sechs und mehr Bewohner hatte, oder eine Wohnung mit zwei heizbaren Zimmern, die zehn und mehr Bewohner aufwies. Vgl. die folgende Anmerkung.

53) Vgl. „Die Wohnungsnot der ärmeren Klassen usw.", herausgegeben im Auftrage des Vereins für Sozialpolitik 1886. II. Bd., Seite 226. Berthold nennt eine Wohnung übervölkert, wenn mehr als zwei Personen in einem heizbaren Zimmer (die nicht heizbaren halb gerechnet), mehr als vier Personen in zwei heizbaren Zimmern wohnen.

54) Vgl. hierzu die interessanten Ausführungen von A. E. Brinckmann in „Deutsche Stadtbaukunst in der Vergangenheit", Frankfurt a. M. 1911, S. 14 ff., über verwandte Anlagen besonders in Crossen, das nach dem Feuer von 1708 vom König Friedrich I. wieder aufgebaut worden ist, unter prächtiger, künstlerischer Verwertung der alten städtebaulichen Gedanken.

55) Der ganze Plan war übersät mit über 100 Platzmonstren bis mehr als ein Viertel Kilometer im Quadrat, von denen viele den Dönhoffplatz viermal in sich aufnehmen konnten, in allen denkbaren regelmäßigen und unregelmäßigen Konfigurationen. Viele wurden später ausgemerzt, viele sind ausgeführt worden oder sollen es noch werden; als Platz zu groß, als Park zu klein, als geschlossener Square nicht respektiert (z. B. Savigny-Platz), als Spielplatz nicht organisiert und auch nicht genügend abgelegen vom Verkehr. Vgl. Abb. 3.

56) Um diese Platzgruppe in ihren stolzen Abmessungen zu würdigen, konsultiere man: „Neuester Bebauungsplan von Berlin mit nächster Umgebung und Angabe der Weichbild- und Polizeibezirksgrenzen im Maßstabe von 1 : 12500. Berlin, Verlag der S. Schroppschen Landkarten-Handlung (L. Beringuier), 1865. Lith. von C. Birk, akadem. Künstler", dessen Reproduktion die Abb. 3 darstellt.

57) Der leitende Techniker der Potsdamer Bahn war ein Bruder des ausschlaggebenden Ministerialdirektors für Handel, Gewerbe und öffentliche Arbeiten, so daß das im Städtebau so unumgängliche Zusammenarbeiten der verschiedenen Instanzen, nachdem es ursprünglich versäumt war, nachträglich erleichtert wurde (!).

58) Um die schädlichen Nebenwirkungen dieser mit Plätzen überladenen Ringstraße zu ermessen, vergleiche man die Bruchschen Ausführungen in der zweiten Hälfte von Anm. 50.

59) Vgl. Leitsätze des Geh. und Oberbaurat Dr.-Ing. J. Stübben (Berlin-Grunewald) zu Punkt 6 der Tagesordnung: „Erleichterung des Baues von Kleinhäusern durch Bebauungsplan und Bauordnung"; aus dem Bericht über die XII. Generalversammlung des Rheinischen Vereins für Kleinwohnungswesen am 27. November 1909 zu Düsseldorf.

60) Es ist interessant, einen Vergleich anzustellen zwischen den Wirkungen, den diese „Pyromanie" in Deutschland einerseits und in Amerika andererseits hatte. Während die strengen feuerpolizeilichen Anforderungen in den deutschen Städten zur Mietkaserne führten, führten die

Bauordnungen der amerikanischen Städte, wo die strengen feuerpolizeilichen Anforderungen nur an Gebäude gestellt werden, die höher als drei Geschosse sind und wo der Boden dank der Besteuerung des unbebauten Bodens nach dem gemeinen Werte billiger ist, zum Siege des Kleinhauses. Mit Ausnahme der Insel New-York kennen die amerikanischen Städte Wohnhäuser mit mehr als drei Geschossen nur in der Form des „apartment-house", das mit seiner hocheleganten Ausstattung ausschließlich für die wohlhabenden Schichten bestimmt ist, während selbst die schlimmsten Einwandererviertel von Boston und Chicago höchstens dreigeschossige Häuser aufweisen.

61) Wenn man nach dem Grunde dieses unbegreiflichen Vergessens forscht, erhält man von den Zeitgenossen jener Epoche den Bescheid, Bruch habe sich unmöglich dadurch gemacht, das er in seiner Schrift die Einführung des sechseckigen Blocks (zur Vermeidung der Straßenkreuzungen) ernsthaft in Erwägung gezogen hat. Man ahnte wohl damals nicht, daß die später vorübergehend zur Herrschaft gelangende romantische Städtebauschule sogar zwiebelförmig gestaltete Häuserblocks, nicht nur diskutierte, sondern gang und gäbe machen sollte.

62) Die Bewegung für Wohnungsreform I, S. 183.

63) Stenographischer Bericht über die Verhandlungen in den Haupt-Abteilungs-Sitzungen der ersten Generalversammlung der Deutschen Architekten- und Ingenieurvereine vom 23. bis 26. September 1874 zu Berlin. Berlin 1875. S. 16. Über diese Versammlung, auf der in erster Linie über „Grundzüge für Stadterweiterungspläne nach technischen, wirtschaftlichen und polizeilichen Beziehungen" verhandelt wurde, bei welcher Gelegenheit Baumeister Orth das Coreferat zum Referat von Professor Baumeister-Karlsruhe übernommen hatte, vgl. S. auch S. 61 und Anm. 13.

64) Es ist interessant, festzustellen, daß der Stadtbahngedanke wohl nicht nur auf Londoner Anregungen zurückgeht. Es war nämlich für die von Orth besuchte Pariser Weltausstellung das Projekt einer Pariser Stadtbahn vom Bois de Boulogne über Trocadéro nach dem Platz der Bastille im Zuge der großen Boulevards aufgestellt worden, mit Anschlußgleisen an die Linie der Westbahn auf dem linken Seineufer, an den Bahnhof St. Lazare im Norden und an die Bahnhöfe von Vincennes und Lyon im Osten. Sie war zum großen Teil als Unterpflasterbahn gedacht. Der von der Societé financière damals veröffentlichte Plan (Chemin de fer de la Bastille au Trocadéro et au Bois de Boulogne par les grands Boulevards pour desservir l'Exposition. Concession demandée par la Societé Financière de Paris) gibt ein Bild, das mit dem von Orth einige Jahre später für Berlin gemachten Entwurfe mancherlei Ähnlichkeit hat.

65) Das Schreiben findet sich abgedruckt in Engel „Die Wohnungsnot", S. 40 bis 45, und auszugsweise in Gutachten und Berichten, herausgegeben im Auftrage des Vereins für Sozial-Band II. S. 228 f.

66) Man vergleiche hiermit das heute für die Beamten der Stadt obligatorische Wohnen innerhalb der Stadtgrenze.

67) Dies ist vor der Hausse der Gründerjahre geschrieben.

68) Siehe Berlin und seine Eisenbahnen. I. S. 236 ff.

69) Die Pariser Ringbahn nahm in dem damals viel volkreicheren Paris mit dichtbebauten Außengebieten schon beinahe die Stellung einer Durchmesserbahn an, die die Berliner Ringbahn jetzt auch zu gewinnen anfängt.

70) Ernst Bruch schreibt darüber a. a. O. S. 71: „Es ist wieder ein eklatanter Beweis von der Zerfahrenheit der amtlichen Kompetenzen bei der Verwaltung der Stadt Berlin, daß von dieser hochwichtigen, die eigentlichsten städtischen Interessen am tiefsten berührenden Angelegenheit die städtischen Behörden nicht eher Kenntnis erhalten haben, als bis das ganze Projekt schon fix und fertig vorlag. Der Stadtverordnetenversammlung ist unseres Wissens überhaupt noch gar keine prinzipielle Mitteilung über diese Bahn zuteil geworden, wenigstens ist in dem offiziellen Organ der Kommunalverwaltung davon nichts ersehen." Beim späteren Bau der Stadtbahn ging es, wie Baumeister mitteilt, ebenso. Vgl. S. 59.

71) Vgl. „Berlin und seine Eisenbahnen." Bd. II. S. 242.

72) Vgl. Karl Braun-Wiesbaden: „Von Berlin nach Leipzig." Leipzig 1880. S. 36 f. Braun stellt einen Vergleich zwischen Konstantinopel, Bukarest und Berlin an in bezug auf die Entwicklung der Trambahn, nachdem er die drei Städte hintereinander bereist hat.

73) Bemerkungen über Transportmittel und Wege sowie über Gestaltung und Verwaltung des Eisenbahnwesens nach Maßgabe der Verhältnisse und Bedürfnisse von Hartwich, Wirkl. Geh. Ober-Reg.-Rat a. D., Mitglied der Kgl. Techn. Baudeputation. Berlin, Verlag von Ernst & Sohn, 1875. S. 13.

74) Diese Tunnels waren in einem der größten Modelle der Städtebau-Ausstellung vorgeführt. Näheres und Abbildung siehe Kapitel über Verkehrswesen.

75) Vgl. „Berlin und seine Eisenbahnen." Bd. I. S. 131 f.

76) Da die Stadtbahn für sich allein genommen eine der frequentiertesten großstädtischen Hochbahnen der Welt ist, liegt kein Grund vor, daß sie nicht allen billigen Forderungen nach Rentabilität gerecht werden sollte; wenn sie trotzdem nicht rentabel ist, wäre die Ursache zu suchen teils in ihrer Verbindung mit weniger rentablen oder unrentablen Linien (Vorortverkehr und Ringbahn), teils in der von der Verwaltung eingeschlagenen Tarifpolitik. Die Politik niedriger

Tarife aus sozialen Gründen wäre sicher im Interesse der Gesamtheit zu begrüßen gewesen, wenn die Stelle, von der sie eingeschlagen wird, zu diesen niedrigen Tarifen das gesamte umfangsreiche Schnellverkehrsbedürfnis der Großstadt zu befriedigen entschlossen gewesen wäre. Das war jedoch nicht der Fall. Nachdem man einen Berechnungsmodus aufgestellt hatte, nach dem sich wider Erwarten Stadt- und Ringbahn bei der eingeschlagenen Bewirtschaftungsweise als „unrentabel" erwiesen, überließ man den dringend erforderlichen Weiterausbau dieses als unrentabel gebrandmarkten Geschäftszweiges anderen Instanzen, d. h. den Gemeinden oder Privatgesellschaften. Dieser Weg mußte sich jedoch auf Jahrzehnte hinaus als ungangbar erweisen, erstens weil aus den schon erwähnten Gründen großstädtische Schnellbahnen am billigsten im Zusammenhang mit den großstädtischen Fernbahnanlagen gebaut werden können, zweitens weil (wie auch das auf Seite 43 ff. mitgeteilte Schreiben des Magistrats von 1871 feststellte) die Stadt Berlin keine Macht und die Berliner Stadtverordneten (Hausbesitz) kein Interesse hatte, Bahnen außerhalb ihres Gebietes zu bauen, und weil drittens Privatgesellschaften wegen der „gemeinnützigen" Tarifpolitik der konkurrierenden Staatsbahnen nur schwer „rentabel" (bei lokalen Privatgesellschaften ist das Wort wirklich am Platze) arbeiten konnten. Die als sozial und gemeinnützig gedachte Tarifpolitik auf der Stadt- und Ringbahn wirkte, weil sie einerseits nicht allen Schnellverkehrsbedürftigen zugute kam und andererseits den schnellen Ausbau des Schnellbahnnetzes durch andere (private Gesellschaften und Kommunen) erschwerte, geradezu gemeingefährlich; statt des Sinkens der Bodenpreise, das von allen Seiten (z. B. Berliner Magistrat, August Orth) von der schleunigen Entwicklung zahlreicher bis ins Herz der Stadt vordringender radialer Linien erhofft wurde, schaffte der nur in beschränktem Maße entwickelte Schnellverkehr mit gemeinnütziger Tarifpolitik für die davon profitierenden Grundbesitzer ein Monopol, das zu verdauen, d. h. sich in gesteigerten Bodenpreisen aufwiegen zu lassen, keine plötzliche Ausdehnung des Schnellverkehrssystems in andere Himmelsrichtungen hinderte. Hatte Orth mit Recht von der schnellen Durchführung seines Stadtbahngedankens hoffen können, daß nachher „nicht mehr überall diese entsetzliche Sparsamkeit im Grund und Boden eintreten müsse, welche gerade in Berlin das gute und angenehme Wohnen so erschwert", so hatte diese nur teilweise Ausführung des Orthschen Gedankens zur Folge, daß „diese entsetzliche Sparsamkeit" auch in den von der Stadt- und Ringbahn berührten Vororten einriß. Statt daß Berlin durch eine in Orthschem Sinne ausgebaute Stadtbahn mit einem Kranz von Gartenstädten umgeben wurde, hat die verzögerte Entwicklung des Berliner Schnellverkehrssystems beigetragen zur Einkeilung Berlins in fünfgeschossige Steinmassen, deren Übelstände sich von den in Berlin bekämpften wenig unterscheiden, sowie zur Entwicklung der Berliner Spezies von Gartenstadt, in der nachweislich ein Viertel aller Wohnräume im Keller liegt. Vgl. Muthesius' Ausführungen S. 85 und Anm. 101.

77) August Orth: „Berlin und seine Zukunft." Festrede, gehalten am Schinkelfest 1875. S. 55.

78) „Berlin und seine Eisenbahnen." Bd. I. S. 315.

79) „Berlin und seine Eisenbahnen." Bd. I. S. 319/320. Wer sich heute an dem Gedanken der direkten Linie der Stadtbahntrassierung stoßen sollte, weil sie durch das zwischen Tiergarten und Landwehrkanal gelegene Viertel führt, muß sich erinnern, daß durch die heutige Führung und durch den Packhof derselbe Schaden im Norden angerichtet worden ist, der im Süden vermieden wurde. Gerade das ans Schloß Bellevue angrenzende Gebiet des rechten Spreeufers war vom Königlichen Hofmarschallamte, welchem das meiste Terrain in jener Gegend gehörte, für eine elegante Villenkolonie ausersehen worden, die sich dort in unmittelbarer Nähe der damals beliebtesten Promenade am Spreeufer, die bereits anf dem Stich von Chodowiecki als „la première promenade de Berlin" bezeichnet wird, wunderbar hätte entwickeln können, ein Gedanke, der nach Anlage des Packhofes und der Stadtbahn begraben werden mußte. Vgl. hierzu auch Bruchs Ausführungen S. 69 seiner Schrift. Man darf weiter nicht vergessen, daß selbst Orth, ebenso wie Hartwich, die sich in ihrem für die Leistungsfähigkeit einer Privatgesellschaft zugeschnittenen Projekten bereits für eine Linienführung entschlossen hatten, die ungefähr der heutigen entspricht, die Bahn an der kritischen Stelle als Unterpflasterbahn führen wollten.

80) So sind, um ein Beispiel zu nennen, die ungezählten Millionen von spekulativen Bodengewinnen, die die Stadtbahn in der Villenkolonie Grunewald ermöglicht hat, und auf die Orth unter anderem gerechnet hat (er dachte ferner an eine Kolonisation in der Jungfernheide für bescheidenere Wohnungsansprüche) zur Finanzierung der Bahn nicht herangezogen worden. Erst 37 Jahre nachdem Orth die Anregung gegeben hat, brachte die Eröffnung der Untergrundbahn nach Westend eine Verwirklichung des gesunden Orthschen Vorschlages, die aus dem Bahnbau zu erwartenden Bodengewinne dem Bahnbau dienstbar zu machen, indem die Neuwestend-Gesellschaft (Deutsche Bank) und der Forstfiskus Zuschüsse zur Finanzierung der Bahn leisteten.

81) „Denkschrift über eine Reorganisation der Stadt Berlin", S. 37. Im Anschluß hieran beleuchtet Orth die schildbürgerliche städtebauliche Organisation Berlins durch folgenden Passus: „Sollte bei den städtischen Behörden und Vertretungen aber hierfür noch der nötige Entschluß und die nötige Energie sich finden, so läßt sich hoffen, daß bei denjenigen Behörden, welche soeben die neue Königsbrücke zu einer Zeit beendigt haben, wo die Zuschüttung des Grabens, worüber sie führt, beginnen soll (!), sich Großherzigkeit

genug findet, um nicht ein im Interesse der Stadt notwendiges Unternehmen aus einer gewissen Empfindlichkeit zu hintertreiben, weil man dann eine Ersparung dieser Kosten wohl für geeigneter hätte halten können."

82) Vgl. Bericht über die Gemeindeverwaltung der Stadt Berlin II. 1861—76, S. 38 ff., und 1877—81, S. 59 ff.

83) Für die künstlerische Ausgestaltung des Übergangs über die Museumsinsel hat Orth sehr beachtenswerte Vorschläge gemacht in seinem 1884 im „Zentralblatt der Bauverwaltung" erschienen Aufsatze: „Die Bebauung der Museumsinsel."

84) Siehe Clauswitz in „Die Bau- und Kunstdenkmäler in Berlin", S. 64, und P. Voigt a. a. O., S. 31.

85) Berlin, Verlag von J. Guttentag, 1873.

86) Abgedruckt im „Zentralbl. d. Bauverwaltung" 14. Mai 1898.

87) Bezeichnend für das Interesse, das die als ganz hervorragend zu bezeichnenden Schriften Orths in Berlin gefunden haben, ist die Tatsache, daß die beiden Denkschriften von 1871 und 1873, die zusammen mit der Schinkelrede von 1875 im selben Jahre in Buchform unter dem Titel: „Zur baulichen Reorganisation der Stadt Berlin" veröffentlicht wurden, bis heute noch nicht vergriffen sind. Obgleich der Gedanke des Orthschen Zentralbahnprojektes auch in seiner verstümmelten Ausführung der Stadt Berlin noch unendlichen Segen gebracht hat, wurde der „Urheber beiseite geschoben, ohne die geringste Anerkennung und selbst ohne Vergütung für seine der Sache gewidmeten umfangreichen eigenen Arbeiten und die von ihm bestrittenen bedeutenden Bureauauslagen zu finden". Siehe: „August Orth, ein Lebensbild von Gustav Ebe", Architekt. Berlin 1904. Verlag von Wilhelm Ernst & Sohn.

88) Geh. und Oberbaurat Prof. Dr. Rudolf Baumeister hat auf der Allgemeinen Städtebauausstellung einen Entwurf zur einheitlichen Bebauung der Elbgegend zwischen Altona und Wedel ausgestellt. (Eine Abbildung wird einem späteren Teile beigegeben.) Der Entwurf faßt acht bisher getrennt gehaltene Landgemeinden zusammen und bringt somit zu einem gewissen Grade die im oben gegebenen Zitate vorgeschlagenen Grundsätze zur Anwendung.

89) Aber selbst in diesem Punkte versagte das Gesetz. So führt der Verwaltungsbericht der Stadt Berlin (von 1861—76, II, S. 48) folgendes aus: „Abgesehen von der Vorschrift, daß die Adjazenten bei einer Straße von mehr als 26 m Breite nicht für mehr als 13 m herangezogen werden können — hat die Bestimmung, nach welcher die Zahlung der von den Adjazenten zu leistenden Beiträge erst gefordert werden kann, sobald Gebäude an derselben errichtet werden, der Gemeindeverwaltung eine ungünstigere Position gegeben. Denn während nach den früheren Bestimmungen die Wiedereinziehung der Kosten alsbald nach Vollendung der Pflasterung von allen Adjazenten erfolgen konnte, gelangt die Verwaltung jetzt erst sehr allmählich, je nachdem die Bebauung an der neuen Straße stattfindet, zum Ersatz der ausgelegten Kosten. Dies ist vorläufig um so empfindlicher, als die Verwaltung dadurch vielfach dadurch zu neuen Straßenanlagen gedrängt wird, weil an den verschiedensten Stellen der Peripherie Gebäude da errichtet worden sind, wo eine regulierte Straße noch garnicht vorhanden war. Für die Zukunft ist dem durch ein anderweitiges, auf Grund § 12 des gedachten Gesetzes erlassenes Ortsstatut vom 8. Oktober 1875 vorgebeugt. Einstweilen aber üben die an nicht regulierten Straßen früher entstandenen Neubauten in finanzieller Hinsicht eine doppelt nachteilige Wirkung, indem sie einesteils zur Anlegung der Straße — die man sonst noch unterlassen hätte — nötigen und anderenteils die Besitzer schon erbauter Häuser nach den gegenwärtig maßgebenden Bestimmungen zur Leistung von Beiträgen nicht gezwungen werden können". Vgl. hierzu Fauchers Ausführungen S. 22 f. und Anm. 27 und 28.

Professor Ely (vgl. seinen Ausspruch am Kopfe von Seite 77) führte auf der Generalversammlung des Vereins für Sozialpolitik 1911 aus, wie auch die bessere Technik der amerikanischen Kommunalbesteuerung geradezu zum schleunigen Hausbau zwingt. Die Städte bauen auf eigene Rechnung die Straßen auf Vorrat; die Anlieger müssen in Madison für den Bürgersteig sofort, für den übrigen Straßenbau innerhalb zehn Jahren zahlen. Noch rigoroser gegen den Grundbesitzer sind die Bestimmungen in New-York (vgl. Zeitschrift für Wohnungswesen, Jahrg. IX, Nr. 6), wo die umgelegten Beträge zwei Monate nach Feststellung der Straße im Verwaltungszwangsverfahren und bei Zahlungsunfähigkeit des Schuldners nach drei Jahren durch Subhastation des Grundstückes betreibbar sind. In Preußen müssen die Grundbesitzer erst ihre Anliegerbeiträge zahlen „sobald sie Gebäude an der neuen Straße errichten", (§ 15 des Baufluchtliniengesetzes) das gibt ihnen Zeit den Hausbau zu verzögern und macht die Gemeinde beim Straßenbau zurückhaltend. Der Anlieger an einer Straße, die er selbst bezahlen mußte dagegen, hat kein anderes Mittel, seine Auslagen zu verzinsen und die Steuern nach dem gemeinen Wert zu zahlen, als zu bauen und zu vermieten, wäre es auch nur ein kleines Einfamilienhaus.

90) Vgl. Dr. Paul Alexander-Katz, Justizrat, Professor, Rechtsanwalt und Privatdozent in Berlin: „Über preußisches Fluchtliniengesetz", Berlin 1908, in Bd. I, Heft 7 der städtebaulichen Vorträge aus dem Seminar für Städtebau an der Königlichen Technischen Hochschule zu Berlin, herausgegeben von den Leitern des Seminars für Städtebau Joseph Brix und Felix Genzmer, besonders S. 8 und 24. Ferner Eberstadt: „Handbuch des Wohnungswesens und der Wohnungsfrage." Jena 1910. S. 215 f.

CPSIA information can be obtained
at www.ICGtesting.com
Printed in the USA
BVHW04*1408020818
523384BV00006B/97/P